HOMENS SÃO DE MARTE, MULHERES SÃO DE VÊNUS

HOMENS SÃO DE MARTE, MULHERES SÃO DE VÊNUS

Um guia prático para melhorar a comunicação e conseguir o que você quer nos seus relacionamentos

JOHN GRAY, Ph.D.

TRADUÇÃO DE
ALEXANDRE JORDÃO

Rocco

Título original
MEN ARE FROM MARS, WOMEN ARE FROM VENUS
a pratical guide for improving communication and
getting what you want in relationships

Copyright © 1992 *by* John Gray

Primeira publicação pela HarperCollins, Nova York
Todos os direitos reservados

Direitos mundiais para a língua portuguesa
reservados com exclusividade à
EDITORA ROCCO LTDA.
Rua Evaristo da Veiga, 65 – 11º andar
Passeio Corporate – Torre 1
20031-040 – Rio de Janeiro – RJ
Tel.: (21) 3525-2000 – Fax: (21) 3525-2001
rocco@rocco.com.br
www.rocco.com.br

Printed in Brazil/Impresso no Brasil

preparação de originais
MAIRA PARULA

CIP-Brasil. Catalogação na fonte.
Sindicato Nacional dos Editores de Livros, RJ.

G82h Gray, John
      Homens são de Marte, mulheres são de Vênus: um guia prático para melhorar a comunicação e conseguir o que você quer nos seus relacionamentos / John Gray; tradução de Alexandre Jordão. – Rio de Janeiro: Rocco, 1995.

      Tradução de: Men are from Mars, women are from Venus
      ISBN 85-325-0517-1

      1. Comunicação no casamento. 2. Casamento – Aconselhamento. 3. Relações humanas. I. Título.

94-1515
CDD–646.78
CDU–392.5

*Este livro é dedicado com o mais profundo amor
e afeição à minha esposa, Bonnie Gray.*

*Seu amor, vulnerabilidade, sabedoria e vigor
têm me inspirado a ser o melhor que posso ser
e a compartilhar o que aprendemos juntos.*

SUMÁRIO

Agradecimentos 9

Introdução 11

1. Homens são de Marte, Mulheres são de Vênus 19
2. O sr. Conserta-Tudo e o comitê para o progresso da casa 25
3. Os homens vão para suas cavernas e as mulheres falam 40
4. Como motivar o sexo oposto 54
5. Falando línguas diferentes 72
6. Os homens são como elásticos 105
7. As mulheres são como ondas 125
8. Descobrindo nossas diferentes necessidades emocionais 145
9. Como evitar discussões 164
10. Marcando pontos com o sexo oposto 192
11. Como comunicar sentimentos difíceis 221
12. Como pedir apoio e receber 259
13. Mantendo viva a magia do amor 286

AGRADECIMENTOS

Agradeço à minha esposa, Bonnie, por dividir a jornada de desenvolvimento deste livro comigo. A ela agradeço por me permitir compartilhar nossas experiências e especialmente por expandir meu entendimento e capacidade para honrar o ponto de vista feminino.

Agradeço às nossas três filhas, Shannon, Julie e Lauren, por seu amor e dedicação. O desafio de ser pai me permitiu entender os esforços de meus pais e amá-los ainda mais. Ser pai tem me ajudado especialmente a entender e amar meu pai.

Agradeço ao meu pai e à minha mãe por seus esforços amorosos para criar uma família de sete filhos. Agradeço ao meu irmão mais velho, David, por entender meus sentimentos e admirar minhas palavras. Agradeço ao meu irmão William por me motivar para conquistas maiores. Agradeço ao meu irmão Robert por todas as longas e interessantes conversas que tivemos até a aurora e por suas ideias brilhantes, das quais eu sempre me beneficiei. Agradeço ao meu irmão Tom por seu encorajamento e seu espírito positivo. Agradeço a minha irmã Virginia por acreditar em mim e apreciar meus seminários. Agradeço ao meu finado irmão caçula Jimmy por seu amor e admiração, que continuam a me amparar através dos meus momentos difíceis.

Agradeço à minha agente Patti Breitman, cuja ajuda, brilhante criatividade e entusiasmo guiaram este livro desde sua concepção até sua conclusão. Agradeço a Carole Bidnick por seu inspirado apoio no começo desse projeto. Agradeço a Susan Moldow e a Nancy Peske por seus feedbacks e conselhos sábios. Agradeço ao pessoal da HarperCollins por sua receptividade às minhas necessidades.

Agradeço a todos os milhares de pessoas que participaram dos meus seminários sobre relacionamento, que compartilharam suas histórias e que me encorajaram a escrever esse livro. Seu feedback positivo e amoroso me ajudou a desenvolver essa apresentação simples de um tema tão complexo.

Agradeço aos meus clientes que compartilharam suas lutas tão intimamente e confiaram na minha assistência em suas jornadas.

Agradeço a Steve Martineau por sua habilidosa influência e sabedoria, que pode ser encontrada espalhada por esse livro.

Agradeço aos meus diferentes promotores, que colocaram seus corações e suas almas na produção dos Seminários sobre Relacionamento John Gray, onde este material foi testado e desenvolvido: Elley e Ian Coren em Santa Cruz; Debra Mudd, Gary e Helen Francell em Honolulu; Bill e Judy Elbring em San Francisco; David Obstfeld e Fred Kliner em Washington, D.C.; Elizabeth Kling em Baltimore; Clark e Dottie Bartell em Seattle; Michael Najarian em Phoenix; Gloria Manchester em Los Angeles; Sandee Mac em Houston; Earlene Carrillo em Las Vegas; David Farlow em San Diego; Bart e Merril Jacobs em Dallas; e Ove Johhansson e Eva Martensson em Estocolmo.

Agradeço a Richard Cohen e Cindy Black da Beyond Words Publishing por seu amor e apoio genuíno ao meu último livro, *Men, Women, and Relationships* (Homens, mulheres e relacionamentos), que deu à luz as ideias desse livro.

Agradeço a John Vestman do Trianon Studios por suas hábeis gravações de áudio do meu seminário completo, e a Dave Morton e ao pessoal do Cassette Express por sua contínua apreciação do material e seu serviço de qualidade.

Agradeço aos participantes do meu grupo de homens por compartilharem suas histórias, e agradeço especialmente a Lenney Eiger, Charles Wood, Jacques Early, David Placek e Chris Johns, que me deram feedback tão valioso para editar o manuscrito.

Agradeço à minha secretária, Ariana, por assumir o consultório com eficiência e responsabilidade durante esse projeto.

Agradeço ao meu advogado (e avô adotivo das minhas filhas), Jerry Riefold, por estar sempre presente.

Agradeço a Clifford McGuire por sua amizade contínua de vinte anos. Eu não poderia pedir por uma caixa de ressonância e um amigo melhores.

INTRODUÇÃO

Uma semana depois do nascimento de nossa filha Lauren, minha mulher Bonnie e eu estávamos completamente exaustos. A cada noite Lauren continuava nos acordando. Bonnie tinha sido lacerada durante o parto e precisava tomar analgésicos. Ela mal conseguia andar. Depois de permanecer cinco dias em casa para ajudar, eu retornei ao trabalho. Ela parecia estar melhorando.

Enquanto eu estava fora, ela ficou sem analgésicos. Em vez de me ligar no consultório, pediu a um dos meus irmãos, que estava nos visitando, para comprar mais. Meu irmão, no entanto, não retornou com os comprimidos. Consequentemente, ela passou o dia todo com dores, cuidando de um recém-nascido.

Eu não tinha a menor ideia de que seu dia tinha sido tão terrível. Quando voltei para casa, ela se encontrava muito perturbada. Eu interpretei mal a causa de seu sofrimento e achei que estivesse me culpando.

Ela disse, "Fiquei com dores o dia todo... fiquei sem remédio. Estou encalhada na cama e ninguém liga!"

Eu reagi defensivamente, "Por que você não me ligou?".

Ela respondeu, "Eu pedi a seu irmão, mas ele se esqueceu! Estou esperando por ele o dia todo. O que devo fazer? Mal posso andar. Eu me sinto tão desamparada!"

Nesse ponto eu explodi. Meu pavio também estava muito curto aquele dia. Eu estava com raiva porque ela não me havia ligado. Fiquei furioso porque ela estava me culpando quando eu nem sabia que estava com dores. Depois de trocar algumas palavras ásperas, eu me dirigi à porta. Eu estava cansado, irascível, e já tinha ouvido o bastante. Nós tínhamos ambos alcançado nossos limites.

Aí alguma coisa começou a acontecer que mudaria minha vida.

Bonnie falou, "Pare, por favor, não vá. Essa é a hora em que eu mais preciso de você. Eu estou com dores. Eu não durmo há dias. Por favor, me ouça".

Eu parei por um minuto para ouvir.

Ela falou, "John Gray, você só sabe ser amigo nas horas boas! Desde que eu seja a doce, a amável Bonnie, você está aqui para mim, mas logo que eu deixo de sê-la, você sai por aquela porta".

Então ela fez uma pausa, e seus olhos se encheram de lágrimas. Enquanto seu tom mudava, ela disse, "Agora mesmo eu estou com dores. Eu não tenho nada para dar, é quando eu mais preciso de você. Por favor, venha até aqui e me abrace. Você não precisa dizer nada. Eu só preciso sentir seus braços em volta de mim. Por favor, não vá".

Eu me aproximei e silenciosamente abracei-a. Ela chorou nos meus braços. Depois de alguns minutos, me agradeceu por não ter ido embora. Ela me contou que só precisava me sentir abraçando-a.

Naquele momento eu comecei a me dar conta do verdadeiro significado do amor – do amor incondicional. Eu sempre me considerara uma pessoa amável. Mas ela estava certa. Eu tinha sido até então um amigo das horas boas. Se ela estivesse feliz e agradável, eu a amava de volta. Mas se ela estivesse infeliz ou perturbada, eu me sentia culpado e então discutia ou me distanciava.

Naquele dia, pela primeira vez, eu não a deixei. Eu fiquei, e foi ótimo. Eu consegui me dar quando ela realmente precisava de mim. Isso me pareceu amor de verdade. Se importar com outra pessoa. Confiar no nosso amor. Estar lá na sua hora de necessidade. Eu me maravilhei com a facilidade que tive para ampará-la quando me foi mostrado o caminho.

Como eu tinha deixado isso escapar? Ela só precisava que eu me aproximasse e a abraçasse. Outra mulher teria instintivamente reconhecido o que Bonnie precisava. Mas como um homem, eu não sabia que tocar, abraçar e ouvir eram tão importantes para ela. Reconhecendo essas diferenças, comecei a aprender uma nova maneira de me relacionar com a minha esposa. Eu jamais teria acreditado que nós pudéssemos resolver nossos conflitos tão facilmente.

Nos meus relacionamentos anteriores, eu me comportava de forma indiferente e inamistosa nos momentos difíceis simplesmente porque não sabia mais o que fazer. Como resultado, meu primeiro casamento tinha sido bastante doloroso e difícil. Esse incidente com Bonnie me revelou como eu poderia mudar esse padrão.

Ele inspirou meus sete anos de pesquisa para ajudar a desenvolver e refinar os insights sobre homens e mulheres nesse livro. Aprendendo em termos tão práticos e específicos sobre como homens e mulheres são diferentes, repentinamente comecei a me dar conta de que o casamento não tem que ser uma luta tão grande. Com essa nova consciência de nossas diferenças, Bonnie e eu pudemos melhorar significativamente nossa comunicação e desfrutar mais um do outro.

Ao continuar a reconhecer e explorar nossas diferenças, descobrimos novas maneiras de melhorar todos os nossos relacionamentos. Aprendemos a nos relacionar de uma maneira que nossos pais nunca souberam e por isso não poderiam ter-nos ensinado. Quando comecei a compartilhar esses insights com meus clientes de aconselhamento, seus relacionamentos também se enriqueceram. Literalmente milhares daqueles que frequentaram meus seminários de final de semana viram seus relacionamentos se transformarem da noite para o dia.

Sete anos depois, indivíduos e casais ainda relatam benefícios bem-sucedidos. Recebo fotografias de casais felizes com seus filhos, cartas me agradecendo por salvar seus casamentos. Mesmo que tenha sido o amor o que salvou seus casamentos, eles teriam se divorciado se não houvessem adquirido uma compreensão mais profunda do sexo oposto.

Susan e Jim estavam casados havia nove anos. Como a maioria dos casais, eles começaram apaixonados, mas, depois de anos de frustração e decepção crescentes, perderam a paixão e decidiram desistir. Antes de pedirem o divórcio, porém, começaram a frequentar meus seminários sobre relacionamento. Susan disse, "Nós já tentamos tudo para fazer esse relacionamento funcionar. Nós somos simplesmente diferentes demais".

Durante o seminário eles ficaram surpresos ao aprenderem que suas diferenças não eram somente normais como previstas. Eles sentiram-se confortados pelo fato de outros casais terem experimentado os mesmos padrões de relacionamento. Em dois dias, Susan e Jim alcançaram uma compreensão totalmente nova sobre homens e mulheres.

Eles se apaixonaram de novo. Seu relacionamento mudou miraculosamente. Não mais visando ao divórcio, eles passaram a desejar dividir o resto de suas vidas juntos. Jim falou, "Essas informações sobre nossas diferenças trouxeram minha esposa de volta. Esse é o maior presente que eu poderia algum dia receber. Nós estamos nos amando de novo".

Seis anos mais tarde, quando eles me convidaram para visitar sua nova casa e nova família, eles ainda se amavam. Ainda me agradeciam por tê-los ajudado a entender um ao outro e continuarem casados.

Apesar de quase todo mundo concordar que homens e mulheres são diferentes, o *como* são diferentes está ainda indefinido para a maioria das pessoas. Muitos livros nos últimos dez anos tomaram a dianteira tentando definir essas diferenças. Mesmo que avanços importantes tenham sido feitos, muitos livros são unilaterais e infelizmente reforçam a desconfiança e o ressentimento com relação ao sexo oposto. Um sexo é geralmente visto como vitimado pelo outro. Um guia definitivo fazia-se necessário para entender como homens e mulheres *saudáveis* são diferentes.

Para melhorar as relações entre os sexos é necessária uma compreensão das nossas diferenças que eleve a autoestima e a dignidade pessoal enquanto inspira confiança mútua, responsabilidade pessoal, cooperação crescente e um amor maior. Como resultado de perguntas a mais de 25 mil participantes dos meus seminários sobre relacionamento, eu pude definir em termos positivos como homens e mulheres são diferentes. À medida que você explora essas diferenças, vai sentir os muros do ressentimento e da desconfiança se desfazendo.

Abrir o coração resulta em maior disposição para perdoar e maior motivação para dar e receber amor e amparo. Com essa nova consciência, você vai, espero, ultrapassar as afirmações desse livro e continuar a desenvolver meios pelos quais possa se relacionar amavelmente com o sexo oposto.

Todos os princípios contidos nesse livro foram testados e tentados. Pelo menos 90% dos mais de 25 mil indivíduos questionados se reconheceram entusiasticamente nessas descrições. Se você se encontrar inclinando a cabeça enquanto lê esse livro, dizendo "Sim, sim, é de mim que você está falando", então definitivamente você não está sozinho. E do mesmo modo que outros têm se beneficiado da aplicação dos insights contidos nesse livro, você também pode.

Homens são de Marte, mulheres são de Vênus revela novas estratégias para reduzir a tensão nos relacionamentos e criar mais amor, inicialmente através do reconhecimento detalhado de como homens e mulheres são diferentes. Oferece então sugestões práticas sobre como reduzir a frustração e o desapontamento e criar felicidade e intimidade crescentes. Relacionamentos não têm que ser uma batalha tão árdua. Somente quando não entendemos um ao outro há tensão, ressentimento ou conflito.

Tantas pessoas são frustradas nos seus relacionamentos! Elas amam seus parceiros, mas, quando há tensão, não sabem o que fazer para melhorar as coisas. Entendendo como homens e mulheres são completamente diferentes, você vai aprender novas maneiras de lidar com sucesso, ouvir e apoiar o sexo oposto. Você aprenderá como criar o amor que você merece. Enquanto lê esse livro, você pode imaginar como qualquer pessoa consegue manter relacionamentos bem-sucedidos sem ele.

Homens são de Marte, mulheres são de Vênus é um manual para relacionamentos amorosos nos anos 1990. Revela como homens e mulheres diferem em todas as áreas de suas vidas. Não somente homens e mulheres se comunicam diferentemente, mas pensam, sentem, percebem, reagem, respondem, amam, precisam e apreciam diferentemente. Eles quase parecem ser de planetas diferentes, falando línguas diferentes e necessitando de diferentes nutrientes.

Essa compreensão ampliada das nossas diferenças ajuda a resolver muito da frustração em lidar e tentar entender o sexo oposto. Desentendimentos podem então ser rapidamente dissipados ou evitados. Expectativas incorretas são facilmente corrigidas. Quando você se lembrar de que seu(sua) parceiro(a) é tão diferente de você quanto uma pessoa de outro planeta, você poderá então relaxar e cooperar com as diferenças em vez de resistir ou tentar mudá-las.

Mais importante, no decorrer desse livro você aprenderá técnicas práticas para resolver os problemas que surgem das nossas diferenças. Esse livro não é somente uma análise teórica de diferenças psicológicas, mas também um manual prático de como ter sucesso em criar relacionamentos amorosos.

A verdade desses princípios é evidente por si mesma e pode ser validada pela sua própria experiência, bem como pelo senso comum. Muitos exemplos irão simples e concisamente expressar o que você sempre soube por instinto. Essa validação o ajudará a ser você mesmo e a não se perder nos seus relacionamentos.

Em resposta a esses insights, os homens geralmente dizem "Isso é exatamente como eu sou. Você andou me seguindo por aí? Eu não sinto mais como se alguma coisa estivesse errada comigo".

As mulheres geralmente dizem "Finalmente meu marido me ouve. Eu não tenho que brigar para ser compreendida. Quando você explica nossas diferenças meu marido entende. Obrigada!".

Estes são alguns dos milhares de comentários inspirados que as pessoas têm compartilhado depois de aprender que os homens são de Marte e as mulheres são de Vênus. Os resultados desse novo programa para entender o sexo oposto não são somente drásticos e imediatos, mas duradouros.

Certamente a jornada de criação de um relacionamento amoroso pode ser tortuosa de vez em quando. Problemas são inevitáveis. Mas esses problemas ou podem ser fontes de ressentimento e rejeição ou podem ser oportunidades para aprofundar a intimidade e aumentar o amor, o carinho e a confiança. Os insights desse livro não são soluções prontas para eliminar todos os problemas. Ao contrário, eles fornecem uma nova abordagem por meio da qual seus relacionamentos podem apoiá-lo com sucesso na resolução dos problemas da vida quando eles surgirem. Com essa nova consciência, você terá os instrumentos de que precisa para conseguir o amor que merece e para dar ao(à) seu(sua) parceiro(a) o amor e o apoio que ele ou ela merece.

Eu faço muitas generalizações sobre homens e mulheres nesse livro. Provavelmente você vai achar alguns comentários mais verdadeiros que outros... afinal de contas, nós somos indivíduos únicos com experiências únicas. Algumas vezes nos meus seminários casais e indivíduos afirmam se identificarem com os exemplos de homens e mulheres, mas de uma maneira oposta. O homem se identifica com a minha descrição de mulher e a mulher se identifica com a minha descrição de homem. Eu chamo a isso de inversão de papéis.

Se você descobrir que está experimentando uma inversão de papéis, quero lhe assegurar de que está tudo bem. Sugiro que quando você não se identificar com coisa alguma nesse livro ou ignore-a (passando para algo com que se identifique) ou faça um exame mais profundo em si mesmo(a). Muitos homens têm negado alguns dos seus atributos masculinos a fim de se tornarem mais amorosos e carinhosos. Do mesmo modo muitas mulheres têm negado alguns de seus atributos femininos a fim de ganhar seu sustento num mercado de trabalho que recompensa atributos masculinos. Se este for o caso, então através da aplicação de sugestões, estratégias e técnicas contidas nesse livro você vai não apenas criar mais paixão nos seus relacionamentos, como também vai, progressivamente, equilibrar suas características masculinas e femininas.

Nesse livro eu não abordo diretamente a questão do porquê homens e mulheres são diferentes. Essa é uma questão complexa para a qual há muitas respostas, que vão desde diferenças biológicas, influência da família, educação e nascimento até condicionamento cultural pela sociedade, pela mídia e pela história. Esses assuntos são examinados com mais profundidade no meu livro *Homens, mulheres e relacionamentos*.

Apesar dos benefícios da aplicação dos insights contidos nesse livro serem imediatos, o livro não suplanta a necessidade de terapia e aconselhamento para relacionamentos problemáticos ou sobreviventes de uma família desagregada. Até mesmo indivíduos sadios podem precisar de terapia ou aconselhamento em momentos desafiadores. Eu acredito firmemente na transformação poderosa e gradual que ocorre em terapia, aconselhamento de casais e grupos de recuperação de doze passos.

Ainda assim tenho repetidamente ouvido pessoas dizerem que se beneficiaram mais dessa nova compreensão dos relacionamentos do que de anos de terapia. Entretanto, acredito que seus anos de terapia ou trabalho de recuperação forneceram a base que lhes permitiu aplicar esses insights com tanto sucesso às suas vidas e relacionamentos. Se o nosso passado foi desequilibrado, então mesmo depois de anos de terapia ou de participação em grupos de recuperação, ainda precisamos de um quadro positivo de relacionamentos sadios. Esse livro fornece essa visão. Por outro lado, mesmo que nosso passado tenha sido bastante amoroso e gratificante, os tempos mudaram e uma nova abordagem do relacionamento entre os sexos é ainda necessária. É essencial aprender maneiras novas e mais sadias de se relacionar e comunicar.

Eu acredito que qualquer um pode se beneficiar dos insights contidos nesse livro. A única reação negativa que ouço dos participantes dos meus seminários e nas cartas que recebo é "Gostaria que alguém tivesse me dito isso antes". Nunca é tarde demais para colocar amor na sua vida. Você só precisa aprender uma nova maneira. Quer esteja em terapia ou não, se quiser ter um relacionamento mais satisfatório com o sexo oposto, esse livro é para você. É um prazer dividir *Homens são de Marte, mulheres são de Vênus*. Que você possa sempre crescer em sabedoria e amor. Que a frequência de divórcios diminua e o número de casamentos felizes aumente. Nossas crianças merecem um mundo melhor.

John Gray
15 de novembro de 1991
Mill Valley, Califórnia

1

HOMENS SÃO DE MARTE, MULHERES SÃO DE VÊNUS

Imagine que os homens são de Marte e as mulheres de Vênus. Um dia, há muito tempo, os marcianos, olhando através de seus telescópios, descobriram as venusianas. Bastou uma olhadela nas venusianas para despertar sentimentos desconhecidos até então. Eles se apaixonaram e rapidamente inventaram a viagem espacial e voaram até Vênus.

As venusianas receberam os marcianos de braços abertos. Elas sabiam intuitivamente que esse dia iria chegar. Seus corações se abriram para um amor que nunca tinham sentido antes.

O amor entre as venusianas e os marcianos era mágico. Eles se deliciavam em estar juntos, fazer coisas juntos e participar juntos. Apesar de serem de mundos diferentes, eles se divertiam com suas diferenças. Passaram meses aprendendo um sobre o outro, explorando e apreciando suas necessidades, preferências e padrões de comportamento diferentes. Por anos seguidos viveram juntos em amor e harmonia.

Aí eles decidiram voar para a Terra. No começo tudo era maravilhoso e lindo. Mas os efeitos da atmosfera da Terra assumiram o controle, e certa manhã todos acordaram com um tipo peculiar de amnésia – a *amnésia seletiva*!

Tanto os marcianos quanto as venusianas esqueceram que eram de planetas diferentes e que deviam ser diferentes. Naquela manhã tudo o que tinham aprendido sobre suas diferenças foi apagado de sua memória. E desde esse dia homens e mulheres têm vivido em conflito.

Lembrando nossas diferenças

Sem a consciência de que deveriam ser diferentes, homens e mulheres estão em disputa uns com os outros. Nós geralmente ficamos nervosos ou frustrados com o sexo oposto porque esquecemos dessa verdade importante. Esperamos que o sexo oposto se pareça mais conosco. Desejamos que "queiram o que nós queremos" e "sintam como nós sentimos".

Supomos erroneamente que se o(a) nosso(a) parceiro(a) nos ama, vai reagir e se comportar de certas maneiras – as maneiras como reagimos e nos comportamos quando amamos alguém. Essa atitude nos coloca numa situação de repetidas decepções e nos impede de levar o tempo necessário para comunicar amavelmente nossas diferenças.

Supomos erroneamente que se o(a) nosso(a) parceiro(a) nos ama, vai reagir e se comportar de certas maneiras – as maneiras como reagimos e nos comportamos quando amamos alguém.

Os homens esperam, equivocadamente, que as mulheres pensem, se comuniquem e reajam da maneira como os homens o fazem; as mulheres erroneamente esperam que os homens sintam, se comuniquem e respondam da maneira como as mulheres o fazem. Nós nos esquecemos de que homens e mulheres devem ser diferentes. Como resultado, nossos relacionamentos vivem permeados de conflitos e atritos desnecessários.

Reconhecer e respeitar claramente essas diferenças reduz drasticamente a confusão ao lidarmos com o sexo oposto. Quando você se lembra de que os homens são de Marte e as mulheres são de Vênus, tudo pode ser explicado.

Um resumo das diferenças

Por todo o livro discutirei nossas diferenças detalhadamente. Cada capítulo vai lhes trazer insights novos e cruciais. Aqui estão as diferenças mais significativas que exploraremos:

No capítulo 2 examinaremos como os valores dos homens e das mulheres são inerentemente diferentes e tentaremos entender os dois erros mais comuns no que diz respeito ao sexo oposto: os homens erroneamente oferecem soluções e invalidam sentimentos enquanto as mulheres oferecem conselhos e orientações não solicitados. Através da compreensão do nosso passado marciano/venusiano se torna óbvio por que homens e mulheres cometem esses erros *sem saber*. Lembrando dessas diferenças, podemos corrigir nossos erros e responder imediatamente um ao outro de uma maneira mais produtiva.

No capítulo 3 descobriremos as maneiras diferentes com que homens e mulheres lidam com o estresse. Enquanto os marcianos tentam se afastar e pensar silenciosamente sobre o que os está incomodando, as venusianas sentem uma necessidade instintiva de conversar sobre aquilo que as incomoda. Você vai aprender novas estratégias para conseguir o que você quer nessas horas de conflito.

Vamos examinar como motivar o sexo oposto no capítulo 4. Os homens ficam motivados quando se sentem necessários, enquanto as mulheres ficam motivadas quando se sentem acalentadas. Discutiremos os três passos para melhorar relacionamentos e veremos como vencer nossos maiores desafios: os homens precisam superar sua resistência a dar amor enquanto as mulheres têm que superar sua resistência a recebê-lo.

No capítulo 5 você aprenderá como homens e mulheres comumente não se compreendem porque falam línguas diferentes. Um *Dicionário fraseológico marciano/venusiano* é fornecido para traduzir expressões comumente mal interpretadas. Você aprenderá como homens e mulheres falam e até param de falar por motivos inteiramente opostos. As mulheres saberão o que fazer quando um homem para de falar, e os homens aprenderão a ouvir melhor sem se frustrarem.

No capítulo 6 você descobrirá como homens e mulheres têm necessidades diferentes de intimidade. Um homem se aproxima mas de repente precisa inevitavelmente se afastar. As mulheres aprenderão como suportar esse processo de afastamento de um modo que faça com que ele salte de volta para ela como um elástico. As mulheres aprenderão também os melhores momentos para ter conversas íntimas com um homem.

Examinaremos, no capítulo 7, como as atitudes amorosas de uma mulher aumentam e diminuem ritmicamente num movimento ondulatório. Os homens aprenderão como interpretar essas mudanças de sentimentos, algumas vezes repentinas. Os homens aprenderão também a reconhecer quando eles são mais necessários e como amparar habilidosamente nessas horas sem ter que fazer sacrifícios.

No capítulo 8 você descobrirá como homens e mulheres dão o tipo de amor de que precisam e não o tipo de amor de que o sexo oposto precisa. Os homens precisam primordialmente de um tipo de amor que seja confiante, que aceite e aprecie. As mulheres precisam primordialmente de um tipo de amor que seja carinhoso, que entenda e respeite. Você descobrirá as seis maneiras mais comuns pelas quais pode, sem saber, estar desestimulando seu parceiro.

No capítulo 9 examinaremos como evitar discussões dolorosas. Os homens aprenderão que, agindo como se sempre estivessem com a razão, podem estar invalidando os sentimentos de uma mulher. As mulheres aprenderão como elas, sem saber, passam mensagens de desaprovação em vez de discordância, reforçando, desse modo, os sentimentos de defesa do homem. A anatomia de uma discussão será explorada com várias sugestões práticas para se estabelecer uma comunicação amparadora.

O capítulo 10 mostrará como homens e mulheres mantêm um placar de maneira diferente. Os homens aprenderão que para as venusianas qualquer presente de amor marca tantos pontos quanto qualquer outro presente, independentemente do tamanho. Em vez de se concentrarem em um grande presente, os homens são lembrados de que pequenas manifestações de amor são tão importantes quanto as grandes; 101 maneiras de marcar pontos com as mulheres estão catalogadas. As mulheres, no entanto, aprenderão a redirecionar suas energias para formas de marcar pontos com os homens, dando-lhes o que eles querem.

No capítulo 11, você aprenderá formas de se comunicar um com o outro durante os tempos difíceis. As maneiras diferentes de homens e mulheres ocultarem sentimentos são discutidas junto com a importância de compartilhar tais sentimentos. A Técnica da Carta de Amor é recomendada para expressar sentimentos negativos ao seu parceiro, como uma forma de descobrir o amor maior e o perdão.

Você entenderá por que as venusianas têm mais dificuldades para pedir ajuda no capítulo 12, bem como por que os marcianos geralmente resistem aos pedidos. Você aprenderá como as frases "você poderia?" e "você pode?" desestimulam os homens e o que dizer em vez disso. Você aprenderá os segredos para encorajar um homem a se dar mais e descobrirá de várias maneiras o poder de ser breve, direta e de usar as palavras certas.

No capítulo 13, você descobrirá as quatro estações do amor. Essa perspectiva realista de como o amor muda e cresce irá lhe auxiliar a transpor os obstáculos inevitáveis que emergem em qualquer relacionamento. Aprenderá como seu passado ou o passado de seu parceiro podem afetar seu relacionamento no presente e descobrirá outros insights importantes para manter viva a magia do amor.

Em cada capítulo de *Homens são de Marte, mulheres são de Vênus*, você descobrirá novos segredos para criar relacionamentos amorosos e duradouros. Cada nova descoberta aumentará sua habilidade para ter relacionamentos satisfatórios.

Boas intenções não bastam

Apaixonar-se é sempre mágico. Parece eterno, como se o amor fosse durar para sempre. Nós ingenuamente acreditamos que, de alguma maneira, estamos isentos dos problemas que nossos pais tiveram, livres das probabilidades da morte do amor, certos de que era para ser assim e que estamos destinados a viver felizes para sempre.

Mas quando a mágica desaparece e a vida cotidiana assume o poder, o que emerge é que os homens continuam a esperar que as mulheres pensem e reajam como homens, e as mulheres esperam que os homens sintam e se comportem como mulheres. Sem uma consciência clara das nossas diferenças, nós não nos dedicamos a entender e respeitar um ao outro. Nós nos tornamos reclamões, ressentidos, judiciosos e intolerantes.

Com a melhor e mais amável das intenções o amor continua a morrer. De alguma forma os problemas se introduzem. Os ressentimentos se edificam. A comunicação sucumbe. A desconfiança aumenta. Os resultados são rejeição e repressão. A magia do amor está perdida.

Nós nos perguntamos:

Como isso acontece?

Por que acontece?

Por que acontece conosco?

Para responder a essas perguntas, nossos maiores pensadores têm desenvolvido modelos psicológicos e filosóficos brilhantes e complexos. Mesmo assim o velho padrão retorna. O amor acaba. Acontece com quase todo mundo.

A cada dia milhões de pessoas estão procurando por um parceiro para experimentarem aquele sentimento especial de amor. A cada ano milhões de casais se juntam com amor e então se separam dolorosamente porque perderam aquele sentimento amoroso. Daqueles que são capazes de sustentar o amor por tempo suficiente para se casarem, somente 50% ficam casados. Desses que ficam juntos, possivelmente outros 50% não estão satisfeitos. Eles ficam juntos por fidelidade e por obrigação ou por medo de terem de começar tudo de novo.

Muito poucos indivíduos, de fato, são capazes de crescer em amor. Ainda assim, isso acontece. Quando homens e mulheres são capazes de respeitar e aceitar suas diferenças, então o amor tem uma chance de desabrochar.

> **Quando homens e mulheres são capazes de respeitar e aceitar suas diferenças, então o amor tem uma chance de desabrochar.**

Através da compreensão das diferenças ocultas do sexo oposto podemos, com maior sucesso, dar e receber o amor que está em nossos corações. Através da validação e aceitação das diferenças, soluções criativas podem ser descobertas por onde podemos ter sucesso em conseguir o que queremos. E, mais importante, podemos aprender como amar e amparar melhor as pessoas com as quais nos importamos.

O amor é mágico e pode durar, se nos lembrarmos de nossas diferenças.

2

O SR. CONSERTA-TUDO E O COMITÊ PARA O PROGRESSO DA CASA

A reclamação mais frequentemente expressa pelas mulheres sobre os homens é a de que eles não sabem ouvir. Ou um homem a ignora completamente quando ela fala com ele, ou ele ouve por alguns momentos, fica ciente do que a está aborrecendo e então orgulhosamente põe o seu boné de sr. Conserta-Tudo e lhe oferece uma solução para fazê-la sentir-se melhor. Ele fica confuso quando ela não aprecia esse gesto de amor. Não importa quantas vezes ela diga que ele não está ouvindo, ele não entende e continua fazendo a mesma coisa. Ela quer empatia, mas ele pensa que ela quer soluções.

A reclamação mais frequentemente expressa pelos homens sobre as mulheres é a de que elas estão sempre tentando mudá-lo. Quando uma mulher ama um homem, ela se sente responsável por assisti-lo em seu crescimento e tenta ajudá-lo a melhorar o modo como ele faz as coisas. Ela forma um comitê para o progresso da casa, e ele se torna seu foco principal. Não importa o quanto ele resista à sua ajuda, ela persiste esperando por qualquer oportunidade para ajudá-lo ou dizer a ele o que fazer. Ela pensa que o está acalentando, enquanto ele sente que está sendo controlado. Ao invés disso, ele quer sua aceitação.

Esses dois problemas podem finalmente ser resolvidos através primeiramente da compreensão de por que os homens oferecem soluções e por que as mulheres anseiam o progresso. Vamos fazer de conta que voltamos no tempo, onde através da observação da vida em Marte e Vênus – antes dos planetas se descobrirem mutuamente ou virem para a Terra – nós podemos adquirir alguns insights sobre homens e mulheres.

A vida em Marte

Os marcianos valorizam o poder, a competência, a eficiência e a realização. Eles estão sempre fazendo coisas para se provarem e desenvolverem seu poder e suas habilidades. Seu senso de si mesmo é definido pela sua habilidade em alcançar resultados. Eles experimentam satisfação principalmente através do sucesso e da realização.

> **O senso de si mesmo de um homem é definido pela sua habilidade em alcançar resultados.**

Tudo em Marte é um reflexo desses valores. Até suas roupas são desenhadas para refletir sua habilidade e competência. Policiais, soldados, homens de negócios, cientistas, motoristas de táxi, técnicos e chefes, todos usam uniformes ou pelo menos chapéus para refletir sua competência e poder.

Eles não leem revistas como *Psychology Today*, *Self* ou *People*; eles estão mais preocupados com atividades externas, como caçar, pescar e correr de carro. Eles se interessam pelas notícias, tempo e esportes e não poderiam se importar com romances, novelas e livros de autoajuda.

Eles estão mais interessados em "objetos" e "coisas" do que em pessoas e sentimentos. Mesmo hoje na Terra, enquanto as mulheres fantasiam sobre romance, os homens fantasiam sobre carros possantes, computadores mais rápidos, invenções, engenhocas e tecnologia nova e mais potente. Os homens estão preocupados com as "coisas" que possam ajudá-los a expressar poder através da criação de resultados e do alcance de metas.

Atingir metas é muito importante para um marciano porque é uma forma de ele provar sua competência e assim se sentir bem em relação a si mesmo. E para se sentir bem em relação a si mesmo ele tem que atingir essas metas por si só. Ninguém pode atingi-las para ele. Os marcianos se orgulham de fazer as coisas totalmente por si sós. Autonomia é o símbolo de eficiência, poder e competência.

Entender essa característica marciana pode ajudar as mulheres a entender por que os homens resistem tanto a serem corrigidos ou que lhes digam o que fazer. Oferecer a um homem um conselho não solicitado é presumir que ele não saiba o que fazer ou que não possa fazê-lo por si mesmo. Os homens são muito sensíveis a isso, porque a questão da competência é muito importante para eles.

> **Oferecer a um homem um conselho não solicitado é presumir que ele não saiba o que fazer ou que não possa fazê-lo por si mesmo.**

Por estar lidando com seus problemas por si mesmo, um marciano raramente conversa sobre seus problemas, a menos que precise de conselho profissional. Ele raciocina: "Por que envolver mais alguém quando eu posso fazê-lo por mim mesmo?" Ele guarda seus problemas, a não ser que requeira a ajuda de alguém para encontrar a solução. Pedir ajuda quando você pode fazer sozinho é percebido como um sinal de fraqueza.

No entanto, se ele realmente precisa de ajuda, então é um sinal de sabedoria consegui-la. Nesse caso, ele achará alguém que respeite e então conversará sobre seu problema. Conversar sobre um problema em Marte é um convite para conselhos. Um outro marciano se sente honrado pela oportunidade. Automaticamente ele põe o seu boné de sr. Conserta-Tudo, ouve por algum tempo, e então oferece alguma joia de conselho.

Esse costume marciano é uma das razões pelas quais os homens instintivamente oferecem soluções quando uma mulher fala sobre problemas. Quando uma mulher inocentemente compartilha sentimentos de transtorno ou enumera em voz alta os problemas do seu dia, um homem admite erroneamente que ela está procurando algum conselho de um profissional. Ele põe o seu boné de sr. Conserta-Tudo e começa a dar conselhos; essa é sua maneira de mostrar amor e de tentar ajudar. Ele quer ajudá-la a se sentir melhor resolvendo seu problema. Quer ser útil para ela. Ele sente que pode ser estimado e assim merecedor do amor dela quando suas habilidades são usadas para resolver os problemas dela.

Quando ele oferece uma solução, entretanto, e ela continua perturbada, se torna cada vez mais difícil para ele ouvir porque sua solução está sendo rejeitada e ele se sente cada vez mais inútil.

Ele não tem a menor ideia de que ouvindo com empatia e interesse possa ser amparador. Ele não sabe que em Vênus conversar sobre problemas não é um convite para oferecer soluções.

A vida em Vênus

As venusianas têm valores diferentes. Elas valorizam o amor, a comunicação, a beleza e os relacionamentos. Elas passam muito tempo amparando, ajudando e acalentando umas às outras. Seu senso de si mesma é definido pelos seus sentimentos e pela qualidade dos seus relacionamentos. Elas experimentam satisfação em compartilhar e se relacionar.

> **O senso de si mesma de uma mulher é definido pelos seus sentimentos e pela qualidade dos seus relacionamentos.**

Tudo em Vênus reflete esses valores. Mais do que construir estradas e edifícios altos, as venusianas estão mais preocupadas com a vida em conjunto com harmonia, com a comunidade e com cooperação amorosa. Os relacionamentos são mais importantes do que trabalho e tecnologia. Na maioria das vezes seu mundo é o oposto de Marte.

Elas não usam uniformes como os marcianos (para revelar sua competência). Pelo contrário, gostam de vestir uma roupa diferente a cada dia, de acordo com o que estão sentindo. Expressão pessoal, especialmente do que estão sentindo, é muito importante. Elas podem até trocar de roupa várias vezes ao dia de acordo com a mudança de seu humor.

Comunicação é de importância primordial. Dividir seus sentimentos pessoais é muito mais importante do que atingir metas e sucesso. Conversar e se relacionar umas com as outras é fonte de imensa satisfação.

Isso é difícil para os homens compreenderem. Ele pode chegar perto de entender a experiência de uma mulher em compartilhar e se relacionar, comparando-a com a satisfação que ele sente quando ganha uma corrida, atinge uma meta ou resolve um problema.

Em vez de serem orientadas para metas, as mulheres são orientadas para relacionamentos; elas estão mais preocupadas com a expressão da sua bondade, do seu amor e da sua atenção. Dois marcianos vão almoçar para discutir um projeto ou uma meta nos negócios; eles têm um problema a resolver. Mais que isso, os marcianos encaram ir ao restaurante como uma maneira eficiente de se aproximar de comida: sem comprar, sem cozinhar e sem lavar a louça. Para as venusianas, ir almoçar é uma oportunidade de alimentar um relacionamento, tanto de apoiar quanto de receber apoio de uma amiga. As conversas de restaurante entre mulheres costumam ser muito francas e íntimas, quase como o diálogo que ocorre entre terapeuta e paciente.

Em Vênus, todo mundo estuda psicologia e tem pelo menos mestrado em aconselhamento. Elas estão muito envolvidas com crescimento pessoal, espiritualidade, e tudo o que possa nutrir a vida, curar e crescer. Vênus está coberta de parques, jardins, shoppings e restaurantes.

As venusianas são muito intuitivas. Elas desenvolveram essa habilidade através dos séculos antecipando as necessidades umas das outras. Elas se orgulham de terem consideração pelas necessidades e pelos desejos das outras. Um sinal de grande amor é oferecer ajuda e assistência a outra venusiana sem que seja requisitada.

Como provar a competência de alguém não tem muita importância para uma venusiana, oferecer ajuda não é ofensivo, e precisar de ajuda não é sinal de fraqueza. Um homem, no entanto, pode se sentir ofendido porque quando uma mulher oferece um conselho, ele não sente que ela confia na sua habilidade de fazê-lo sozinho.

Uma mulher não tem concepção alguma dessa sensibilidade masculina porque para ela, se alguém se oferece para ajudá-la, é só mais uma pluma no seu chapéu. Isso faz com que se sinta amada e acalentada. Mas oferecer ajuda a um homem pode fazê-lo se sentir incompetente, fraco e até desamado.

Em Vênus é um sinal de solicitude dar conselhos e sugestões. As venusianas acreditam firmemente que quando alguma coisa está funcionando, ela pode sempre fazer funcionar melhor. Sua natureza é a de querer melhorar as coisas. Quando elas se preocupam com alguém, elas livremente apontam o que pode ser melhorado e sugerem como fazê-lo. Oferecer conselhos e críticas construtivas é um ato de amor.

Marte é muito diferente. Os marcianos são mais orientados para as soluções. Se alguma coisa está funcionando, seu lema é não mude. Seu instinto é de deixá-lo em paz se está funcionando. "Não conserte a não ser que esteja enguiçado" é uma expressão comum.

Quando uma mulher tenta melhorar um homem, ele sente como se ela estivesse tentando consertá-lo. Ele recebe a mensagem de que está "enguiçado". Ela não se dá conta de que suas tentativas atenciosas de ajudá-lo podem humilhá-lo. Ela pensa, erroneamente, que só o está ajudando a crescer.

Desista de dar conselhos

Sem esses insights sobre a natureza dos homens, é muito fácil para uma mulher, sem saber e involuntariamente, magoar e ofender o homem que ela mais ama.

Por exemplo, Tom e Mary estavam indo a uma festa. Tom estava dirigindo. Depois de mais ou menos vinte minutos e de darem a volta no mesmo quarteirão algumas vezes, estava claro para Mary que Tom estava perdido. Ela finalmente sugeriu que ele telefonasse pedindo ajuda. Tom ficou bastante silencioso. Eles por fim chegaram à festa, mas a tensão daquele momento persistiu a noite inteira. Mary não tinha a menor ideia de por que Tom estava tão aborrecido.

Por seu lado, ela estava dizendo "Eu te amo e me preocupo com você, por isso estou te oferecendo ajuda".

Por seu lado, ele estava ofendido. O que ele ouviu foi "Eu não confio em você para nos fazer chegar lá. Você é incompetente!".

Sem saber sobre a vida em Marte, Mary não podia avaliar o quanto era importante para Tom atingir sua meta sem ajuda. Oferecer conselho foi o insulto definitivo. Como vimos, os marcianos nunca dão conselho a menos que lhes seja pedido. Uma maneira de honrar um outro marciano é *sempre* admitir que ele pode resolver seu problema a não ser que esteja pedindo ajuda.

Mary não tinha a menor ideia de que quando Tom se perdeu e começou a dar voltas pelo mesmo quarteirão, seria uma oportunidade muito especial para amá-lo e apoiá-lo. Ao mesmo tempo ele estava particularmente vulnerável e precisava de algum amor extra. Honrá-lo não oferecendo conselhos seria um presente equivalente a ele lhe comprar um lindo buquê de flores ou escrever uma carta de amor para ela.

Depois de aprender sobre marcianos e venusianas, Mary aprendeu como apoiar Tom em tais momentos difíceis. De outra vez em que ele se perdeu, em vez de oferecer "ajuda", ela se conteve de oferecer qualquer conselho, deu uma respirada funda e relaxante, e apreciou no seu coração o que Tom estava tentando fazer por ela. Tom apreciou enormemente sua morna aceitação e confiança.

Falando em termos gerais, quando uma mulher oferece conselhos não solicitados ou tenta "ajudar" um homem, ela não tem a menor ideia do quanto pode parecer crítica e desamorosa para ele. Mesmo que sua intenção seja amável, suas sugestões o ofendem e magoam. A reação dele pode ser forte, especialmente se se sentiu criticado quando criança ou se experimentou seu pai sendo criticado por sua mãe.

Falando em termos gerais, quando uma mulher oferece conselhos não solicitados ou tenta "ajudar" um homem, ela não tem a menor ideia do quanto pode parecer crítica e desamorosa para ele.

Para muitos homens, é muito importante provar que eles podem atingir seus objetivos, mesmo que sejam uma coisa pequena como dirigir até um restaurante ou uma festa. Ironicamente ele pode ser mais sensível às pequenas coisas que às grandes. Seus sentimentos são assim: "Se eu não sou confiável para fazer pequenas coisas, como nos levar a uma festa, como ela pode confiar em mim para fazer coisas maiores?" Como seus ancestrais marcianos, os homens se orgulham de serem *experts*, especialmente quando se trata de consertar coisas mecânicas, de chegar a lugares e de resolver problemas. São esses os momentos em que ele mais precisa de aceitação amorosa por parte da mulher e não de seu conselho ou sua crítica.

Aprendendo a ouvir

Do mesmo modo, se um homem não entender como uma mulher é diferente, ele pode piorar as coisas quando tentar ajudar. Os homens precisam se lembrar de que as mulheres conversam sobre problemas para se aproximarem e não necessariamente para conseguirem soluções. Muitas vezes uma mulher quer somente compartilhar seus sentimentos sobre seu dia, e seu marido, pensando que está ajudando, a interrompe oferecendo um fluxo contínuo de soluções para os problemas. Ele não tem a menor ideia de por que ela não está satisfeita.

Muitas vezes uma mulher quer somente compartilhar seus sentimentos sobre seu dia, e seu marido, pensando que está ajudando, a interrompe oferecendo um fluxo contínuo de soluções para os problemas.

Por exemplo, Mary vem para casa depois de um dia exaustivo. Ela quer e precisa compartilhar seus sentimentos sobre seu dia.

Ela diz, "Há tanto o que fazer; eu não tenho tempo nenhum para mim mesma".

Tom diz, "Você devia sair daquele emprego. Você não tem que trabalhar tanto. Ache alguma coisa que você goste de fazer".

Mary retruca, "Mas eu gosto do meu trabalho. Eles simplesmente esperam que eu mude tudo de uma hora para outra".

Tom diz, "Não dê ouvidos a eles. Faça somente o que pode fazer".

Mary diz, "Eu *faço*! Eu não posso acreditar que esqueci completamente de ligar para minha tia hoje".

Tom diz, "Não se preocupe com isso, ela vai entender".

Mary diz, "Você sabe pelo que ela está passando? Ela precisa de mim".

Tom diz, "Você se preocupa demais, é por isso que está tão infeliz".

Mary diz nervosa, "Eu não estou sempre infeliz. Você não pode simplesmente me ouvir?"

Tom diz, "Eu *estou* ouvindo".

Mary diz, "Por que eu ainda me importo?"

Depois dessa conversa, Mary estava mais frustrada do que quando chegou em casa ansiando por intimidade e companheirismo. Tom também estava frustrado e não tinha a menor ideia do que deu errado. Ele queria ajudar, mas sua tática resolve-problemas não funcionou.

Sem saber da vida em Vênus, Tom não entendeu o quanto era importante somente ouvir sem oferecer soluções. Suas soluções só pioraram as coisas. Você vê, as venusianas nunca oferecem soluções quando alguém está falando. Uma maneira de honrar outra venusiana é ouvir pacientemente com empatia, ambicionando verdadeiramente entender os sentimentos da outra.

Tom não tinha a menor ideia de que bastava ouvir com empatia enquanto Mary expressava seus sentimentos para causar-lhe uma satisfação e um alívio tremendos. Quando Tom ficou sabendo das venusianas e do quanto elas precisavam conversar, ele gradualmente aprendeu a ouvir.

Hoje, quando Mary vem para casa cansada e exausta, as conversas entre eles são bem diferentes. São assim:

Mary diz, "Há tanto o que fazer. Eu não tenho tempo para mim".

Tom respira fundo, relaxa ao expirar, e diz, "Hum, parece que você teve um dia difícil".

Mary diz, "Eles querem que eu mude tudo de uma hora para outra. Eu não sei o que fazer".

Tom faz uma pausa e então diz, "Hmmm".

Mary diz, "Eu até esqueci de ligar para minha tia".

Tom diz com uma pequena franzida de testa, "Oh, não".

Mary diz, "Ela precisa tanto de mim agora. Eu me sinto tão mal".

Tom diz, "Você é um anjo. Vem cá, deixe eu te dar um abraço".

Tom dá um abraço em Mary e ela relaxa nos seus braços com um grande suspiro de alívio. Ela então diz, "Eu adoro conversar com você. Você me faz realmente feliz. Obrigada por ouvir. Eu me sinto bem melhor".

Não só Mary mas também Tom se sentiu melhor. Ele ficou surpreso com quanto sua esposa ficou mais feliz quando ele finalmente aprendeu a ouvir. Com essa nova consciência das suas diferenças, Tom aprendeu a arte de escutar sem oferecer soluções enquanto Mary aprendeu a arte de deixar acontecer e aceitar sem oferecer conselhos ou críticas não solicitados.

Para resumir os dois erros mais comuns que cometemos em relacionamentos:

1. Um homem tenta mudar os sentimentos de uma mulher quando ela está aborrecida tornando-se o sr. Conserta-Tudo e oferecendo soluções para os seus problemas que invalidam os sentimentos dela.
2. Uma mulher tenta mudar o comportamento de um homem quando ele comete erros tornando-se o comitê para o progresso da casa e oferecendo conselhos e críticas não solicitados.

Em defesa do sr. Conserta-Tudo e do comitê para o progresso da casa

Ao apontar esses dois erros principais, eu não quis dizer que tudo estava errado com o sr. Conserta-Tudo ou com o comitê para o progresso da casa. Esses são atributos muito positivos de marcianos e venusianas. Os erros estão somente na percepção do momento e na abordagem.

Uma mulher aprecia grandemente o sr. Conserta-Tudo, desde que ele não apareça quando ela esteja aborrecida. Os homens precisam se lembrar de que quando as mulheres parecem aborrecidas e conversam sobre problemas não é o momento de oferecer soluções; ao invés disso ela precisa ser ouvida, e gradualmente se sentirá melhor por si mesma. Ela não precisa ser consertada.

Um homem aprecia grandemente o comitê para o progresso da casa, desde que seja requisitado. As mulheres precisam se lembrar de que críticas e conselhos não solicitados – especialmente se ele cometeu um erro – fazem-no sentir-se desamado e controlado. Ele precisa da aceitação dela mais do que de seu conselho, de modo a aprender com seus erros. Quando um homem sente que uma mulher não está tentando melhorá-lo, é muito mais provável que pergunte a ela por feedback e conselhos.

> **Quando nosso(a) parceiro(a) resiste a nós é provavelmente porque cometemos um erro na nossa percepção do momento ou na abordagem.**

Entender essas diferenças facilita o respeito à sensibilidade do(a) nosso(a) parceiro(a) e nos torna mais atenciosos. Além disso, reconhecemos que, quando nosso(a) parceiro(a) resiste a nós, é provavelmente porque cometemos um erro na nossa percepção do momento ou na abordagem. Vamos examinar isso com mais detalhes.

Quando uma mulher resiste a uma solução masculina

Quando uma mulher resiste a uma solução masculina, ele sente que sua competência está sendo questionada. Como resultado, se sente sob suspeita, depreciado, e para de se importar. Sua disposição de escutar compreensivamente diminui.

Ao se lembrar de que as mulheres são de Vênus, um homem nesses momentos pode, em vez disso, entender por que ela está resistindo a ele. Ele pode refletir e descobrir como ele estava provavelmente oferecendo soluções numa hora em que ela precisava apenas de empatia e de carinho.

Aqui estão alguns breves exemplos das maneiras que um homem pode erroneamente invalidar os sentimentos e percepções ou oferecer soluções indesejáveis. Veja se você pode reconhecer por que ela iria resistir:

1. "Você não deveria se preocupar tanto."
2. "Mas não foi isso que eu disse."
3. "Não é nada tão importante assim."
4. "Está bem, desculpe-me. Será que a gente pode simplesmente esquecer isso agora?"
5. "Por que você simplesmente não faz isso?"
6. "Mas nós conversamos sim."
7. "Você não deve se sentir ofendida, não foi isso que eu quis dizer."

8. "Então o que você está querendo dizer?"
9. "Mas você não deve se sentir dessa forma?"
10. "Como você pode dizer isso? Semana passada eu passei o dia todo com você. Nós nos divertimos tanto."
11. "Está bem, então simplesmente esqueça isso."
12. "Tudo bem, eu limpo o quintal. Isso te deixa feliz?"
13. "Entendi. Isso é o que você deveria fazer."
14. "Olha, não tem nada que possamos fazer a esse respeito."
15. "Se você vai reclamar de fazer isso, então não faça."
16. "Por que você deixa as pessoas tratarem você daquela maneira? Esqueça-os."
17. "Se você não está feliz, então nós simplesmente devemos nos divorciar."
18. "Tudo bem, então você pode fazer isso de agora em diante."
19. "De agora em diante, eu cuido disso."
20. "Claro que eu me importo com você. Isso é ridículo."
21. "Dá para ir direto ao assunto?"
22. "Tudo que temos a fazer é..."
23. "Não foi nada disso que aconteceu."

Cada uma dessas afirmações ou invalida ou tenta explicar sentimentos de aborrecimento ou oferecem uma solução delineada repentinamente para mudar os sentimentos negativos dela para sentimentos positivos. O primeiro passo que um homem pode dar para mudar esse padrão é simplesmente parar de fazer os comentários acima (examinamos mais profundamente esse assunto no capítulo 5). Tentar ouvir sem oferecer nenhum comentário ou solução que invalidem é, entretanto, um grande passo.

Ao entender claramente que sua percepção do momento e sua forma de falar estão sendo rejeitadas, e não suas soluções, um homem pode lidar muito melhor com a resistência de uma mulher. Ele não a interpretará como uma coisa pessoal. Aprendendo a ouvir, aos poucos ele experimentará que ela o aprecia mais, mesmo quando ela estiver aborrecida a princípio.

Quando o homem resiste ao comitê para o progresso da casa

Quando o homem resiste às sugestões femininas, ela se sente como se ele não ligasse para ela, sente que suas necessidades não estão sendo respeitadas. Como resultado, ela compreensivelmente se sente desamparada e para de confiar nele.

Em tais momentos, lembrando-se de que os homens são de Marte, ela pode, em vez disso, entender de modo correto por que ele está resistindo a ela. Ela pode refletir e descobrir como estava provavelmente dando a ele conselhos ou críticas não solicitados em vez de apenas compartilhar suas necessidades, fornecer informação ou fazer um pedido.

Aqui estão alguns breves exemplos das maneiras que uma mulher pode, sem saber, irritar um homem ao oferecer-lhe conselho ou críticas aparentemente inofensivas. Enquanto você examina a lista, lembre-se de que essas pequenas coisas podem contribuir muito para a criação de um muro de resistência e ressentimento. Em algumas das afirmações o conselho, ou crítica, está implícito. Veja se você pode reconhecer por que ele pode se sentir controlado.

1. "Como você pode pensar em comprar aquilo? Você já tem um."
2. "Essas vasilhas ainda estão molhadas. Elas secarão com manchas."
3. "Seu cabelo está ficando meio comprido, não está?"
4. "Há uma vaga ali, vire [o carro]."
5. "Você quer passar algum tempo com seus amigos, e eu?"
6. "Você não deveria trabalhar tanto. Tire um dia de folga."
7. "Não coloque isso aí. Eu ficarei perdida."
8. "Você deveria ligar para um encanador. Ele saberá o que fazer."
9. "Por que nós estamos esperando por uma mesa? Você não fez reservas?"
10. "Você deveria passar mais tempo com as crianças. Elas sentem falta de você."
11. "Seu escritório ainda está uma bagunça. Como você pode pensar aqui? Quando é que você vai fazer uma faxina?

12. "Você se esqueceu de trazê-lo para casa de novo. Talvez você pudesse colocá-lo num lugar especial onde possa se lembrar."
13. "Você está correndo demais. Vá mais devagar ou eu vou comprar uma passagem."
14. "Da próxima vez a gente deve ler a crítica do filme."
15. "Eu não sabia onde você estava." (Você deveria ter ligado.)
16. "Alguém bebeu da garrafa de suco."
17. "Não coma com as mãos. Você está dando um mau exemplo."
18. "Essas batatas fritas estão muito gordurosas. Não são boas para o seu coração."
19. "Você não está deixando muito tempo para si mesmo."
20. "Você deveria ter avisado antes. Eu não posso simplesmente largar tudo e ir almoçar com você."
21. "Sua camisa não combina com suas calças."
22. "O Bill ligou pela terceira vez. Quando é que você vai ligar de volta para ele?"
23. "Sua caixa de ferramentas está uma bagunça. Eu não consigo achar nada. Você deveria organizá-la."

Quando uma mulher não sabe como pedir ajuda a um homem diretamente (capítulo 12) ou construtivamente compartilhar uma diferença de opinião (capítulo 9), ela pode se sentir impotente para conseguir o que precisa sem dar conselhos ou críticas não solicitados. Treinar para saber aceitar, não dando conselhos e críticas, é, entretanto, um grande passo.

Ao entender claramente que ele está rejeitando não suas necessidades, mas a forma como ela se aproxima dele, ela pode encarar essa rejeição como uma coisa menos pessoal e explorar modos mais amparadores de comunicar suas necessidades. Gradualmente ela se dará conta de que um homem quer fazer progressos quando sente que está sendo abordado como a solução de um problema em vez do problema em si.

Um homem quer fazer progressos quando sente que está sendo abordado como a solução de um problema em vez do problema em si.

Se você é mulher, sugiro que, pela próxima semana, tente se controlar ao dar *qualquer* conselho ou crítica não solicitado. O seu parceiro não somente irá apreciar, como também ficará mais atencioso e compreensivo com você.

Se você é homem, sugiro que, pela próxima semana, pratique ouvir a *qualquer momento* que uma mulher falar, com a única intenção de respeitosamente entender o que ela está passando. Tente morder a língua toda vez que você sentir o impulso de oferecer uma solução ou mudar a maneira que ela está se sentindo. Você ficará surpreso quando vir o quanto ela apreciará você por isso.

3

OS HOMENS VÃO PARA SUAS CAVERNAS E AS MULHERES FALAM

Uma das maiores diferenças entre homens e mulheres é como eles lidam com o estresse. Os homens se tornam progressivamente concentrados e retraídos enquanto as mulheres se tornam progressivamente indefesas e emocionalmente envolvidas. Nessas horas, as necessidades de um homem para se sentir bem são diferentes das de uma mulher. Ele se sente melhor resolvendo problemas, enquanto ela se sente melhor conversando sobre problemas. Não entender e aceitar essas diferenças cria atrito desnecessário nos nossos relacionamentos. Vamos dar uma olhada num exemplo comum.

Quando Tom chega em casa, ele quer relaxar e se desligar através de uma leitura silenciosa do jornal. Ele está estressado com os problemas não solucionados do seu dia e encontra alívio se esquecendo deles.

Sua esposa, Mary, também quer relaxar do seu dia estressante. Ela, entretanto, quer encontrar alívio conversando sobre os problemas do seu dia. A tensão que vagarosamente se constrói entre eles se torna ressentimento.

Tom secretamente pensa que Mary fala demais, enquanto Mary se sente ignorada. Sem entenderem suas diferenças, eles se separarão cada vez mais.

Você provavelmente pode reconhecer essa situação porque é somente um dos muitos exemplos em que homens e mulheres se desentendem. Esse problema não é só de Tom e Mary, mas está presente em quase todos os relacionamentos.

A resolução desse problema para Tom e Mary não depende do quanto se amem, mas do quanto cada um entende o sexo oposto.

Sem saber que as mulheres realmente precisam conversar sobre os problemas para se sentirem melhor, Tom continuaria pensando que Mary falava demais e resistindo a ouvi-la. Sem saber que Tom estava lendo o jornal para se sentir melhor, Mary se sentiria ignorada e negligenciada. Ela persistiria em tentar fazê-lo falar quando ele não quisesse.

Essas duas diferenças podem ser resolvidas primeiramente compreendendo com mais profundidade como homens e mulheres lidam com o estresse. Vamos novamente observar a vida em Marte e Vênus e recolher alguns insights sobre homens e mulheres.

Lidando com o estresse em Marte e Vênus

Quando um marciano fica aborrecido, ele nunca fala sobre o que o está incomodando. Ele jamais chatearia outro marciano com seu problema, a menos que a assistência de seu amigo fosse necessária para resolver o problema. Em vez disso, ele fica calado e vai para sua caverna particular para pensar sobre o problema, ruminando sobre ele para achar a solução. Quando acha uma solução, se sente muito melhor e sai da caverna.

Se não consegue encontrar uma solução, então ele faz alguma coisa para esquecer do problema, como ler o jornal ou jogar algum jogo. Ao liberar sua mente dos problemas do seu dia a dia, ele consegue gradualmente relaxar. Se seu estresse é realmente grande, ele precisa se envolver em alguma coisa ainda mais desafiadora, como corrida de automóveis ou alpinismo.

Para se sentirem melhor, os marcianos vão para suas cavernas para resolver seus problemas sozinhos.

Quando uma venusiana fica aborrecida ou estressada com o seu dia, para encontrar alívio ela procura por alguém em quem confie e então conversa com todos os detalhes sobre o problema do seu dia. Quando as venusianas compartilham suas fragilidades, elas repentinamente se sentem melhor. Esse é o jeito venusiano.

> **Para se sentirem melhor, as venusianas se encontram e falam abertamente sobre seus problemas.**

Em Vênus dividir os problemas com alguém é de fato considerado sinal de amor e confiança e não chateação. As venusianas não se sentem envergonhadas de ter problemas. Seus egos não dependem de parecerem "competentes", mas sim de participarem de relacionamentos amorosos. Elas compartilham abertamente seus sentimentos de fragilidade, confusão, desesperança e cansaço.

Uma venusiana se sente bem consigo mesma quando tem amigos amáveis com quem compartilhar seus sentimentos e problemas. Um marciano se sente bem quando pode resolver seus problemas sozinho na sua caverna. Esses segredos de como se sentir bem ainda são aplicáveis hoje.

Encontrando alívio numa caverna

Quando um homem está estressado, ele se retira para dentro de uma caverna na sua mente e se concentra na resolução de um problema. Ele geralmente escolhe o problema mais urgente ou mais difícil. Ele fica tão concentrado na resolução desse problema que perde temporariamente a noção de tudo o mais. Outros problemas e responsabilidades desaparecem gradualmente no pano de fundo.

Em tais momentos, ele se torna progressivamente distante, esquecido, insensível e preocupado em seus relacionamentos. Por exemplo, quando tiver uma conversa com ele em casa, parece que somente 5% de sua mente estão disponíveis para o relacionamento enquanto os outros 95% ainda estão no trabalho.

Sua plena consciência não está presente porque ele está ruminando o próprio problema, esperando encontrar uma solução. Quanto mais estressado estiver, mais preso ao problema ficará. Em tais momentos, ele é incapaz de dar a uma mulher a atenção e o sentimento que ela normalmente recebe e certamente merece. Sua mente está preocupada, e ele se sente impotente para liberá-la. Se, no entanto, ele puder encontrar a solução, ele se sentirá melhor instantaneamente e sairá da caverna; repentinamente ele estará à disposição para participar do relacionamento novamente.

Entretanto, se ele não puder encontrar uma solução para o seu problema, então permanecerá enfiado na caverna. Para sair, ele fica atraído pela resolução de pequenos problemas, como ler o jornal, ver televisão, dirigir seu carro, fazer exercícios físicos, assistir a um jogo de futebol, jogar basquete, e por aí afora. Qualquer atividade desafiadora que inicialmente requeira somente 5% de sua mente pode ajudá-lo a esquecer seus problemas e a sair. Assim, no dia seguinte, ele será capaz de redirecionar seu foco para seu problema com mais sucesso.

Vamos examinar com mais detalhes alguns exemplos. Jim geralmente usa a leitura do jornal para esquecer dos problemas. Quando lê o jornal, ele não mais se confronta com os problemas do seu dia a dia. Com os 5% de sua mente que não estão concentrados nos problemas do seu trabalho, ele começa a formar opiniões e a encontrar soluções para os problemas do mundo. Aos poucos sua mente se torna progressivamente envolvida com os problemas veiculados nas notícias e esquece dos seus próprios. Dessa forma ele faz a transição entre estar concentrado no seu problema no trabalho e estar concentrado nos diversos problemas do mundo (pelos quais não é diretamente responsável). Esse processo libera sua mente da atratividade dos problemas do trabalho de modo que possa se concentrar em sua esposa e família de novo.

Tom assiste a um jogo de futebol para liberar seu estresse e se desligar. Ele libera sua mente de tentar resolver o próprio problema resolvendo os problemas do seu time favorito. Assistindo à partida, ele pode sentir, como se estivesse no lugar dos jogadores, que resolveu um problema com cada jogo. Quando seu time faz pontos ou ganha, ele desfruta uma sensação de sucesso. Se seu time perde, ele sofre a perda deles como sendo sua própria.

Em todo caso, entretanto, sua mente é liberada da atratividade dos seus problemas reais.

Para Tom e muitos homens, a inevitável liberação da tensão que ocorre na conclusão de qualquer evento esportivo, noticioso ou no cinema, fornece uma liberação da tensão que sentem na própria vida.

Como as mulheres reagem à caverna

Quando um homem está enfiado em sua caverna, ele está impotente para dar a sua parceira a qualidade de atenção que ela merece. É difícil para ela aceitá-lo nesses momentos porque ela não sabe o quanto ele está estressado. Se ele chegasse em casa e conversasse sobre todos os seus problemas, então ela poderia ser mais compassiva. Ao contrário, ele não fala de seus problemas, e ela sente que ele a está ignorando. Ela pode dizer que ele está aborrecido, mas, erroneamente, admite que ele não se importa com ela porque não está falando com ela.

As mulheres geralmente não entendem como os marcianos lidam com o estresse. Elas esperam que os homens se abram e falem sobre seus problemas da maneira que as venusianas o fazem. Quando um homem está enfiado na sua caverna, uma mulher se ressente dele não estar mais aberto. Ela se sente magoada quando ele liga o noticiário ou sai para jogar basquete e a ignora.

Esperar que um homem, que esteja em sua caverna, instantaneamente se abra, se torne sensível e amável é tão irreal como esperar que uma mulher que esteja aborrecida imediatamente se acalme e seja completamente razoável. É um erro esperar que um homem esteja sempre em contato com seus sentimentos amorosos do mesmo modo que é um erro esperar que os sentimentos de uma mulher sejam sempre racionais e lógicos.

Quando os marcianos vão para suas cavernas, eles tendem a esquecer que seus amigos podem estar tendo problemas também. Domina o instinto que diz que antes que você possa tomar conta de qualquer pessoa, você tem que tomar conta de si mesmo. Quando uma mulher vê um homem reagindo dessa maneira, ela geralmente resiste a isso e se ressente do homem.

Ela pode pedir seu apoio num tom exigente, como se ele tivesse que lutar por seus direitos com esse homem negligente. Lembrando-se que os homens são de Marte, uma mulher pode corretamente interpretar sua reação ao estresse como seu mecanismo para lidar com isso, em vez de interpretá-la como uma expressão de como ele se sente a respeito dela. Ela pode começar a cooperar com ele para conseguir o que precisa, em vez de resistir a ele.

Por outro lado, os homens geralmente têm pouca consciência do quanto se tornam distantes quando estão na caverna. Quando um homem reconhece o quanto retirar-se para dentro da própria caverna pode afetar as mulheres, ele pode ser compassivo quando ela se sente negligenciada ou sem importância. Lembrar que as mulheres são de Vênus o ajuda a ser mais compreensivo e respeitador das reações e sentimentos dela. Sem entender a validade das reações dela, um homem comumente se defende, e eles discutem. Esses são cinco desentendimentos comuns:

1. Quando ela diz, "Você não ouve", ele diz, "O que você quer dizer com eu não ouço? Eu posso repetir tudo o que você falou".

    Quando um homem está na caverna ele pode gravar o que ela está dizendo com os 5% de sua mente que estão ouvindo. Um homem raciocina que, se ele está ouvindo com 5%, então está ouvindo. No entanto, o que ela está pedindo é sua atenção completa e indivídida.

2. Quando ela diz, "Sinto como se você nem estivesse aqui", ele diz, "O que você quer dizer com eu não estar aqui? É claro que estou aqui. Você não está vendo meu corpo?"

    Ele raciocina que, se seu corpo está presente, então ela não deveria dizer que ele não está lá. No entanto, apesar do seu corpo estar presente, ela não sente sua presença completa, e é isso o que ela quer dizer.

3. Quando ela diz, "Você não se importa comigo", ele diz, "É claro que me importo com você. Por que você pensa que estou tentando resolver esse problema?"

    Ele raciocina que, como está preocupado com a resolução de um problema que vai de alguma forma beneficiá-la, ela deveria saber que ele se importa com ela. No entanto, ela precisa sentir sua atenção e seu carinho diretos, e é isso o que ela está realmente pedindo.

4. Quando ela diz, "Sinto como se eu não fosse importante para você", ele diz, "Isso é ridículo. É claro que você é importante".

   Ele raciocina que os sentimentos dela não se justificam porque ele está resolvendo os problemas para beneficiá-la. Ele não se dá conta de que, quando se concentra em um problema e ignora os problemas com os quais ela está aborrecida, quase todas as mulheres teriam a mesma reação e tomariam a coisa no sentido pessoal e se sentiriam sem importância.

5. Quando ela diz, "Você não tem sentimentos. Você não tem coração", ele diz, "O que há de errado com isso? De que outro jeito você quer que eu resolva esse problema?"

   Ele raciocina que ela está sendo crítica e exigente demais porque ele está fazendo algo que é necessário para a solução do problema. Ele se sente depreciado. Além disso, não reconhece a validade dos sentimentos dela. Os homens geralmente não se dão conta do quanto eles podem mudar radical e rapidamente de serem calorosos e sentimentais para insensíveis e distantes. Na sua caverna, um homem está preocupado com a solução do seu problema e não presta atenção em como sua atitude indiferente pode parecer a outras pessoas.

Para aumentar a cooperação, tanto homens e mulheres têm que se entender melhor. Quando um homem começa a ignorar sua esposa, ela frequentemente encara como sendo algo pessoal. Sabendo que ele está lidando com o estresse da sua própria maneira ajuda muito, mas não é sempre que a ajuda a aliviar a dor.

Em tais momentos ela pode sentir a necessidade de falar sobre esses sentimentos. É quando é importante que o homem dê validade aos sentimentos dela. Ele precisa entender que ela tem o direito de falar sobre seus sentimentos de estar sendo ignorada e desamparada do mesmo modo que ele tem o direito de se retirar para dentro de sua caverna e não conversar. Se ela não se sente compreendida, então é difícil para ela liberar sua mágoa.

Encontrando alívio na conversa

Quando uma mulher está estressada, ela instintivamente sente necessidade de conversar sobre seus sentimentos e todos os possíveis problemas que estão associados com seus sentimentos. Quando ela começa a falar, não prioriza o significado de qualquer problema. Se está aborrecida, então está aborrecida com todos eles, grandes ou pequenos. Ela não está preocupada em achar soluções imediatas para seus problemas, mas sim busca alívio expressando-se e querendo ser compreendida. Falando ao acaso sobre seus problemas, ela fica menos aborrecida.

> **Uma mulher sob estresse não está preocupada em achar soluções imediatas para seus problemas, mas sim busca alívio expressando-se e querendo ser compreendida.**

Como um homem sob estresse tende a se concentrar em um problema e esquecer os outros, uma mulher sob estresse tende a se expandir e tornar-se indefesa contra todos os problemas. Conversando sobre todos os problemas possíveis sem se concentrar na sua resolução, ela se sente melhor. Explorando seus sentimentos nesse processo, ela ganha uma consciência maior do que a está realmente incomodando, e então repentinamente ela não está mais tão indefesa.

Para se sentir melhor, as mulheres falam sobre problemas do passado, problemas do futuro, problemas potenciais, até de problemas que não têm solução. Quanto mais conversam e investigam, mais elas se sentirão bem. É dessa maneira que as mulheres funcionam. Esperar outra coisa é negar a uma mulher seu senso de si mesma.

Quando uma mulher está indefesa, ela encontra alívio conversando, com muitos detalhes, sobre seus vários problemas. Gradualmente, se ela sente que está sendo ouvida, seu estresse desaparece. Depois de falar sobre um assunto, ela fará uma pausa e então mudará para o próximo. Dessa forma ela continua a se expandir, falando sobre seus problemas, preocupações, decepções e frustrações. Esses assuntos não precisam estar em nenhuma ordem e tendem a ser logicamente desconexos. Se ela sente que não está sendo compreendida, sua consciência pode se expandir até mais longe ainda, e ela pode ficar aborrecida com mais problemas.

Da mesma forma que um homem que esteja enfiado em sua caverna precisa de pequenos problemas para distraí-lo, uma mulher que não se sente ouvida precisará falar sobre outros problemas que são menos imediatos para sentir alívio. Para esquecer seus próprios sentimentos dolorosos, ela pode se tornar emocionalmen-te envolvida com os problemas dos outros. Além disso, ela pode encontrar alívio discutindo os problemas de seus amigos, parentes e sócios. Esteja ela falando de seus problemas ou de problemas alheios, conversar é uma reação venusiana natural e saudável contra o estresse.

> Para esquecer seus próprios sentimentos dolorosos, uma mulher pode se tornar emocionalmente envolvida com os problemas dos outros.

Como os homens reagem quando as mulheres precisam conversar

Quando as mulheres falam sobre seus problemas, os homens geralmente resistem. Um homem supõe que ela esteja conversando com ele sobre seus problemas porque ela o está responsabilizando. Quanto mais problemas, mais ele se sente acusado. Ele não se dá conta de que ela está falando para se sentir melhor. Um homem não sabe que ela apreciará se ele simplesmente ouvir.

Os marcianos falam sobre seus problemas por duas razões somente: eles estão acusando alguém ou estão buscando conselho. Se uma mulher estiver realmente aborrecida, um homem supõe que ela o está acusando. Se ela parecer menos aborrecida, então ele supõe que ela está pedindo conselho.

Se ele supuser que ela esteja pedindo conselho, então ele vestirá a capa de sr. Conserta-Tudo para resolver os problemas dela. Se ele supuser que ela o esteja acusando, então ele sacará sua espada para se proteger do ataque. Em ambos os casos, ele logo achará difícil ouvir.

Se oferecer soluções para os problemas dela, ela simplesmente continuará falando de mais problemas. Depois de oferecer duas ou três soluções, ele espera que ela se sinta melhor. Isso é porque os marcianos se sentem melhor com soluções, desde que tenham pedido para que uma solução fosse oferecida. Quando ela não se sente melhor, ele sente que suas soluções foram rejeitadas, e ele se sente depreciado.

Por outro lado, se ele se sentir atacado, então começará a se defender. Ele acha que, ao se explicar, ela parará de acusá-lo. Quanto mais se defende, entretanto, mais ela fica aborrecida. Ele não se dá conta de que explicações não são do que ela precisa. Ela precisa que ele entenda seus sentimentos e que a deixe à vontade para falar de mais problemas. Se ele for esperto e somente escutar, então, poucos momentos depois de reclamar dele, ela vai mudar de assunto e falar de outros problemas também.

Os homens se tornam particularmente frustrados quando uma mulher fala sobre problemas para os quais ele não tem solução. Por exemplo, quando uma mulher está estressada, ela poderia reclamar:

- "Eu não estou sendo paga o bastante no trabalho."
- "Minha tia Louise está ficando cada vez mais doente, ela piora a cada ano."
- "Nossa casa simplesmente não é grande o bastante."
- "Essa estação está tão seca! Quando é que vai chover?"
- "Nós estamos quase sem fundos na nossa conta no banco."

Uma mulher pode fazer qualquer um dos comentários acima como uma forma de expressar suas preocupações, desapontamentos e frustrações. Ela pode saber que nada mais pode ser feito para resolver esses problemas, mas para encontrar alívio ela ainda precisará falar sobre eles. Ela se sentirá amparada se o ouvinte se relacionar com sua frustração e desapontamento. Ela pode, no entanto, frustrar seu parceiro masculino – a menos que ele entenda que ela só precisa falar sobre isso e que então se sentirá melhor.

Os homens se tornam impacientes quando uma mulher fala sobre problemas com muitos detalhes. Um homem supõe, erroneamente, que quando uma mulher fala com muitos detalhes, todos os detalhes são necessários para que ele encontre a solução para o problema dela. Ele se esforça para encontrar a relevância deles e fica impaciente. Novamente não se dá conta de que ela está procurando não uma solução que venha dele, mas seu carinho e compreensão.

Além disso, ouvir é difícil para um homem porque ele supõe erroneamente que haja uma ordem lógica quando ela muda de um problema para outro ao acaso. Depois que ela tiver compartilhado três ou quatro problemas, ele se torna extremamente frustrado e confuso tentando relacionar logicamente esses problemas.

Uma outra razão pela qual um homem pode resistir a ouvir é que ele está procurando o resultado da questão. Ele não pode começar a formular sua solução até que saiba o resultado. Quanto mais detalhes ela dá, mais ele se frustra enquanto escuta. Sua frustração é diminuída se ele puder se lembrar que ela está se beneficiando grandemente ao falar dos detalhes. Se ele puder se lembrar de que falar dos detalhes a está ajudando a se sentir bem, então ele poderá relaxar. Do mesmo modo que um homem se satisfaz solucionando os detalhes intricados da resolução de um problema, uma mulher se satisfaz conversando sobre os detalhes dos seus problemas.

Do mesmo modo que um homem se satisfaz solucionando os detalhes intricados da resolução de um problema, uma mulher se satisfaz conversando sobre os detalhes dos seus problemas.

Para tornar as coisas um pouco mais fáceis para o homem, a mulher pode contar logo o resultado da história e então voltar e dar os detalhes. Evite deixá-lo em suspense. As mulheres comumente gostam de deixar o suspense se estabelecer porque trará mais sentimento à história. Uma outra mulher apreciaria essa preparação, mas um homem pode facilmente ficar frustrado.

O grau até o qual um homem não entende uma mulher é o grau até o qual ele irá resistir a ela quando ela estiver falando de problemas. Quando um homem aprende mais sobre como satisfazer uma mulher e proporciona-lhe apoio emocional, ele descobre que ouvir não é tão difícil. Mais importante, se uma mulher puder lembrar a um homem que ela só quer falar sobre seus problemas e que ele não precisa resolver nenhum deles, pode ajudá-lo a relaxar e ouvir.

Como os marcianos e as venusianas encontraram paz

Os marcianos e as venusianas viveram juntos em paz porque eram capazes de respeitar suas diferenças. Os marcianos aprenderam a respeitar a necessidade que as venusianas tinham de conversar para se sentir melhor. Mesmo que não tivesse muito a dizer, ele aprendeu que ouvindo poderia ser bastante amparador. As venusianas aprenderam a respeitar a necessidade que os marcianos tinham de se isolar para lidar com o estresse. A caverna não era mais um grande mistério nem causa para alarme.

O que os marcianos aprenderam

Os marcianos se deram conta de que mesmo quando estavam sendo atacados, acusados, ou criticados pelas venusianas, isso era somente temporário; logo as venusianas iriam repentinamente se sentir melhor, ficar mais compreensivas e aceitar mais. Aprendendo a ouvir, os marcianos descobriram quanto as venusianas realmente se desenvolviam ao conversarem sobre seus problemas.

Cada marciano encontrou paz de espírito quando finalmente entendeu que a necessidade que uma venusiana tem de falar sobre seus problemas não era porque ele estava falhando com ela de alguma forma. Além disso aprendeu que uma vez que uma venusiana se sinta ouvida, ela para de se estender sobre os problemas e se torna bastante segura. Com essa consciência, um marciano foi capaz de ouvir sem se sentir responsável pela resolução de todos os problemas dela.

Muitos homens e até mulheres são muito judiciosos sobre a necessidade de falar sobre problemas porque nunca experimentaram o quanto isso pode ser benéfico. Eles nunca viram como uma mulher que se sente ouvida, de repente, pode mudar, se sentir melhor e sustentar uma atitude positiva. Geralmente assistiram como uma mulher (provavelmente suas mães) que não se sentia ouvida continuava se estendendo sobre os seus problemas. Isso acontece às mulheres quando elas não se sentem amadas ou ouvidas por um período de tempo prolongado. O problema real, no entanto, é que ela se sente desamada, não que esteja só falando de problemas.

Depois que os marcianos aprenderam a ouvir, eles fizeram uma descoberta das mais assombrosas. Eles começaram a se dar conta de que, para uma venusiana, falar sobre problemas poderia ajudá-los de fato a saírem de suas cavernas do mesmo jeito que assistir ao noticiário da televisão ou ler um jornal.

Similarmente, quando os homens aprendem a ouvir sem se sentirem acusados ou responsáveis, ouvir se torna muito mais fácil. Quando um homem se torna um bom ouvinte, ele se dá conta de que ouvir pode ser uma excelente maneira de esquecer os problemas do seu dia a dia, bem como trazer um bocado de satisfação para a sua parceira. Mas nos dias em que está realmente estressado, ele pode precisar ficar na sua caverna e sair aos poucos através de alguma outra distração, como o noticiário ou um esporte competitivo.

O que as venusianas aprenderam

As venusianas também encontraram paz de espírito ao finalmente entenderem que um marciano, ao se isolar, não estava sinalizando que ele não a amava tanto. Elas aprenderam a aceitá-lo mais nesses momentos difíceis porque ele estava experimentando muito estresse.

As venusianas não se sentiram ofendidas quando os marcianos estavam se distraindo com facilidade. Quando uma venusiana falava e um marciano se distraía, ela, muito educadamente, parava de falar, ficava ali e esperava até que ele notasse. Então ela começava a falar de novo. Ela entendeu que algumas vezes era difícil para ele dar sua atenção total. As venusianas descobriram que, ao pedirem a atenção de um marciano de uma maneira relaxada e receptiva, os marcianos ficariam felizes em redirecionar sua atenção.

Quando os marcianos estavam completamente preocupados e em suas cavernas, as venusianas também não tomavam como uma coisa pessoal. Elas aprenderam que aquele não era o momento para ter conversas íntimas, mas um momento para conversar sobre seus problemas com suas amigas ou se divertir e fazer compras. Quando os marcianos, por causa disso, se sentiam amados e aceitos, as venusianas descobriam que eles saíam de suas cavernas mais depressa.

4

COMO MOTIVAR O SEXO OPOSTO

Séculos antes dos marcianos e das venusianas se encontrarem eles foram muito felizes vivendo em seus mundos separados. Até que, um dia, tudo mudou. Os marcianos e as venusianas, em seus respectivos planetas, de repente, caíram em depressão. Foi essa depressão, entretanto, que os motivou a eventualmente se encontrarem.

Entender os segredos da sua transformação nos ajudará hoje a reconhecer como homens e mulheres ficam motivados de maneiras diferentes. Com essa nova consciência, você estará mais bem preparado para apoiar seu parceiro, bem como receber o apoio de que precisa em momentos difíceis e estressantes. Voltemos no tempo para testemunharmos o que aconteceu.

Quando os marcianos caíram em depressão, todos no planeta deixaram as cidades e seguiram para suas cavernas, ficando lá por muito tempo. Permaneceram lá e não podiam sair, até que um dia um marciano viu de relance uma linda venusiana através do seu telescópio. Como ele rapidamente partilhou seu telescópio, a visão desses lindos seres inspirou os marcianos, e sua depressão miraculosamente acabou. *De repente eles se sentiram necessários.* Eles saíram de suas cavernas e começaram a construir uma frota de naves espaciais para voarem até Vênus.

Quando as venusianas caíram em depressão, para se sentirem melhor, elas formaram círculos e começaram a conversar umas com as outras sobre seus problemas. Mas parecia que isso não aliviava a depressão. Elas continuaram deprimidas por um longo tempo até que, pela sua intuição, elas experimentaram uma visão. Seres fortes e maravilhosos (os marcianos) estariam vindo cruzando o universo para amá-las, servi-las e apoiá-las. *De repente elas se sentiram acalentadas.* Como elas partilharam sua visão, sua depressão acabou, e elas alegremente começaram a preparar a chegada dos marcianos.

Os homens ficam motivados e fortalecidos quando se sentem necessários. As mulheres ficam motivadas e com autoridade quando se sentem acalentadas.

Os segredos da motivação ainda são aplicáveis. Os homens ficam motivados e fortalecidos *quando se sentem necessários.* Quando um homem não se sente necessário, ele gradualmente se torna passivo e com menos energia; a cada dia que passa tem menos a dar ao relacionamento. Por outro lado, quando sente que há confiança de que ele fará o melhor para satisfazer as necessidades dela e que é apreciado pelos seus esforços, ele se sente fortalecido e tem mais a dar.

Como as venusianas, as mulheres ficam motivadas e fortalecidas *quando se sentem acalentadas.* Quando uma mulher não se sente acalentada num relacionamento, ela pouco a pouco se torna compulsivamente responsável e exausta por se dar tanto. Por outro lado, quando sente que ele se importa e que é respeitada, ela se satisfaz e tem mais para dar também.

Quando um homem ama uma mulher

Um homem quando se apaixona por uma mulher é similar ao que aconteceu quando os marcianos descobriram as venusianas. Enfiado em sua caverna e incapaz de encontrar a origem da sua depressão, ele estava pesquisando o céu com seu telescópio. Como se atingido por um raio, num momento de glória, sua vida se viu transformada para sempre. Ele teve, de relance, através do telescópio, uma visão que descreveu como de uma beleza e graça impressionantes.

Ele havia descoberto as venusianas. Seu corpo se incendiou. Enquanto observava as venusianas, pela primeira vez na sua vida começou a se importar com mais alguém além de si mesmo. Somente por causa de uma olhadela, sua vida ganhava um novo significado. A depressão acabou.

Os marcianos adotavam a filosofia do ganhar/perder – "Eu quero ganhar, e não me importo se você perder". Desde que cada marciano tomasse conta de si mesmo, essa fórmula funcionava bem. Funcionou por séculos, mas agora precisava ser mudada. Dar primeiramente a si mesmo não era mais tão satisfatório. Estando apaixonados, eles queriam que as venusianas ganhassem tanto quanto eles.

Na maioria dos esportes hoje em dia nós podemos ver uma extensão desse código competitivo marciano. Por exemplo, no tênis, eu não só quero ganhar, mas também tentar fazer meu parceiro perder, fazendo com que seja difícil para ele devolver minhas bolas. Eu me divirto ganhando, apesar do meu parceiro perder.

Grande parte das atitudes marcianas tem um lugar na vida, porém a atitude do ganhar/perder se torna nociva em nossos relacionamentos adultos. Se eu busco satisfazer minhas próprias necessidades à custa da minha parceira, nós certamente experimentaremos infelicidade, ressentimento e conflito. O segredo de formar um relacionamento de sucesso é que ambas as partes vençam.

As diferenças atraem

Depois que o primeiro marciano se apaixonou, ele começou a fabricar telescópios para todos os seus irmãos marcianos. Repetidamente todos eles saíram de suas depressões. Eles também começaram a sentir amor pelas venusianas. Começaram a se importar com as venusianas tanto quanto consigo mesmos.

As estranhas e lindas venusianas exerciam uma atração misteriosa nos marcianos. Particularmente suas diferenças atraíram os marcianos. Onde os marcianos eram rijos, as venusianas eram macias. Onde os marcianos eram angulares, as venusianas eram arredondadas. Onde os marcianos eram frios, as venusianas eram quentes. De uma maneira mágica e perfeita suas diferenças pareciam se complementar.

Numa linguagem não falada as venusianas comunicaram em alto e bom som: "Nós precisamos de vocês. Seu poder e força podem nos proporcionar grande satisfação, preenchendo um vazio no íntimo de nossos seres. Juntos nós poderíamos viver com muita felicidade." Esse convite motivou e fortaleceu os marcianos.

Muitas mulheres instintivamente compreendem como mandar essa mensagem. No começo de um relacionamento, uma mulher dá uma olhada breve num homem, olhada que diz que você pode ser aquele que me fará feliz. Dessa maneira súbita ela verdadeiramente começa o relacionamento deles. Esse olhar o encoraja a se aproximar. Dá-lhe força para vencer seus medos de iniciar um relacionamento. Infelizmente, logo que eles estiverem num relacionamento e os problemas começarem a emergir, ela não saberá como aquela mensagem ainda é importante para ele e ficará negligente quanto a mandá-la.

Os marcianos ficaram muito motivados com a possibilidade de serem necessários em Vênus. A raça marciana estava mudando para um novo nível de evolução. Eles não estavam mais satisfeitos somente em se provarem e desenvolverem o próprio poder. Eles queriam usar seu poder e habilidade a serviço de outras pessoas, especialmente a serviço das venusianas. Eles estavam começando a desenvolver uma nova filosofia, a filosofia do ganhar/ganhar. Eles queriam um mundo onde todo mundo se importasse consigo mesmo tanto quanto com os outros.

O amor motiva os marcianos

Os marcianos começaram a construir uma frota de naves espaciais que os levaria através dos céus até Vênus. Eles nunca haviam se sentido antes tão vivos. Ao descobrirem as venusianas, eles estavam começando a ter sentimentos altruístas pela primeira vez em sua história.

Similarmente, quando um homem está apaixonado, fica motivado a ser o melhor que puder a fim de servir os outros. Quando seu coração está aberto, ele se sente tão autoconfiante que é capaz de fazer mudanças importantes. Quando lhe é dada a oportunidade de provar seu potencial, ele mostra o melhor de si. Somente quando sente que não pode ter sucesso é que regressa para suas velhas fórmulas egoístas.

Quando um homem está apaixonado, ele começa a se importar com outra pessoa tanto quanto consigo mesmo. Ele de repente se liberta das correntes aprisionadoras do autorreferenciamento

> **Quando lhe é dada a oportunidade de provar seu potencial, um homem dá o melhor de si. Somente quando ele sente que não pode ter sucesso é que regressa para suas velhas fórmulas egoístas.**

e se torna livre para dar a outra pessoa, não para ganho pessoal, mas por se importar. Ele experimenta a satisfação de sua parceira como se fosse a sua própria. Ele pode facilmente suportar qualquer adversidade para fazê-la feliz porque a felicidade dela o faz feliz. Suas lutas se tornam mais fáceis. Ele se vê fortalecido com este propósito mais elevado.

Na sua juventude, ele pode se satisfazer servindo somente a si mesmo, mas com o amadurecimento, a autogratificação não é mais tão satisfatória. Para experimentar satisfação, ele precisará começar a viver sua vida motivado pelo amor. Dar a si mesmo de tal maneira livre e altruísta o libertará da inércia da autogratificação desprovida de preocupação com os outros. Mesmo que ele ainda precise receber amor, sua necessidade maior será a de dar amor.

A maioria dos homens não está somente ansiando dar amor, mas faminta por isso. O maior problema é que eles não sabem o que estão perdendo. Eles raramente testemunhavam seus pais tendo sucesso em satisfazer suas mães. O resultado disso é que eles não sabem que uma das maiores fontes de satisfação para um homem pode vir através do se dar. Quando seus relacionamentos fracassam, ele se pega deprimido e enfiado em sua caverna. Ele deixa de se importar e não sabe por que está tão deprimido.

Em tais momentos ele se retira dos relacionamentos ou da intimidade e permanece enfiado em sua caverna. Ele se pergunta qual o sentido disso tudo, e por que deveria se importar. Não sabe que parou de se importar porque não se sente necessário. Não se dá conta de que encontrando alguém que precise dele, poderá sacudir sua depressão para lá e ficar motivado de novo.

> **Não ser necessário é uma morte lenta para um homem.**

Quando um homem não sente que está fazendo uma diferença positiva na vida de alguma outra pessoa, é difícil para ele continuar se importando com a sua vida e seus relacionamentos. É difícil ficar motivado quando ele não é necessário. Para se tornar motivado de novo ele precisa se sentir apreciado, sentir que tem a confiança dela e que é aceito. Não ser necessário é uma morte lenta para um homem.

Quando uma mulher ama um homem

Uma mulher quando se apaixona por um homem é similar ao que aconteceu quando a primeira venusiana acreditou que os marcianos estavam chegando. Ela sonhou que uma frota de naves espaciais vinda dos céus aterrissaria e que uma raça de fortes e carinhosos marcianos iria emergir. Esse seres não precisariam de carinho, em vez disso quereriam prover a subsistência e tomar conta das venusianas.

Esses marcianos eram muito devotados e estavam inspirados pela beleza e pela cultura venusianas. Os marcianos reconheceram que seu poder e competência não significavam nada sem alguém a quem servir. Esses seres maravilhosos e admiráveis tinham encontrado alívio e inspiração na promessa de servir, agradar e satisfazer as venusianas. Que milagre!

Outras venusianas tinham sonhos semelhantes e instantaneamente saíram de suas depressões. A percepção que transformou as venusianas foi a crença de que a ajuda estava a caminho porque os marcianos estavam vindo. As venusianas tinham estado deprimidas porque se sentiam isoladas e sozinhas. Para sair da depressão, precisavam sentir que a ajuda amorosa estava a caminho.

A maioria dos homens tem pouca consciência do quanto é importante para uma mulher se sentir apoiada por alguém que se importe. As mulheres ficam felizes quando acreditam que suas necessidades serão satisfeitas. Quando uma mulher está aborrecida, indefesa, confusa, exausta ou desesperançada, o que ela mais precisa é de simples companheirismo. Ela precisa sentir que não está sozinha. Precisa se sentir amada e acalentada.

Empatia, compreensão, validação e compaixão são de grande auxílio para ajudá-la a se tornar mais receptiva e a apreciar mais o apoio dele. Os homens não percebem isso porque seus instintos marcianos lhes dizem que é melhor ficar sozinho quando estamos aborrecidos. Quando ela está aborrecida, ele desrespeitosamente a deixará sozinha, ou, se ele ficar, piorará as coisas tentando resolver os problemas dela. Ele instintivamente não se dá conta do quanto a proximidade, a intimidade e a participação são importantes para ela. O que ela mais precisa é de alguém para ouvir.

Compartilhando seus sentimentos, ela começa a se lembrar de que é merecedora de amor e de que suas necessidades serão satisfeitas. Dúvida e desconfiança se desvanecem. Sua tendência a ser compulsiva se dissipa quando ela se lembra de que é merecedora de amor – ela não tem que conquistá-lo; pode relaxar, dar menos e receber mais. Ela merece.

A tendência de uma mulher a ser compulsiva se dissipa quando ela se lembra de que é merecedora de amor – ela não tem que conquistá-lo; pode relaxar, dar menos e receber mais. Ela merece.

Dar demais cansa

Para lidar com a própria depressão, as venusianas estavam ocupadas partilhando seus sentimentos e falando sobre seus problemas. Enquanto falavam, descobriram a causa da sua depressão. Elas estavam cansadas de se darem tanto o tempo todo. Elas se ressentiam de sempre se sentirem responsáveis umas pelas outras. Elas queriam relaxar e que alguém simplesmente tomasse conta delas por algum tempo. Estavam cansadas de partilharem tudo com as outras. Queriam ser especiais e possuir coisas que fossem só delas. Não estavam mais satisfeitas em serem mártires e viverem para os outros.

Em Vênus elas viviam sob a filosofia do perder/ganhar "Eu perco para que você possa ganhar". Desde que todo mundo fizesse sacrifícios para os outros, então todo mundo teria alguém que tomasse conta de si. Mas depois de viver sob essa filosofia durante séculos, as venusianas estavam cansadas de terem sempre que se importar umas com as outras e de compartilhar tudo. Elas também estavam prontas para uma filosofia do ganhar/ganhar.

Similarmente, muitas mulheres hoje estão cansadas de se dar. Elas querem tempo livre. Tempo para serem elas mesmas. Tempo para se importarem consigo mesmas primeiro. Elas querem alguém que lhes proporcione apoio emocional, alguém de quem elas não precisem tomar conta. Os marcianos preenchem os requisitos perfeitamente.

A essa altura os marcianos estavam aprendendo a se dar enquanto as venusianas estavam agora prontas para aprender a receber. Depois de séculos, as venusianas e os marcianos tinham atingido um estágio importante na sua evolução. As venusianas precisavam aprender a receber enquanto os marcianos precisavam aprender a dar.

Essa mesma mudança comumente acontece em homens e mulheres quando eles amadurecem. Durante a juventude, a mulher está muito mais disposta a se sacrificar e se moldar para satisfazer às necessidades de seu parceiro. Durante a juventude, o homem está muito mais absorvido em si mesmo e alheio às necessidades dos outros. Quando uma mulher amadurece, ela se dá conta do quanto pode ter estado desistindo de si mesma para agradar seu parceiro. Quando um homem amadurece, ele se dá conta de como ele pode servir e respeitar melhor os outros.

Quando um homem amadurece, ele também aprende que pode ter estado desistindo de si mesmo, mas sua maior mudança é o fato de tornar-se mais preocupado com a melhor forma de dar a si mesmo. Do mesmo modo, quando uma mulher amadurece, ela também aprende novas estratégias para se dar, mas sua maior mudança tende a ser aprender a estabelecer os limites no sentido de receber o que quer.

Abandonando a culpa

Quando uma mulher se dá conta de que tem se dedicado demais, ela tende a culpar o parceiro pela própria infelicidade. Ela sente a injustiça do dar sem receber.

Apesar de não ter recebido o que merece, para melhorar o relacionamento, a mulher precisa reconhecer como ela contribui para o problema. Quando uma mulher se dá demais, ela não deve culpar seu parceiro. Similarmente, um homem pouco dedicado não deve culpar sua parceira por ser negativa ou pouco receptiva. Em ambos os casos, acusar não funciona.

Compreensão, confiança, compaixão, aceitação e amparo são as soluções, não acusar nossos parceiros. Quando esta situação acontece, em vez de acusar sua parceira de rancorosa, um homem pode ser compassivo e oferecer seu apoio mesmo se ela não pedir, ouvi-la mesmo que à primeira vista possa parecer acusação, e ajudá-la a confiar nele e se abrir, fazendo pequenas coisas para ela para mostrar que se importa com ela.

Em vez de acusá-lo de pouco dedicado, a mulher pode aceitar e perdoar as imperfeições do seu parceiro, especialmente quando ele a desaponta, acreditar que ele queira dar mais quando ele não oferece seu apoio, e encorajá-lo a dar mais apreciando o que ele realmente dá e continuando a pedir seu apoio.

Estabelecendo e respeitando limites

Mais importante, no entanto, a mulher precisa reconhecer suas fronteiras do que pode dar sem se ressentir de seu parceiro. Em vez de esperar que seu parceiro empate a partida, ela precisa mantê-la empatada regulando o quanto ela dá.

Vamos dar uma olhada num exemplo. Jim tinha trinta e nove anos e sua mulher, Susan, quarenta e um, quando vieram me consultar. Susan queria o divórcio. Ela reclamava que vinha dando mais do que ele à relação e que não podia aguentar mais. Ela acusava Jim de ser letárgico, egoísta, controlador e sem romantismo. Disse que não tinha mais nada para dar e estava pronta para ir embora. Ele convenceu-a a vir para terapia, mas ela tinha dúvidas. Num período de seis meses eles puderam passar pelos três passos para salvar o relacionamento. Hoje eles estão casados e felizes com três filhos.

Passo 1: motivação

Eu expliquei a Jim que sua esposa estava experimentando doze anos de ressentimentos acumulados. Se ele quisesse salvar seu casamento, teria que ouvir muito para que ela ficasse motivada a trabalhar no seu casamento. Pelas primeiras seis sessões, encorajei Susan a compartilhar seus sentimentos e ajudei Jim a pacientemente entender os sentimentos negativos dela. Essa foi a parte mais dura do processo. Quando começou a realmente escutar a dor e as necessidades insatisfeitas dela, ele se tornou progressivamente motivado e confiante de que poderia fazer as mudanças necessárias para ter um relacionamento amoroso.

Antes que Susan pudesse ficar motivada para trabalhar no seu relacionamento, ela precisava ser ouvida e sentir que Jim validava seus sentimentos: esse foi o primeiro passo. Depois que Susan se sentiu compreendida, eles puderam prosseguir até o passo seguinte.

Passo 2: responsabilidade

O segundo passo foi assumir responsabilidades. Jim precisava assumir a responsabilidade por não apoiar sua esposa, enquanto Susan precisava assumir a responsabilidade por não estabelecer fronteiras. Jim se desculpou por tê-la magoado. Susan se deu conta de que, do mesmo modo que ele havia ultrapassado as fronteiras dela, tratando-a de forma desrespeitosa (como gritar, resmungar, resistir a pedidos e invalidar os seus sentimentos), ela não tinha estabelecido as próprias fronteiras. Apesar de não precisar se desculpar, ela tomou conhecimento de alguma responsabilidade pelos próprios problemas.

Quando ela gradualmente aceitou que sua incapacidade de estabelecer limites e sua tendência a se dedicar demais tinham contribuído para os seus problemas, ele pôde perdoar mais. Assumir responsabilidade pelos próprios problemas foi essencial para liberar seu ressentimento. Dessa maneira os dois ficaram motivados a aprender novas maneiras de se apoiarem um ao outro através do respeito aos limites.

Passo 3: prática

Jim particularmente precisou aprender como respeitar as fronteiras dela, enquanto Susan precisou aprender como estabelecê-las. Ambos precisaram aprender como expressar sentimentos honestos de uma maneira respeitosa. Eles concordaram, nesse terceiro passo, em tentar estabelecer e respeitar limites, sabendo que às vezes cometeriam erros. Poder cometer erros deu-lhes uma rede de segurança enquanto ambos praticavam. Eis alguns exemplos do que eles aprenderam e praticaram:

- Susan aprendeu a dizer "Eu não gosto do modo como você está falando. Por favor, pare de gritar ou vou sair da sala". Depois de sair da sala algumas vezes, ela não precisou mais fazê-lo.
- Quando Jim fizesse algum pedido que ela mais tarde se ressentiria de ter feito, ela aprendeu a dizer, "Não, preciso relaxar", ou "Não, estou muito ocupada hoje". Ela descobriu que ele estava mais atencioso porque entendia o quanto ela estava ocupada ou cansada.
- Susan contou a Jim que queria sair de férias, e quando ele falou que estava ocupado demais, ela falou que iria sozinha. De repente ele trocou seus horários e quis ir.
- Quando eles conversavam e Jim interrompia, ela aprendeu a dizer, "Eu ainda não terminei, por favor, me escute". De repente ele começou a ouvir mais e a interromper menos.
- A tarefa mais difícil para Susan foi aprender a pedir o que queria. Ela me disse, "Por que eu tenho que pedir depois de tudo o que eu fiz por ele?". Eu expliquei que responsabilizá-lo por saber o que ela quer não era somente irreal mas grande parte do problema. *Ela* precisava ser responsável pela satisfação de suas necessidades.
- O desafio mais difícil para Jim foi ser respeitoso com as mudanças dela e não esperar que ela fosse a mesma parceira acomodada com quem se casara originalmente. Ele reconheceu que era tão difícil para

ela estabelecer limites quanto para ele se ajustar a eles. Ele entendeu que eles se tornariam amáveis quando tivessem mais prática.

Quando um homem experimenta limites, ele fica motivado a dar mais. Respeitando os limites, ele automaticamente fica motivado a questionar a efetividade de seus padrões de comportamento e começa a produzir mudanças. Quando uma mulher se dá conta de que, no que diz respeito a receber, ela tem que estabelecer limites, então ela automaticamente começa a perdoar seu parceiro e a explorar novas maneiras de pedir e receber apoio. Quando uma mulher estabelece limites, ela gradualmente aprende a relaxar e receber mais.

Aprendendo a receber

Estabelecer limites e receber são muito amedrontadores para uma mulher. Ela está comumente com medo de precisar demais e então ser rejeitada, julgada, ou abandonada. Rejeição, julgamento e abandono são mais dolorosos porque bem no fundo do seu inconsciente ela acredita, erroneamente, que não é merecedora de receber. Essa crença se formou na infância a cada vez que ela tinha que reprimir seus sentimentos, necessidades ou desejos.

Uma mulher está particularmente vulnerável às crenças incorretas e negativas de que ela não merece ser amada. Se, enquanto criança, ela testemunhou abusos ou sofreu diretamente abusos, então ela está ainda mais vulnerável ao sentimento de ser indigna de ser amada; é mais difícil para ela determinar o próprio valor. Oculto em seu inconsciente, esse sentimento de desmerecimento gera o medo de precisar dos outros. Uma parte dela imagina que não será apoiada.

Como tem medo de não ser apoiada, ela afasta, sem saber, o apoio de que precisa. Quando um homem recebe a mensagem de que ela não acredita que ele vá satisfazer suas necessidades, então ele se sente imediatamente rejeitado e fica desmotivado. A desesperança e a desconfiança dela transformam suas necessidades válidas em expressões desesperadas de necessidade e comunicam a ele a mensagem de que ela não confia nele para ampará-la. Ironicamente, os homens são inicialmente motivados por serem necessários, mas ficam desmotivados pela necessidade.

Em tais momentos, uma mulher supõe erroneamente que suas necessidades o desmotivaram quando a verdade é que sua desesperança, seu desespero e sua desconfiança fizeram isso. Sem reconhecer que os homens precisam que se confie neles, é difícil e confuso para as mulheres entenderem as diferenças entre o precisar e o necessitar.

"Precisar" é abertamente pedir o apoio de um homem de uma maneira confiante, uma que suponha que ele fará o melhor que puder. Isso lhe transmite autoridade. "Necessitar", no entanto, é desesperadamente precisar de apoio porque você não acredita que vá consegui-lo. Afasta os homens e os faz sentir rejeitados e depreciados.

Para as mulheres, não somente precisar dos outros é confuso, mas sentir-se decepcionada ou abandonada é especialmente doloroso, mesmo que pouco. Não é fácil para ela depender dos outros e então ser ignorada, esquecida ou dispensada. Precisar dos outros a coloca numa posição vulnerável. Ser ignorada ou se desapontar dói mais porque afirma a crença errônea de que ela não tem valor.

Como as venusianas aprenderam a se sentir valorizadas

Durante séculos as venusianas compensaram esse medo fundamental de desvalorização sendo atenciosas e sensíveis às necessidades dos outros. Elas davam e davam, mas bem no fundo elas não se sentiam dignas de receber. Alimentavam a esperança de que, ao se darem, se tornariam mais valiosas. Após séculos se dedicando aos outros finalmente se deram conta de que eram dignas de receber amor e amparo. Então olharam para trás e perceberam que tinham sempre sido dignas de amparo.

Esse processo de se dedicar aos outros preparou-as para a sabedoria da autoestima. Dando de si mesmas aos outros, puderam ver que os outros eram verdadeiramente dignos de receber, e então começaram a perceber que todo mundo merecia ser amado. Então, por fim, perceberam que elas também mereciam receber.

Aqui na Terra, quando uma menina pequena experiencia sua mãe recebendo amor, ela automaticamente se sente valorizada. Ela tem condições de facilmente superar a compulsão venusiana de se dar demais. Ela não tem que superar o medo de receber porque ela se identifica de perto com sua mãe. Se sua mãe apreendeu esse saber, então a criança automaticamente aprende observando e sentindo sua mãe. Se a mãe está aberta para receber, então a criança aprende a receber.

As venusianas, no entanto, não tinham modelos de conduta, por isso levaram milhares de anos para abrirem mão de sua compulsão de se dar.

Tomando consciência aos poucos de que os outros eram dignos de receber, elas se deram conta de que também eram dignas de receber. Naquele momento mágico, os marcianos também passaram por uma transformação e começaram a construir naves espaciais.

Quando a venusiana estiver pronta, o marciano aparecerá

Quando uma mulher se conscientiza de que verdadeiramente merece ser amada, ela está abrindo as portas para que um homem se dê. Mas quando passa dez anos se dedicando exageradamente ao seu casamento para se dar conta de que merece mais, ironicamente, ela sente vontade de fechar as portas e não dar a ele a chance. Ela pode sentir algo parecido com isso: "Eu tenho me dado tanto a você e você tem me ignorado. Você teve a sua chance. Eu mereço coisa melhor. Eu não posso confiar em você. Estou tão cansada que não tenho mais nada para dar. Não vou permitir que você me machuque de novo."

Repetidamente, quando esse é o caso, eu tenho assegurado às mulheres que elas não têm que se dar demais para ter um relacionamento melhor. Seus parceiros de fato se darão mais se elas se derem menos. Quando um homem ignora as necessidades dela, é como se ambos estivessem dormindo. Quando ela acordar e se lembrar das suas necessidades, ele também acordará e quererá dar-lhe mais.

Quando ela acordar e se lembrar das suas necessidades, ele também acordará e quererá dar-lhe mais.

De modo predizível, seu parceiro acordará do seu estado passivo e verdadeiramente fará muitas dessas mudanças que ela requer. Quando ela não mais estiver se dando demais, porque ela está se sentindo valorizada por dentro, ele sairá da sua caverna e começará a construir naves espaciais para vir fazê-la feliz. Pode ser que ele demore para que de fato aprenda a se dar mais a ela, mas o passo mais importante já foi dado – ele está consciente de que a tem negligenciado e quer mudar.

Isso também funciona da maneira inversa. Geralmente quando um homem se dá conta de que está infeliz e que quer mais romance e amor na sua vida, sua esposa de repente começará a se abrir e amá-lo de novo. Os muros do ressentimento começam a se romper, e o amor volta à vida. Se houve muita negligência, pode ser que demore um pouco para que verdadeiramente todos os ressentimentos acumulados sejam curados, mas é possível. No capítulo 11, discutirei técnicas fáceis e práticas para curar esses ressentimentos.

Muito frequentemente, quando um parceiro faz uma mudança positiva, o outro também muda. Essa coincidência predizível é uma dessas coisas mágicas da vida. Quando o aluno está pronto, o professor aparece. Quando a pergunta é feita, a resposta é ouvida. Quando nós estamos verdadeiramente prontos para receber, então o que nós precisamos se torna disponível. Quando as venusianas estavam prontas para receber, os marcianos estavam prontos para dar.

Aprendendo a dar

O mais profundo medo de um homem é o de que ele não seja bom o bastante ou que seja incompetente. Ele compensa esse medo se concentrando em aumentar seu poder e competência. Sucesso, realização e eficiência são prioridades na sua vida. Antes de descobrirem as venusianas, os marcianos estavam tão preocupados com essas qualidades que eles não se importavam com mais ninguém ou mais nada. Um homem se mostra mais desinteressado quando está com medo.

> **O mais profundo medo de um homem é o de que ele não seja bom o bastante ou que seja incompetente.**

Do mesmo modo que as mulheres têm medo de receber, os homens têm medo de dar. Dar de si aos outros significa arriscar-se a uma falha, correção e desaprovação. Essas consequências são muito dolorosas porque bem no fundo do seu inconsciente ele mantém uma crença de que não é bom o bastante. Essa crença foi formada e reforçada na infância toda vez que ele pensou que esperavam que ele fosse melhor. Quando suas realizações passavam despercebidas ou eram depreciadas, no fundo do seu inconsciente ele começou a formar a crença incorreta de que não era bom o bastante.

> **Do mesmo modo que as mulheres têm medo de receber, os homens têm medo de dar.**

Um homem é particularmente vulnerável a essa crença incorreta. Isso gera dentro dele o medo de falhar. Ele quer dar, mas tem medo de falhar, então ele não tenta. Se o seu maior medo é a inadequação, ele naturalmente evitará quaisquer riscos desnecessários.

Ironicamente, quando um homem realmente se importa muito, seu medo de falhar aumenta, e ele dá menos. Para evitar falhas, ele para de se dar às pessoas a quem ele mais ama.

Quando um homem está inseguro, ele pode compensar não se importando com ninguém mais além dele. Sua resposta defensiva mais automática é falar, "Eu não me importo". Por essa razão, os marcianos não se deixavam sentir ou se importar muito pelos outros. Tornando-se bem-sucedidos e poderosos, eles finalmente se deram conta de que eram bons o bastante e que poderiam ter sucesso em se dar. Eles então descobriram as venusianas.

Ainda que tivessem sido sempre bons o bastante, o processo de ter que provar o seu poder preparou-os para a sabedoria da autoestima. Tornando-se bem-sucedidos e aí olhando para trás, eles perceberam que cada uma das suas falhas foi necessária para alcançar seu sucesso posterior. Cada erro tinha lhes ensinado uma lição muito importante, necessária para atingir seus objetivos. Então eles se deram conta de que tinham sempre sido bons o bastante.

Está tudo bem em errar

O primeiro passo para um homem aprender a como se dar mais é perceber que não há nenhum mal em errar, em falhar, e que ele não tem a obrigação de ter respostas para tudo.

Eu me lembro da história de uma mulher que reclamava que seu parceiro jamais assumiria o compromisso de um casamento. Para ela parecia que ele não se importava do mesmo modo que ela. Um dia, entretanto, aconteceu de ela dizer que estava tão feliz por estar com ele. Mesmo que fossem pobres, ela quereria estar com ele. No dia seguinte ele a pediu em casamento. Ele estava precisando da aceitação e do encorajamento de que ele era bom o bastante para ela, só assim pôde sentir o quanto se importava com ela.

Os marcianos precisam de amor também

Da mesma forma que as mulheres são sensíveis a se sentirem rejeitadas quando não recebem a atenção de que precisam, os homens são sensíveis a sentirem que falharam quando uma mulher fala sobre seus problemas. É por isso que é tão difícil para ele, às vezes, ouvir. Ele quer ser o herói dela. Quando *ela* fica desapontada ou infeliz com qualquer coisa, *ele* se sente como um fracasso. A infelicidade dela confirma seu maior medo: ele simplesmente não é bom o bastante. Muitas mulheres hoje não se dão conta do quanto os homens são vulneráveis e do quanto eles também precisam de amor. O amor o ajuda a perceber que ele basta para satisfazer outras pessoas.

É difícil para um homem ouvir uma mulher quando ela está infeliz ou desapontada porque ele se sente um fracasso.

Um rapaz que teve a sorte de ter um pai que conseguia satisfazer a sua mãe entra em um relacionamento, quando adulto, com uma rara confiança de que pode ter sucesso em satisfazer sua parceira. Ele não está apavorado com o compromisso, pois sabe que pode entregar. Ele também sabe que quando não se entrega, ainda assim é merecedor do amor e apreço por estar dando o melhor de si. Ele não se condena porque sabe que não é perfeito e que está sempre fazendo o melhor e que o seu melhor é bom o bastante. Ele pode pedir desculpas por seus erros porque ele espera perdão, amor e apreço por estar fazendo o melhor.

Ele sabe que todo mundo comete erros. Ele viu seu pai cometer erros e continuar a amar a si mesmo. Ele testemunhou sua mãe amando e perdoando seu pai mesmo com todos os seus erros. Ele sentiu seu amor e encorajamento, ainda que às vezes seu pai a tenha desapontado.

Muitos homens não tiveram modelos de papéis bem-sucedidos durante a infância. Para eles, estar amando, casar-se e ter uma família é tão difícil quanto pilotar um avião a jato sem nenhum treinamento. Ele pode conseguir decolar, mas certamente terá um desastre. É difícil continuar a voar uma vez que você tenha se acidentado com o avião algumas vezes. Ou se você testemunha seu pai fazê-lo. Sem um bom manual de treinamento para relacionamentos, é fácil entender por que homens e mulheres desistem de relacionamentos.

5

FALANDO LÍNGUAS DIFERENTES

Quando os marcianos e as venusianas se encontraram pela primeira vez, se depararam com muitos dos problemas de relacionamento que nós temos hoje. Como reconheceram que eram diferentes, puderam resolver esses problemas. Um dos segredos do seu sucesso foi a boa comunicação.

Paradoxalmente, eles se comunicavam bem porque falavam línguas diferentes. Quando tinham problemas, consultavam um intérprete para que os assistisse. Todo mundo sabia que as pessoas de Marte e as pessoas de Vênus falavam línguas diferentes, assim, quando havia algum conflito, não começavam a julgar ou brigar, mas, ao invés disso, consultavam seus dicionários para entender um ao outro mais completamente. Se isso não funcionasse, pediam que um intérprete os ajudasse.

As línguas dos marcianos e das venusianas tinham as mesmas palavras, mas a maneira como eram usadas lhes dava significados diferentes.

As línguas dos marcianos e das venusianas tinham as mesmas palavras, mas a maneira como eram usadas lhes dava significados diferentes. Suas expressões eram similares, mas tinham conotações ou ênfase emocional diferentes. Entender mal um ao outro era muito fácil. Assim, quando os problemas de comunicação surgiam, eles admitiam que era só um desses esperados desentendimentos e que com um pouco de assistência iriam, com certeza, se entender. Eles experimentaram uma confiança e uma aceitação que nós raramente experimentamos hoje.

Expressar sentimentos em vez de expressar informações

Mesmo hoje em dia nós ainda precisamos de intérpretes. Homens e mulheres raramente querem dizer a mesma coisa mesmo quando usam as mesmas palavras. Por exemplo, quando uma mulher diz, "Eu sinto como se você *nunca* ouvisse", ela não espera que a palavra nunca seja tomada tão literalmente. Usar a palavra *nunca* é só uma maneira de expressar a frustração que ela está sentindo no momento. Não é para ser tomada como se fosse uma informação concreta.

> **Para expressar totalmente seus sentimentos, as mulheres assumem licença poética para usar vários superlativos, metáforas e generalizações.**

Para expressar totalmente seus sentimentos, as mulheres assumem licença poética para usar vários superlativos, metáforas e generalizações. Os homens, de modo equivocado, tomam essas expressões literalmente. Como não entendem o significado pretendido, eles em geral reagem de maneira incompreensiva. Na tabela seguinte, são listadas dez reclamações mal interpretadas, bem como o modo com que um homem pode reagir de maneira incompreensiva.

Dez reclamações comuns que são facilmente mal interpretadas

Mulheres falam coisas assim	Homens respondem assim
"Nós nunca saímos."	"Isso não é verdade. Nós saímos semana passada."
"Todo mundo me ignora."	"Eu tenho certeza de que algumas pessoas notam você."
"Eu estou tão cansada que não posso fazer nada."	"Isso é ridículo. Você não está desamparada."
"Eu quero esquecer tudo."	"Se você não gosta do seu trabalho então peça demissão."
"A casa está sempre uma bagunça."	"Não está sempre uma bagunça."
"Ninguém me ouve mais."	"Mas eu estou te ouvindo agora mesmo."
"Nada está funcionando."	"Você está dizendo que é culpa minha?"
"Você não me ama mais."	"Claro que amo. É por isso que estou aqui."
"Nós estamos sempre com pressa."	"Não estamos não. Sexta-feira nós estávamos relaxados."
"Eu quero mais romance."	"Você está querendo dizer que eu não sou romântico?"

Você pode ver como uma tradução "literal" das palavras de uma mulher poderiam facilmente desorientar um homem que está acostumado a usar o discurso como uma maneira de somente transmitir fatos e informações. Nós também podemos ver como as respostas de um homem podem levar a uma discussão. Comunicação obscura e sem amor é o maior problema em um relacionamento. A reclamação número um que as mulheres fazem de um relacionamento é: "Eu não me sinto ouvida." Até essa reclamação é mal-entendida e mal interpretada!

> A reclamação número um que as mulheres fazem de um relacionamento é: "Eu não me sinto ouvida." Até essa reclamação é mal-entendida pelos homens.

A tradução literal de um homem para "Eu não me sinto ouvida" leva-o a invalidar os sentimentos dela. Ele pensa que a ouviu se ele puder repetir o que ela disse. A tradução de uma mulher dizendo "Eu não me sinto ouvida" de forma que um homem pudesse interpretar corretamente é: "Eu me sinto como se você não entendesse tudo o que quero dizer ou não se importasse com o que sinto. Você me mostraria que está interessado no que eu tenho a dizer?"

Se um homem realmente entendesse a reclamação dela, então iria discutir menos e seria capaz de responder mais positivamente. Quando homens e mulheres estão à beira de discutir, eles geralmente não estão se entendendo. Em tais momentos é importante repensar ou traduzir o que ouviram.

Como muitos homens não entendem que as mulheres expressam seus sentimentos diferentemente, eles inadequadamente julgam ou invalidam os sentimentos de suas parceiras. Isso leva a discussões. Os antigos marcianos aprenderam a evitar muitas discussões através do entendimento correto. Quando ouvir provocava alguma resistência, eles consultavam seu *Dicionário fraseológico venusiano/marciano* para uma interpretação correta.

Quando as venusianas falam

A seção seguinte contém vários trechos do desaparecido *Dicionário fraseológico vesusiano/marciano*. Cada uma das dez reclamações listadas acima é traduzida de modo que um homem possa entender seu significado real e pretendido. Cada tradução também contém uma dica de como ela espera que ele responda.

Quando uma venusiana está aborrecida, ela não somente usa generalidades etc., mas também está pedindo um tipo particular de apoio. Ela não pede esse apoio diretamente porque em Vênus todo mundo sabia que linguagem dramática implicava um pedido particular.

Em cada uma das traduções, esse pedido implícito de apoio é revelado. Se um homem que ouve uma mulher pode reconhecer o pedido implícito e responder de acordo, ela se sentirá verdadeiramente ouvida e amada.

O dicionário fraseológico venusiano/marciano

"**Nós nunca saímos**" traduzido para marciano quer dizer "Eu estou com vontade de sair e fazer algo junto com você. Nós sempre nos divertimos tanto e eu adoro estar com você. O que você acha? Você me leva para jantar? Já se passaram alguns dias desde que saímos."

Sem essa tradução, quando uma mulher diz "Nós nunca saímos", um homem pode escutar "Você não está fazendo seu serviço. Que decepção você se tornou. Nós nunca fazemos nada juntos porque você é preguiçoso, sem romantismo e simplesmente chato".

"**Todo mundo me ignora**" traduzido para marciano quer dizer "Hoje estou me sentindo ignorada e não reconhecida. Eu sinto como se ninguém me visse. É claro que tenho certeza de que algumas pessoas me veem, mas elas parecem que não se importam comigo. Eu acho que também estou desapontada por você ter estado tão ocupado ultimamente. Eu realmente aprecio o quanto você tem trabalhado duro e às vezes começo a me sentir como se não fosse importante para você. Eu tenho medo do seu trabalho ser mais importante do que eu. Você me dá um abraço e me diz o quanto eu sou especial para você?"

Sem essa tradução, quando uma mulher diz "Todo mundo me ignora", um homem pode escutar "Eu estou tão infeliz! Simplesmente não consigo a atenção de que preciso. Tudo está completamente sem esperança. Nem mesmo você me nota, e você é a pessoa que deveria me amar. Você deveria estar envergonhado. Você é pouco amoroso. Eu jamais a ignoraria dessa maneira".

"Eu estou tão cansada que não posso fazer nada" traduzido para marciano significa "Eu estou fazendo muita coisa hoje. Eu realmente preciso de um descanso antes de fazer qualquer outra coisa. Tenho tanta sorte por ter o seu apoio! Você me dá um abraço e me assegura de que eu estou fazendo um bom trabalho e que mereço um descanso?"

Sem essa tradução, quando uma mulher diz "Eu estou tão cansada que não consigo fazer nada", um homem pode escutar "Eu faço tudo e você não faz nada. Você deveria fazer mais. Eu não posso fazer tudo. Me sinto tão desesperada! Eu quero um 'homem de verdade' com quem viver. Escolher você foi um grande erro".

"Eu quero esquecer tudo" traduzido para marciano significa "Eu quero que você saiba que eu adoro meu trabalho e minha vida, mas hoje estou tão indefesa! Eu adoraria fazer algo realmente acalentador para mim mesma antes de ter que ser responsável de novo. Me pergunta 'Qual o problema?' e ouve com empatia sem oferecer soluções? Eu só quero sentir que você entende as pressões que eu sinto. Isso me faria sentir melhor. Me ajuda a relaxar. Amanhã eu volto a ser responsável e a lidar com as coisas".

Sem essa tradução, quando uma mulher diz "Eu quero esquecer tudo", um homem pode escutar "Eu tenho que fazer tanta coisa que não quero! Estou infeliz com você e com o nosso relacionamento. Eu quero um parceiro melhor que possa tornar minha vida mais satisfatória. Você está fazendo um péssimo trabalho".

"Essa casa está sempre uma bagunça" traduzido para marciano significa "Estou com vontade de relaxar, mas a casa está tão bagunçada! Estou frustrada e preciso de um descanso. Espero que você não espere que eu limpe tudo. Você concordaria comigo que está uma bagunça e se ofereceria para ajudar a limpar parte dela?"

Sem essa tradução, quando uma mulher diz "Essa casa está sempre uma bagunça", um homem pode escutar "Essa casa está uma bagunça por sua causa. Eu faço todo o possível para limpá-la e, antes de ter terminado, você já bagunçou tudo de novo. Você é um porcalhão preguiçoso e eu não quero mais viver com você a não ser que você mude. Dê um jeito ou dê o fora!"

"Ninguém me ouve mais" traduzido para marciano significa "Tenho medo de ser maçante para você. Tenho medo de que você não esteja mais interessado em mim. Parece que hoje eu estou muito sensível. Você me dá uma atenção especial? Eu adoraria. Tive um dia difícil e me sinto como se ninguém quisesse ouvir o que tenho a dizer".

"Você me ouviria e continuaria a me fazer perguntas de apoio, tais como: 'O que aconteceu hoje? O que mais aconteceu? Como você se sentiu? O que você queria? O que mais você sentiu?' Me apoie também com afirmações carinhosas, reconhecedoras e tranquilizadoras, tais como: 'Me conta mais' ou 'Está bom' ou 'Eu sei o que você quer dizer' ou 'Entendo'. Ou somente escute, e ocasionalmente, quando eu fizer uma pausa, faça um desses sons tranquilizadores: 'oh', 'hum', e 'hum-hum'." (Obs: Os marcianos nunca tinham ouvido falar desses sons antes de chegarem a Vênus.)

Sem essa tradução, quando uma mulher diz "Ninguém me ouve mais", ele pode escutar "Eu te dou minha atenção, mas você não me ouve. Você costumava. Você se tornou uma pessoa muito maçante para se ficar junto. Eu quero alguém excitante e interessante e você definitivamente não é essa pessoa. Você me desapontou. Você é egoísta, desatencioso e mau".

"Nada está funcionando" traduzido para marciano significa "Hoje eu estou tão frágil e estou tão grata de poder compartilhar meus sentimentos com você! Me ajuda tanto a me sentir melhor! Hoje parece que nada do que eu faço dá certo. Eu sei que isso não é verdade, mas certamente me sinto assim quando fico tão fragilizada por todas as coisas que ainda tenho que fazer. Você me dá um abraço e me diz que estou fazendo um ótimo trabalho? Seria certamente muito bom".

Sem essa tradução, quando uma mulher diz "Nada está funcionando", um homem pode escutar "Você nunca faz nada direito. Eu não posso confiar em você. Se eu não tivesse te escutado, não estaria nessa confusão. Outro homem teria arrumado as coisas, mas você piorou tudo".

"Você não me ama mais" traduzido para marciano significa "Hoje estou me sentindo como se você não me amasse. Tenho medo de tê-lo afastado. Eu sei que você realmente me ama, você faz muito por mim. Hoje eu estou me sentindo um pouco insegura. Me assegura do seu amor e me diz essas três palavras mágicas, eu te amo? Quando você faz isso é tão bom!"

Sem essa tradução, quando uma mulher diz "Você não me ama mais", um homem pode escutar "Eu te dei os melhores anos de minha vida e você não me deu nada. Você me usou. Você é egoísta e frio. Você faz o que quer fazer, para você e só você. Agora eu não tenho nada".

"Nós estamos sempre com pressa" traduzido para marciano significa "Eu me sinto tão apressada hoje! Não gosto dessa correria. Queria que nossa vida não fosse tão apressada. Eu sei que ninguém tem culpa e certamente não a acuso. Sei que você está dando o melhor de si para nos fazer chegar lá na hora e eu realmente aprecio o quanto você se importa".

"Você poderia se solidarizar comigo e dizer algo como 'É *mesmo* difícil estar sempre correndo. Eu também não gosto de estar sempre correndo'."

Sem essa tradução, quando uma mulher diz "Nós estamos sempre com pressa", um homem pode escutar "Você é tão irresponsável! Você espera até o último minuto para fazer tudo. Eu nunca posso estar feliz quando estou com você. Nós estamos sempre correndo para evitar chegar atrasados. Você estraga tudo toda vez que estou com você. Fico mais feliz quando não estou à sua volta".

"Eu quero mais romance" traduzido para marciano significa "Amor, você tem trabalhado muito ultimamente. Vamos tirar algum tempo para nós mesmos. Eu adoro quando nós podemos relaxar e ficar sozinhos sem nenhuma criança por perto e sem pressões do trabalho. Você é tão romântico! Me faz uma surpresa com flores qualquer dia desses e me leva para sair? Eu adoro ser cortejada".

Sem essa tradução, quando uma mulher diz "Eu quero mais romance", um homem pode escutar "Você não me satisfaz mais. Não fico mais excitada com você. Suas habilidades românticas são definitivamente inadequadas. Você nunca me satisfez realmente. Eu queria que você fosse mais como outros homens com quem estive".

Depois de usar esse dicionário por alguns anos, um homem não precisa pegá-lo cada vez que se sentir culpado ou criticado. Ele começa a entender como as mulheres pensam e sentem. Ele aprende que esses tipos de frases dramáticas não são para serem tomadas literalmente. São somente a maneira como as mulheres expressam sentimentos mais inteiramente. Essa é a maneira como era feito em Vênus e as pessoas de Marte precisam se lembrar disso!

Quando os marcianos não falam

Um dos grandes desafios para os homens é interpretar e apoiar corretamente uma mulher quando ela está falando sobre os seus sentimentos. O maior desafio para uma mulher é interpretar e apoiar corretamente um homem quando ele não está conversando. O silêncio é mais facilmente mal interpretado por mulheres.

> O maior desafio para uma mulher
> é interpretar e apoiar corretamente um
> homem quando ele não está conversando.

Muito comumente um homem de repente para de se comunicar e se torna silencioso. Nunca se tinha ouvido falar disso em Vênus. Primeiro uma mulher pensa que o homem está surdo. Ela pensa que talvez ele não escute o que está sendo dito e que é por isso que não responde.

Homens e mulheres pensam e processam as informações de maneiras muito diferentes. As mulheres pensam em voz alta, compartilhando suas descobertas interiores com um ouvinte interessado. Mesmo hoje, uma mulher frequentemente descobre o que quer dizer pelo processo de simplesmente falar. Esse processo de simplesmente deixar os pensamentos fluírem livremente e expressá-los em voz alta a ajuda a penetrar na sua intuição. Esse processo é perfeitamente normal e especialmente necessário algumas vezes.

Mas os homens processam as informações diferentemente. Antes de falar ou responder, eles primeiro "ruminam" ou pensam sobre o que ouviram ou experimentaram. Interna e silenciosamente eles descobrem a resposta mais útil e correta. Eles primeiro a formulam dentro e aí a expressam. Esse processo pode levar de minutos a horas. E para tornar as coisas ainda mais confusas para as mulheres, se não tiver informações suficientes para processar a resposta, o homem pode não responder de maneira alguma.

As mulheres precisam entender que quando ele está silencioso, ele está dizendo "Eu ainda não sei o que dizer, mas estou pensando nisso". Em vez disso, o que elas escutam é "Eu não estou respondendo a você porque eu não me importo com você e eu vou ignorá-la. O que você me disse não é importante e por esse motivo não estou respondendo".

Como ela reage ao silêncio dele

As mulheres interpretam mal o silêncio de um homem. Dependendo de como está se sentindo naquele dia, ela pode começar a imaginar o pior – "Ele me odeia, ele não me ama, ele está me deixando para sempre". Isso pode, então, acionar seu medo mais profundo, que é "Eu tenho medo de que se ele me rejeitar, então eu jamais serei amada. Eu não mereço ser amada".

Quando um homem está em silêncio, é fácil para uma mulher imaginar o pior porque os únicos momentos em que uma mulher ficaria em silêncio seriam quando o que ela tivesse a dizer fosse muito lesivo ou quando ela não quisesse falar com uma pessoa porque não mais confiasse nela.

Não é de se admirar que as mulheres fiquem inseguras quando um homem de repente fica calado!

> **Quando um homem está em silêncio, é fácil para uma mulher imaginar o pior.**

Quando uma mulher ouve outra mulher, ela continua a reassegurar à locutora que está ouvindo e que se importa. Instintivamente, quando a locutora faz uma pausa, a ouvinte feminina reassegurará à locutora dando respostas asseguradoras como "oh, uh-huh, hmmm, ah, hum-hum, ah, ah-ah, hump".

Sem essas respostas tranquilizadoras, o silêncio de um homem pode ser bastante ameaçador. Entendendo a caverna de um homem, a mulher pode aprender a interpretar o silêncio de um homem corretamente e responder a isso.

Entendendo a caverna

As mulheres têm muito o que aprender sobre os homens antes que seus relacionamentos possam ser realmente satisfatórios. Elas precisam aprender que quando um homem está aborrecido ou estressado, ele automaticamente para de falar e vai para sua "caverna" para resolver as coisas. Elas precisam aprender que a ninguém é permitido entrar naquela caverna, nem mesmo os melhores amigos desse homem. É desse jeito que era em Marte. As mulheres não devem ter medo de ter feito alguma coisa terrivelmente errada. Elas precisam aprender gradualmente que se simplesmente deixarem os homens irem para dentro de suas cavernas, depois de algum tempo eles sairão e tudo estará bem.

Essa lição é difícil para as mulheres porque, em Vênus, um dos preceitos áureos era nunca abandonar uma amiga quando ela estivesse aborrecida. Simplesmente não parece amável abandonar seu marciano favorito quando ele está aborrecido. Como ela se importa com ele, uma mulher quer entrar na caverna dele e oferecer-lhe ajuda.

Mais que isso, ela com frequência erroneamente admite que se ela pudesse lhe fazer muitas perguntas sobre como ele está se sentindo e se fosse uma boa ouvinte, então ele se sentiria melhor.

Isso só aborrece ainda mais os marcianos. Ela instintivamente quer apoiá-lo do modo que ela gostaria de ser apoiada. Suas intenções são boas, mas o resultado é contraproducente.

Homens e mulheres precisam parar de oferecer o método de atenção que eles iriam preferir e começar a aprender as diferentes maneiras que seus parceiros pensam, sentem e reagem.

Por que os homens vão para dentro de suas cavernas

Os homens vão para dentro de suas cavernas ou ficam calados por uma série de razões.

1. Ele precisa pensar sobre um problema e encontrar uma solução prática para o problema.
2. Ele não tem uma resposta a uma pergunta ou a um problema. Nunca lhes foi ensinado dizer "Ih, eu não tenho uma resposta. Eu preciso entrar na minha caverna e encontrar uma". Outros homens admitem que estão fazendo exatamente isso quando se calam.
3. Ele ficou aborrecido ou estressado. Em tais momentos ele precisa ficar sozinho para se acalmar e encontrar seu controle de novo. Ele não quer dizer ou fazer nada de que possa se arrepender.
4. Ele precisa se encontrar. Essa quarta razão se torna muito importante quando os homens estão amando. Às vezes eles começam a se perder e esquecer de si mesmos. Eles podem sentir que intimidade demais rouba-lhes a força. Eles precisam regular o quanto se aproximam. Quando se aproximam demais de modo a se perder, disparam campainhas de alarme e se põem a caminho da caverna. Como resultado, ficam rejuvenescidos e encontram seu eu amoroso e poderoso de novo.

Por que as mulheres falam

As mulheres falam por uma variedade de motivos. Algumas vezes as mulheres falam pelas mesmas razões que os homens param de falar. Eis as quatro causas comuns pelas quais as mulheres falam:

1. Para transmitir ou colher informações. (Essa é geralmente a única razão pela qual um homem fala.)
2. Para investigar e descobrir o que é que ela quer dizer. (Ele para de falar para descobrir dentro de si o que quer dizer. Ela fala para pensar em voz alta.)
3. Para se sentir melhor e mais equilibrada quando está aborrecida. (Ele para de falar quando está aborrecido. Na sua caverna ele tem uma chance de se acalmar.)
4. Para criar intimidade. Compartilhando seus sentimentos interiores, ela é capaz de conhecer seu eu amoroso. (Um marciano para de falar para se encontrar de novo. Muita intimidade, ele teme, vai roubá-lo de si mesmo.)

Sem essa compreensão vital das nossas diferenças e necessidades, é fácil ver por que os casais lutam tanto nos seus relacionamentos.

Sendo queimado pelo dragão

É importante para uma mulher entender que não deve tentar fazer com que um homem fale antes que ele esteja pronto. Enquanto discutia esse assunto em um dos meus seminários, um índio norte-americano afirmou que, na sua tribo, as mães instruíam mulheres jovens que estavam se casando a se lembrarem de que, quando um homem estivesse aborrecido ou estressado, ele se retiraria para dentro de sua caverna. Não era para ela tomar aquilo como uma coisa pessoal porque aconteceria de tempos em tempos. Não significava que ele não a amasse. Elas lhes garantiam de que ele voltaria. Mas, mais importante, elas alertavam à jovem a nunca segui-lo até a caverna. Se ela o fizesse então ela seria queimada pelo dragão que protegia a caverna.

Nunca entre na caverna de um homem ou você será queimada pelo dragão!

Muito conflito desnecessário tem resultado do fato de uma mulher seguir um homem até sua caverna. As mulheres simplesmente não entenderam que os homens realmente precisam ficar sozinhos ou em silêncio quando estão aborrecidos. Quando um homem se retira para dentro de sua caverna, a mulher simplesmente não entende o que está acontecendo. Ela naturalmente tenta fazê-lo falar. Se há um problema, ela espera acalentá-lo puxando-o para fora e fazendo-o falar sobre ele.

Ela pergunta "Tem alguma coisa errada?". Ele diz "Não". Mas ela pode sentir que ele está aborrecido. Ela se pergunta por que ele está contendo seus sentimentos. Em vez de deixá-lo resolver isso dentro da caverna, ela inadvertidamente interrompe o processo interno dele. Ela pergunta de novo "Eu sei que alguma coisa está incomodando, o que é?".

Ele diz "Não é nada". Ela pergunta "Não é nada, nada. Alguma coisa está incomodando. O que você está sentindo?".

Ele diz "Olha, eu estou bem. Agora me deixa em paz!".

Ela diz "Como é que você pode me tratar assim? Você nunca fala comigo. Como é que eu vou saber o que você está sentindo? Você não me ama. Eu me sinto rejeitada por você".

A essa altura ele perde o controle e começa a dizer coisas das quais vai se arrepender mais tarde. Seu dragão sai e a queima.

Quando os marcianos falam

As mulheres se queimam não somente quando inadvertidamente invadem o momento introspectivo de um homem, mas também quando interpretam mal suas expressões, que geralmente são avisos de que ele ou está na sua caverna ou a caminho da caverna. Quando perguntado "Qual é o problema?", um marciano dirá alguma coisa breve como "Não é nada" ou "Eu estou bem".

Esses sinais breves são geralmente a única maneira que uma venusiana conhece para lhe dar espaço para resolver seus sentimentos sozinho. Em vez de dizer "Eu estou aborrecido e preciso de algum tempo para ficar sozinho", os homens ficam calados.

Na tabela seguinte seis sinais de alerta comumente expressos são listados, além de como uma mulher pode inadvertidamente responder de maneira intrusiva e incompreensiva:

Seis sinais de alerta abreviados comuns

Quando uma mulher pergunta "Qual é o problema?"	
Um homem diz	Uma mulher pode responder
"Estou bem" ou "Está tudo bem".	"Eu sei que tem alguma coisa errada. O que é?"
"Estou ótimo" ou "Está bem".	"Mas você está aborrecido. Vamos conversar."
"Não é nada."	"Eu quero ajudar. Eu sei que alguma coisa o está aborrecendo. O que é?"
"Está tudo bem" ou "Eu estou bem".	"Você tem certeza? Fico feliz em ajudá-lo."
"Não é nada de mais."	"Mas alguma coisa o está aborrecendo. Eu acho que nós deveríamos conversar."
"Não tem problema."	"Mas tem um problema. Eu poderia ajudar."

Quando um homem faz um desses comentários abreviados acima, ele geralmente deseja aceitação silenciosa ou espaço. Em momentos como esses, para evitar interpretações erradas e pânico desnecessário, as venusianas consultavam seu *Dicionário fraseológico marciano/venusiano*. Sem essa assistência, as mulheres interpretam mal essas expressões abreviadas.

As mulheres precisam saber que quando um homem diz "Estou bem" é uma versão abreviada do que ele realmente quer dizer, que é "Estou bem porque posso lidar com isso sozinho. Eu não preciso de ajuda alguma. Por favor, me ajude não se preocupando comigo. Tenha confiança de que posso lidar com isso sozinho".

Sem essa tradução, quando ele está aborrecido e diz "Estou bem", para ela parece como se ele estivesse negando seus sentimentos ou problemas. Ela então tenta ajudá-lo fazendo perguntas ou conversando sobre o que ela acha que é o problema. Ela não sabe que ele está falando uma língua abreviada. O que se segue foi extraído do seu dicionário fraseológico.

O dicionário fraseológico marciano/venusiano

"Estou bem" traduzido para venusiano significa "Estou bem. Eu posso lidar com meu aborrecimento. Não preciso de ajuda alguma, obrigado".

Sem essa tradução, quando ele diz "Estou bem", ela pode escutar "Eu não estou aborrecido porque não me importo", ou ela pode escutar "Não estou disposto a compartilhar meus aborrecimentos com você. Não confio em você para ficar no meu lugar".

"Estou ótimo" traduzido para venusiano significa "Estou ótimo porque estou tendo sucesso em lidar com meu aborrecimento ou problema. Não preciso de ajuda alguma. Se precisar, eu peço".

Sem essa tradução, quando ele diz "Estou ótimo", ela pode escutar "Eu não me importo com o que aconteceu. Esse problema não é importante para mim. Mesmo que ele a aborreça, eu não me importo".

"Não é nada" traduzido para venusiano significa "Nada está me incomodando que eu não possa resolver sozinho. Por favor, não me faça mais perguntas sobre isso".

Sem essa tradução, quando ele diz "não é nada", ela pode escutar "Eu não sei o que está me incomodando. Eu preciso que você me faça perguntas para me ajudar a descobrir o que está acontecendo". A essa altura ela avança no sentido de enraivecê-lo fazendo perguntas quando ele realmente quer ser deixado em paz.

"Está tudo bem" traduzido para venusiano significa "Isso é um problema, mas não é culpa sua. Eu posso resolver isso comigo mesmo se você não interromper meu processo fazendo mais perguntas ou oferecendo sugestão. Aja simplesmente como se isso não tivesse acontecido que eu posso processá-lo dentro de mim mais efetivamente".

Sem essa tradução, quando ele diz "Está tudo bem", ela pode escutar "É dessa maneira que deveria ser. Nada precisa ser mudado. Você pode abusar de mim e eu posso abusar de você", ou ela escuta "Está tudo bem agora, mas lembre-se disso como culpa sua. Você pode fazer isso uma vez, mas não faça de novo senão...".

"Não é nada de mais" traduzido para venusiano significa "Não é nada de mais porque eu posso fazer as coisas funcionarem de novo. Por favor, não se estenda sobre o problema nem fale mais sobre ele. Isso me deixa mais aborrecido. Eu aceito a responsabilidade de resolver esse problema. Me deixa feliz resolvê-lo".

Sem essa tradução, quando ele diz "Não é nada de mais", ela pode escutar "Você está fazendo tempestade num copo d'água. O que diz respeito a você não é importante. Não exagere na sua reação".

"Não tem problema" traduzido para venusiano significa "Não será um problema fazer isso ou resolver esse problema. É um prazer oferecer esse presente a você".

Sem essa tradução, quando ele diz "Não tem problema", ela pode escutar "Isso não é um problema. Por que você está fazendo disso um problema ou pedindo ajuda?" Ela então erroneamente explica a ele por que isso é um problema.

Usar esse *Dicionário fraseológico marciano/venusiano* pode ajudar as mulheres a entender o que os homens realmente querem dizer quando abreviam o que estão dizendo. Às vezes o que ele está realmente dizendo é o oposto do que ela escuta.

O que fazer quando ele vai para sua caverna

Em meus seminários, quando eu explico sobre cavernas e dragões as mulheres querem saber como podem diminuir o tempo que os homens passam dentro de suas cavernas. Nessa hora eu peço aos homens que respondam, e eles geralmente dizem que quanto mais as mulheres tentam fazê-los falar ou sair, mais tempo leva.

Outro comentário comum dos homens é "É difícil sair da caverna quando eu sinto que minha companheira desaprova o tempo que passei lá". Fazer um homem se sentir errado por ir para dentro de sua caverna tem o efeito de empurrá-lo de volta, mesmo quando ele quer sair.

Quando um homem vai para dentro de sua caverna, ele está geralmente ferido ou estressado e está tentando resolver seu problema sozinho. Dar-lhe o apoio que uma mulher iria querer é contraproducente. Há basicamente seis maneiras de apoiá-lo quando ele vai para sua caverna. (Dar-lhe esse apoio irá também diminuir o tempo que ele precisa para ficar sozinho.)

Como apoiar um homem dentro da sua caverna

1. Não desaprove sua necessidade de se afastar.
2. Não tente ajudá-lo a resolver seu problema oferecendo soluções.
3. Não tente acalentá-lo fazendo perguntas sobre seus sentimentos.
4. Não se sente perto da porta da caverna para esperar que ele saia.
5. Não se preocupe ou sinta pena dele.
6. Faça alguma coisa que o deixe feliz.

Se você precisar "falar", escreva-lhe uma carta para ser lida quando ele estiver fora, e se você precisar ser acalentada, fale com uma amiga. Não faça dele a única fonte de sua satisfação.

Um homem quer que sua venusiana favorita tenha confiança que *ele* pode resolver o que o está incomodando. A confiança dela em que ele pode resolver seu problema é muito importante para sua honra, seu orgulho e sua autoestima.

Não se preocupar com ele é difícil para ela. Preocupar-se com os outros é uma maneira de as mulheres expressarem seu amor e carinho. É uma maneira de demonstrar amor. Para uma mulher, estar feliz quando a pessoa que você ama está aborrecida simplesmente não parece correto. Ele certamente não quer que ela fique feliz *porque* ele está aborrecido, mas ele realmente quer que ela fique feliz. Ele quer que ela fique feliz de modo que tenha um problema a menos com que se preocupar. Além disso quer que ela fique feliz porque isso o ajuda a se sentir amado por ela. Quando uma mulher está feliz e livre de preocupações, é mais fácil para ele sair.

Ironicamente os homens demonstram seu amor não se preocupando. Um homem pergunta "Como você pode se preocupar com alguém que você admira e confia?". Os homens comumente apoiam-se uns aos outros dizendo frases como "Não se preocupe, você pode resolver", ou "Esse problema é deles, não seu", ou "Tenho certeza que vai funcionar". Os homens apoiam-se uns aos outros não se preocupando ou minimizando seus problemas.

Levei anos para entender que minha mulher na verdade queria que eu me preocupasse com ela quando ela estava aborrecida. Sem essa consciência sobre as nossas necessidades diferentes, eu minimizava a importância das suas preocupações. Isso só fazia com que ela ficasse mais aborrecida.

Quando um homem vai para sua caverna, geralmente está tentando resolver um problema. Se sua companheira está feliz ou não está em necessidade nesse momento, então ele tem um problema a menos para resolver antes de sair. Sabendo que ela está feliz com ele também lhe dá mais força para lidar com seus problemas enquanto estiver na caverna.

Qualquer coisa que a distraia ou a ajude a se sentir bem será de grande auxílio para ele. Eis alguns exemplos:

Ler um livro
Ouvir música
Trabalhar no jardim
Exercitar-se
Fazer uma massagem
Ouvir fitas de autoaperfeiçoamento
Oferecer-se algo delicioso
Ligar para uma amiga para um bom bate-papo
Escrever num diário
Fazer compras
Rezar ou meditar
Dar uma caminhada
Tomar um banho de espuma
Consultar um terapeuta
Assistir à TV ou a um vídeo

Os marcianos também recomendaram às venusianas que fizessem algo prazeroso. Era difícil conceber estar feliz quando um amigo estava machucado, mas as venusianas encontraram uma maneira. Toda vez que seu marciano favorito entrava na sua caverna, elas iam às compras ou saíam para alguma excursão agradável. As venusianas adoram fazer compras. Minha esposa, Bonnie, algumas vezes usa essa técnica. Quando vê que estou na minha caverna, ela vai às compras. Eu nunca me sinto como se tivesse que me desculpar pelo meu lado marciano. Quando ela pode tomar conta de si mesma, eu me sinto bem tomando conta de mim mesmo e indo para minha caverna. Ela confia em que eu sairei e serei mais amável.

Ela sabe que quando eu vou para minha caverna, não é o momento ideal para conversar. Quando eu começo a mostrar sinais de interesse por ela, ela reconhece que estou saindo da caverna e que esse é o momento para conversar. Algumas vezes ela diz casualmente, "Quando você tiver vontade de conversar, eu gostaria de passar algum tempo juntos. Você me diz quando?". Dessa forma ela pode experimentar o clima sem ser invasiva ou exigente.

Como comunicar apoio a um marciano

Mesmo quando estão fora da caverna, os homens querem merecer a confiança dos outros. Eles não gostam de empatia ou conselhos não solicitados. Eles precisam se provar. Ser capaz de realizar coisas sem a ajuda dos outros é um troféu. (Enquanto para uma mulher, quando alguém a ajuda, ter um relacionamento amparador é um troféu.) Um homem se sente apoiado quando uma mulher se comunica de um modo que diga "Eu confio em você para resolver as coisas a menos que você peça ajuda diretamente".

Aprender a apoiar os homens dessa maneira pode ser muito difícil no começo. Muitas mulheres sentem que a única maneira de poderem conseguir o que precisam num relacionamento é criticando um homem quando ele comete erros e oferecendo conselhos não solicitados. Sem um modelo de uma mãe que sabia como receber apoio de um homem, não ocorre às mulheres que elas possam encorajar um homem a dar mais pedindo apoio diretamente – sem ser crítica ou oferecer conselho. Além disso, se ele se comportar de uma maneira que ela não goste, ela pode simples e diretamente dizer a ele que não gosta do seu comportamento, sem lançar julgamentos de que ele está errado ou é mau.

Como se aproximar de um homem com críticas ou conselhos

Sem uma compreensão de como estão desestimulando os homens com conselhos e críticas não solicitados, muitas mulheres se sentem impotentes para conseguir o que precisam e querem de um homem. Nancy estava frustrada nos seus relacionamentos. Ela disse, "Eu ainda não sei como me aproximar de um homem com críticas e conselhos. E se suas maneiras à mesa forem atrozes ou se ele se vestir realmente mal? E se ele for um cara legal mas você verificar que tem um padrão de comportamento com as pessoas que o faz parecer um idiota e que esteja lhe causando problemas no relacionamento com os outros? O que devo fazer? Não importa como eu diga a ele, ele fica nervoso ou na defensiva e simplesmente me ignora".

A resposta é que ela definitivamente não deve oferecer críticas ou conselhos a menos que ele peça. Em vez disso, deveria tentar aceitá-lo. É disso que ele precisa, não de sermões. Quando ele começar a sentir a aceitação dela, começará a perguntar o que ela acha. Se, no entanto, ele detectar que ela quer que ele mude, ele não pedirá conselhos ou sugestões. Especialmente num relacionamento íntimo, os homens precisam se sentir muito seguros antes de se abrirem e pedirem apoio.

Além de confiar pacientemente no crescimento e na mudança do seu parceiro, se uma mulher não está conseguindo o que ela precisa e quer, ela pode e deve compartilhar seus sentimentos e fazer pedidos (mas de novo sem dar conselhos ou críticas). Essa é uma arte que requer cuidado e criatividade. Eis quatro aproximações possíveis:

1. Uma mulher pode contar a um homem que ela não gosta da forma como ele se veste sem dar-lhe um sermão de como se vestir. Ela poderia dizer casualmente, enquanto ele está se vestindo, "Eu não gosto dessa camisa em você. Você usa outra esta noite?". Se ele ficar ofendido com esse comentário, então ela deve respeitar sua

sensibilidade e se desculpar. Ela poderia dizer "Sinto muito – eu não queria dizer como você deve se vestir".
2. Se ele for tão sensível – e alguns homens o são – então ela pode tentar conversar sobre isso alguma outra hora. Ela poderia dizer "Se lembra daquela camisa azul que você usou com as calças verdes? Eu não gostei daquela combinação. Por que não tenta usá-la com suas calças cinza?".
3. Ela poderia perguntar diretamente "Você deixa eu te levar para fazer compras um dia? Eu adoraria escolher uma roupa para você". Se ele disser não, então ela pode ter certeza de que ele não gosta dessa atitude maternal. Se ele disser sim, assegure-se de não oferecer conselhos demais. Lembre-se de como ele é sensível.
4. Ela poderia dizer "Tem uma coisa que eu gostaria de conversar, mas eu não sei como falar. [*Pausa*] Eu não quero ofendê-lo, mas, também, eu realmente quero falar. Você me ouve e aí sugere uma maneira melhor de como eu poderia dizer isso?". Isso o ajuda a se preparar para o choque e então ele alegremente descobre que não é nada tão importante assim.

Vamos explorar um outro exemplo. Se ela não gostar das maneiras dele à mesa e eles estiverem sozinhos, ela poderia dizer (sem um olhar desaprovador) "Por que você não usa seus talheres?" ou "Por que você não bebe do seu copo?". Se, no entanto, vocês estiverem na frente de outras pessoas, é sensato não falar nada e nem notar. Um outro dia você poderia falar "Por que você não usa os talheres quando nós comemos na frente das crianças?" ou "Odeio quando você come com as mãos. Fico tão irritada com essas coisinhas. Quando comer comigo, você usa os talheres?".

Se ele se comportar de uma maneira que a deixa embaraçada, espere por um momento quando não tenha ninguém por perto e então compartilhe seus sentimentos. Não diga a ele como ele "deve se comportar" ou que ele está errado; ao invés disso, compartilhe seus sentimentos sinceros de maneira amável e breve. Você poderia dizer "Àquela noite, na festa, eu não gostei quando você fez tanto barulho. Quando eu estiver por perto, você tenta se conter?". Se ele ficar aborrecido e não gostar desse comentário, então simplesmente se desculpe por estar sendo crítica.

Essa arte de dar feedback negativo e pedir apoio é discutida minuciosamente nos capítulos 9 e 12. Além disso, os melhores momentos para se ter essas conversas são examinados no próximo capítulo.

Quando um homem não precisa de ajuda

Um homem pode começar a se sentir sufocado quando uma mulher tenta confortá-lo ou ajudá-lo a resolver um problema. Ele sente como se ela não confiasse nele para lidar com seus problemas. Ele pode se sentir controlado, como se ela o estivesse tratando como uma criança, ou pode sentir que ela quer mudá-lo.

Isso não significa que um homem não precisa de amor confortador. As mulheres precisam entender que elas o estão acariciando quando se abstêm de oferecer conselhos não solicitados para resolver o problema dele. Ele precisa do amor amparador dela, mas de uma maneira diferente da que ela julga. Conter-se em corrigir um homem ou tentar melhorá-lo são maneiras de acariciá-lo. Dar conselhos pode ser acalentador somente se ele pedir diretamente por isso.

Um homem só procura por conselhos ou ajuda depois que já fez o que pode fazer sozinho. Se receber assistência demais ou se recebê-la cedo demais, ele perderá seu sentido de poder e força. Ele se torna ou preguiçoso ou inseguro. Instintivamente os homens se apoiam uns aos outros não oferecendo conselhos ou ajuda a menos que sejam especialmente abordados e solicitados.

Ao lidar com problemas, um homem sabe que primeiro ele tem que percorrer uma certa distância por si mesmo e então, se ele precisar de ajuda, ele pode pedi-la sem perder sua força, seu poder e sua dignidade. Oferecer ajuda a um homem na hora errada poderia facilmente ser tomado como um insulto.

Quando um homem está cortando a carne para o churrasco e sua parceira fica oferecendo conselhos de como deve cortar, ele sente falta de confiança. Ele resiste a ela e fica determinado a fazê-lo da sua própria maneira por si só. Por outro lado, se um homem lhe oferece assistência para cortar a carne, ela se sente amada e apreciada.

Quando uma mulher sugere que seu marido siga o conselho de algum especialista, ele pode se sentir ofendido. Eu me lembro de uma mulher me perguntando por que seu marido ficou tão nervoso com ela. Ela me explicou que antes de fazerem sexo, ela lhe perguntou se ele havia revisto suas anotações de uma fita de uma palestra minha sobre os segredos do sexo excelente. Ela não se deu conta de que esse foi o insulto máximo para ele. Apesar de ter apreciado as fitas, ele não queria que ela lhe dissesse o que fazer, lembrando-lhe de seguir meus conselhos. Ele queria que ela confiasse nele, que ele sabia o que fazer!

Enquanto os homens querem que se confie neles, as mulheres querem atenção e apreço. Quando um homem diz a uma mulher "Qual o problema, amor?" com um olhar preocupado, ela se sente confortada pelo apreço e pela atenção dele. Quando uma mulher de forma similarmente preocupada e atenciosa diz a um homem "Qual o problema, amor?", ele pode se sentir insultado ou rejeitado. Ele sente como se ela não confiasse nele para resolver as coisas.

É muito difícil para um homem diferenciar empatia de simpatia. Ele detesta que sintam pena dele. Uma mulher pode dizer "Eu sinto tanto por tê-lo magoado", ele dirá "Não foi nada de mais", e deixará de apoiá-la. Ela, por outro lado, adora ouvi-lo dizer "Sinto muito por tê-la magoado". Ela então sente que ele realmente se importa. Os homens precisam encontrar maneiras de mostrar que se importam enquanto as mulheres precisam encontrar maneiras de mostrar que confiam.

> É muito difícil para um homem diferenciar empatia de simpatia. Ele detesta que sintam pena dele.

Atenção demais sufoca

Quando me casei com Bonnie, nas noites anteriores à minha partida para meus seminários de fim de semana, ela me perguntava a que horas eu iria levantar. Então me perguntava a que horas meu avião saía. Então fazia um cálculo mental e me avisava que eu não tinha reservado tempo suficiente para pegar o avião. Ela achava que estava me ajudando, mas eu não sentia isso. Eu me sentia ofendido. Eu viajava pelo mundo há catorze anos dando aulas, e nunca havia perdido um avião.

Então, pela manhã, antes de eu sair, ela me fazia uma lista de perguntas como "Você pegou sua passagem? Pegou sua carteira? Você tem dinheiro suficiente? Colocou meias na mala? Você sabe onde vai ficar?". Ela pensava que estava me amando, mas eu interpretava como falta de confiança e ficava irritado. Por fim fiz com que ela soubesse que eu apreciava suas amáveis intenções, mas que não gostava de ser tratado maternalmente dessa maneira.

Compartilhei com ela que se ela quisesse me tratar maternalmente, então a maneira que eu queria esse tratamento maternal era ser incondicionalmente amado e que ela confiasse em mim também incondicionalmente. Eu disse "Se eu perder um avião, não me diga 'Eu te avisei'. Acredite que eu vou aprender minha lição e me ajustar consequentemente. Se eu esquecer minha escova de dentes ou meu estojo de barbear, deixe-me lidar com isso. Não me fale sobre isso quando eu telefonar". Com a consciência do que eu queria, em vez do que ela teria querido, foi mais fácil para ela ter sucesso ao me apoiar.

Uma história de sucesso

Uma vez, numa viagem à Suécia para ministrar meu seminário sobre relacionamentos, eu liguei de volta à Califórnia de Nova York, informando a Bonnie que havia deixado meu passaporte em casa. Ela reagiu de uma maneira tão linda e amável! Ela não me deu um sermão sobre ser responsável. Ao invés disso, riu e disse, "Oh, minha nossa, John, você tem tantas aventuras. O que você vai fazer?".

Pedi a ela que enviasse meu passaporte via fax para o consulado da Suécia, e então o problema foi resolvido. Ela foi cooperativa. Nunca mais tentou me fazer sermões sobre estar mais preparado. Estava até orgulhosa de mim por eu ter encontrado uma solução para o meu problema.

Fazendo pequenas mudanças

Um dia notei que quando minhas filhas me pediam para fazer alguma coisa, eu sempre dizia "não tem problema". Era minha maneira de dizer que eu ficava feliz em fazer aquilo. Minha enteada Julie me perguntou um dia, "Por que você sempre diz 'não tem problema'?". Eu, na verdade, não sabia na hora. Depois de algum tempo me dei conta que se tratava de mais um daqueles hábitos marcianos profundamente arraigados. Com essa nova percepção, comecei a dizer "Eu ficaria feliz em fazê-lo". Essa frase expressava minha mensagem implícita e certamente pareceu mais amável para minha filha venusiana.

Esse exemplo simboliza um segredo muito importante para enriquecer relacionamentos. Poucas mudanças podem ser feitas sem sacrificarmos quem somos. Esse foi o segredo do sucesso para marcianos e venusianas. Ambos tomaram cuidado para não sacrificarem suas verdadeiras naturezas, mas também estavam dispostos a fazer pequenas mudanças na maneira como interagiam. Eles aprenderam como os relacionamentos podiam funcionar melhor ao se criar e mudar algumas poucas frases.

O ponto importante aqui é que para enriquecer nossos relacionamentos nós precisamos fazer pequenas mudanças. Grandes mudanças geralmente requerem alguma supressão de quem realmente somos. Isso não é bom.

Proporcionar algum tipo de reafirmação antes de retirar-se para sua caverna é uma pequena mudança que um homem pode fazer sem alterar sua natureza. Para fazer essa mudança, ele deve se dar conta de que as mulheres realmente precisam de alguma reafirmação, especialmente se é para elas se preocuparem menos. Se um homem não entender as diferenças entre homens e mulheres, então ele não poderá compreender por que seu silêncio súbito é uma razão tão grande de preocupação. Dando alguma reafirmação, ele pode remediar essa situação.

Por outro lado, se ele não tiver consciência de sua diferença, quando ela estiver aborrecida por sua tendência de isolamento, ele pode desistir da caverna numa tentativa de satisfazê-la. Eis um grande erro. Se ele desistir da caverna (e negar sua verdadeira natureza), se tornará irritadiço, excessivamente sensível, defensivo, fraco, passivo ou intratável. E para piorar as coisas, não saberá por que se tornou tão antipático.

Quando uma mulher está aborrecida com o fato de ele se isolar, em vez de desistir da caverna, o homem pode fazer umas poucas mudanças pequenas e o problema poderá ser aliviado. Ele não precisa negar suas necessidades verdadeiras ou rejeitar sua natureza masculina.

Como comunicar apoio a uma venusiana

Como já dissemos, quando um homem vai para sua caverna ou fica calado, ele está dizendo "Preciso de algum tempo para pensar nisso, por favor, pare de falar comigo. Eu vou voltar". Ele não se dá conta de que uma mulher pode ouvir "Eu não a amo, eu não suporto ouvir você, eu estou indo embora e nunca mais vou voltar!". Para neutralizar essa mensagem e dar a ela a mensagem correta ele pode aprender a dizer as três palavras mágicas "Eu vou voltar". Quando um homem se retira, a mulher aprecia que ele diga em voz alta "Preciso de algum tempo para pensar nisso, eu vou voltar", ou "Preciso de algum tempo para ficar sozinho. Eu vou voltar". É surpreendente como essas simples palavras "Eu vou voltar" fazem uma diferença tão profunda.

As mulheres apreciam enormemente essa reafirmação. Quando um homem entende o quanto isso é importante para uma mulher, então ele pode se lembrar de dar essa segurança.

Se uma mulher se sentiu abandonada ou rejeitada pelo pai ou se sua mãe se sentiu rejeitada pelo marido, então ela (a criança) ficará ainda mais sensível ao sentimento de abandono. Por essa razão ela nunca deve ser julgada por precisar de reafirmação. Similarmente, um homem não deve ser julgado por precisar da caverna.

Uma mulher não deve ser julgada por precisar dessa reafirmação, assim como um homem não deve ser julgado por precisar da caverna.

Quando uma mulher é menos traumatizada pelo passado e se ela entende a necessidade do homem de passar algum tempo na caverna, então sua necessidade de reafirmação será menor.

Eu me lembro de ressaltar isso num seminário e de uma mulher me perguntar, "Eu sou tão sensível ao silêncio do meu marido, mas enquanto criança nunca me senti abandonada ou rejeitada. Minha mãe nunca se sentiu rejeitada pelo meu pai. Mesmo quando eles se divorciaram, eles o fizeram de uma maneira amável".

Então ela riu. Ela se deu conta do quanto tinha sido ludibriada. Então começou a chorar. É claro que sua mãe havia se sentido rejeitada. É claro que ela havia se sentido rejeitada. Seus pais estavam divorciados! Como seus pais, ela também tinha negado seus sentimentos dolorosos.

Numa época em que os divórcios são tão comuns, é ainda mais importante que os homens sejam sensíveis para dar segurança. Da mesma forma que os homens podem apoiar as mulheres fazendo pequenas mudanças, as mulheres precisam fazer o mesmo.

Como se comunicar sem culpa

Um homem comumente se sente atacado e culpado pelos sentimentos de uma mulher, especialmente quando ela está aborrecida e fala de problemas. Como não entende como somos diferentes, ele não se relaciona prontamente com a necessidade dela de falar sobre todos os seus sentimentos.

Ele admite erroneamente que ela esteja lhe contando sobre seus sentimentos porque acha que ele é, de alguma maneira, responsável ou culpado. Como ela está aborrecida e porque está falando com ele, ele admite que ela está aborrecida com ele. Quando ela reclama, ele ouve acusação. Muitos homens não entendem a necessidade (venusiana) de compartilhar sentimentos de frustração com as pessoas que elas amam.

Com prática e uma consciência das nossas diferenças, as mulheres podem aprender a expressar seus sentimentos sem fazer com que pareçam acusações. Para reafirmar ao homem que ele não está sendo culpado, a mulher, ao expressar seus sentimentos, poderia fazer uma pausa depois de alguns minutos e contar-lhe o quanto ela o aprecia por escutá-la.

Ela poderia fazer alguns dos comentários a seguir:

- "Eu fico realmente contente de poder falar disso."
- "Certamente me sinto bem falando disso."
- "Me sinto tão aliviada de poder falar sobre isso."
- "Fico realmente contente de poder reclamar de tudo isso. Me faz sentir tão melhor."
- "Bem, agora que falei disso, me sinto muito melhor. Obrigada."

Essa simples mudança pode fazer uma enorme diferença.

Nesse mesmo veio, enquanto descreve seus problemas, ela pode apoiá-lo apreciando as coisas que ele tem feito para tornar a vida dela mais fácil e mais satisfatória. Por exemplo, se ela estiver reclamando sobre o trabalho, ocasionalmente poderia mencionar que é bom tê-lo em sua vida para voltar para casa; se estiver reclamando sobre a casa, então pode mencionar que gostou dele ter consertado a cerca; ou se estiver reclamando sobre finanças, mencionar que realmente aprecia o quanto ele trabalha duro; ou se está reclamando sobre as frustrações de ser uma mãe, poderia mencionar que está contente de ter a ajuda dele.

Dividindo responsabilidades

Boa comunicação requer participação de ambos os lados. Um homem precisa ter em mente que reclamar de problemas não significa acusação e que quando uma mulher reclama, ela está em geral apenas extravasando suas frustrações. Uma mulher precisa tentar fazer com que ele saiba que, apesar de estar reclamando, ela também o aprecia.

Por exemplo, minha mulher acabou de entrar e me perguntar como eu estava indo nesse capítulo. Eu disse, "Quase acabei. Como foi o seu dia?".

Ela disse, "Oh, ainda há tanto para fazer. Nós nem passamos algum tempo juntos". Antigamente eu teria me tornado defensivo e então lembrado a ela de todo o tempo que temos passado juntos, ou teria contado a ela o quanto era importante para mim respeitar meu prazo. Isso só teria gerado tensão.

Agora, consciente das diferenças, entendo que ela estava procurando reafirmação e compreensão e não justificativas e explicações. Eu disse, "Você tem razão, passamos o dia inteiro ocupados. Sente-se aqui no meu colo, deixa eu te dar um abraço. Hoje foi um dia cheio".

Ela disse então, "Sinto você tão bem". Esse era o reconhecimento de que eu precisava para ficar mais disponível para ela. Ela então continuou a reclamar mais sobre o seu dia e o quanto estava cansada. Após alguns minutos, ela fez uma pausa. Eu então me ofereci para levar a baby-sitter para casa de forma que ela pudesse relaxar e meditar antes do jantar.

Ela disse, "Mesmo, você leva a baby-sitter para casa? Isso seria ótimo. Obrigada!". Novamente ela me deu o reconhecimento e a aceitação de que eu precisava para me sentir como um parceiro bem-sucedido, mesmo quando ela estivesse cansada e exausta.

As mulheres não pensam em mostrar apreço porque pressupõem que um homem saiba o quanto elas apreciam serem escutadas. Ele não sabe. Quando ela está falando de problemas, ele precisa ser reassegurado de que ainda é amado e apreciado.

Os homens se sentem frustrados com problemas a menos que estejam fazendo algo para solucioná-los. Ao manifestar o seu apreço, uma mulher pode ajudá-lo a se dar conta de que apenas ouvindo ele também estará ajudando.

Uma mulher não precisa reprimir seus sentimentos ou mesmo mudá-los para apoiar seu parceiro. Ela precisa, no entanto, expressá-los de um modo que ele não se sinta agredido, acusado ou culpado. Fazer umas poucas e pequenas mudanças pode fazer uma grande diferença.

Quatro palavras mágicas de apoio

As quatro palavras mágicas para apoiar um homem são "Não é culpa sua". Quando uma mulher está expressando seus aborrecimentos, ela pode apoiar um homem ocasionalmente fazendo pausas para encorajá-lo, dizendo "Eu realmente acho legal da sua parte me ouvir, e se por acaso parecer como se eu estivesse dizendo que é culpa sua, não é isso que estou querendo dizer. Não é culpa sua".

Uma mulher aprende a ser sensível ao seu ouvinte quando ela entende a tendência dele de se sentir um fracasso quando ouve muitos problemas.

Outro dia minha irmã me ligou e falou de uma experiência difícil pela qual estava passando. Enquanto ouvia, eu ficava me lembrando de que para apoiar minha irmã eu não precisava dar-lhe nenhuma solução. Ela precisava de alguém só para escutar. Depois de dez minutos só ouvindo e ocasionalmente dizendo coisas como "uh-huh", "oh", e "mesmo?!", ela então me disse, "Bem, obrigada, John. Eu me sinto tão melhor".

Foi muito mais fácil escutá-la porque eu sabia que ela não estava me culpando. Ela estava culpando alguma outra pessoa. Eu acho mais difícil quando a minha esposa está infeliz porque é mais fácil para mim me sentir culpado. Entretanto, quando a minha esposa me encoraja a ouvir, apreciando-me, fica muito mais fácil ser um bom ouvinte.

O que fazer quando você tem vontade de acusar

Reassegurar a um homem de que não é culpa dele ou de que ele não está sendo acusado somente funciona desde que ela verdadeiramente não o esteja culpando, desaprovando ou criticando. Se ela o estiver acusando, então ela deve compartilhar seus sentimentos com alguma outra pessoa. Deve esperar até que esteja mais amorosa e equilibrada para falar com ele. Deve compartilhar seus sentimentos de ressentimento com alguém com quem não esteja aborrecida, que seja capaz de lhe dar o apoio de que precisa. Então, quando se sentir mais amável e capaz de perdoar, ela poderá aproximar-se dele com sucesso para compartilhar seus sentimentos. No capítulo 11, vamos examinar com mais detalhes como comunicar sentimentos difíceis.

Como ouvir sem culpar

Um homem culpa uma mulher por esta estar-lhe culpando quando ela na verdade está inocentemente conversando sobre seus problemas. Isso é bastante destrutivo para o relacionamento, pois bloqueia a comunicação.

Imagine uma mulher dizendo "Tudo que fazemos é trabalhar, trabalhar, trabalhar. Nós não nos divertimos mais. Você é tão sério!". Um homem poderia muito facilmente sentir que ela o estava culpando.

Se ele se sente culpado, sugiro que não a culpe de volta dizendo "Sinto como se você estivesse me culpando".

Em vez disso, sugiro que diga "É difícil ouvi-la falar que sou tão sério. Você está dizendo que é tudo culpa minha porque nós não nos divertimos mais?".

Ou poderia dizer "Me machuca quando escuto você dizer que sou tão sério e que não nos divertimos. Você está dizendo que é tudo culpa minha?".

Além disso, para melhorar a comunicação, pode apontar uma saída. Ele poderia dizer "Sinto como se você estivesse dizendo que é tudo culpa minha o fato de trabalharmos tanto. Isso é verdade?".

Ou ele poderia dizer "Quando você diz que nós não nos divertimos e que sou tão sério, sinto como se você estivesse dizendo que é tudo culpa minha. Você está?".

Todas essas respostas são respeitáveis e dão a ela uma chance de retirar qualquer culpa que ele possa ter sentido. Quando ela disser "Oh, não, eu não estou dizendo que é tudo culpa sua", ele provavelmente se sentirá aliviado de alguma forma.

Uma outra abordagem que acho muito útil é lembrar que ela tem sempre o direito de estar aborrecida e que uma vez que ponha isso para fora, se sentirá muito melhor. A consciência disso me permite relaxar e lembrar que se eu puder ouvir sem tomar as coisas como algo pessoal, então quando precisar reclamar, ela será grata a mim. Mesmo que esteja me culpando, ela não vai se prender a isso.

A arte de escutar

Quando um homem aprende a escutar e a interpretar os sentimentos de uma mulher corretamente, a comunicação se torna mais fácil. Como em qualquer arte, saber ouvir requer prática. Todo dia, quando chego em casa, geralmente procuro Bonnie e pergunto-lhe sobre seu dia, desse modo estou praticando a arte de escutar.

Se ela está aborrecida ou teve um dia estressante, primeiro eu vou sentir que ela está dizendo que eu sou de alguma maneira responsável e desse modo culpado. Meu maior desafio é não tomar isso como algo pessoal para não evitar mal-entendidos. Eu faço isso lembrando a mim mesmo constantemente que nós falamos línguas diferentes. Então continuo a perguntar "O que mais aconteceu?", e descubro que tem muitas outras coisas que a estão aborrecendo. Gradualmente eu começo a ver que não sou o único responsável pelo seu aborrecimento. Depois de algum tempo, quando ela começa a me apreciar por estar escutando, mesmo que eu fosse parcialmente responsável pelo seu desconforto, ela se torna bastante grata, acolhedora e amável.

Apesar de escutar ser uma habilidade importante a ser praticada, tem dias que um homem está muito sensível ou estressado para traduzir o significado pretendido das frases dela. Em tais momentos ele não deve nem tentar ouvir. Em vez disso, poderia carinhosamente dizer "Essa não é uma hora boa para mim. Vamos conversar mais tarde".

Às vezes um homem não se dá conta de que não pode ouvir até ela começar a falar. Se ele se tornar muito frustrado enquanto estiver ouvindo, não deve tentar continuar – ele irá somente ficar cada vez mais aborrecido. Isso não serve para ele nem para ela. Em lugar disso, seria indicado dizer "Eu queria realmente ouvir o que você está dizendo, mas agora está muito difícil para mim. Acho que preciso de um tempo para pensar a respeito do que você acabou de dizer".

Como Bonnie e eu aprendemos a nos comunicar de uma maneira que respeita nossas diferenças e compreende as necessidades de cada um, nosso casamento se tornou bem mais fácil. Eu tenho testemunhado essa mesma transformação em milhares de indivíduos e casais. Os relacionamentos florescem quando a comunicação reflete pronta aceitação e respeito em relação às diferenças inatas das pessoas.

Quando desentendimentos surgirem, lembre-se de que nós falamos línguas diferentes; gaste o tempo necessário para traduzir o que seu parceiro realmente quer dizer. Isso definitivamente requer prática, mas vale a pena.

6

OS HOMENS SÃO COMO ELÁSTICOS

Os homens são como elásticos. Quando se retiram, só podem esticar até uma certa distância antes de saltar de volta. Um elástico é uma metáfora perfeita para entender o ciclo masculino de intimidade. Esse ciclo envolve aproximação, afastamento e, de novo, aproximação.

A maioria das mulheres fica surpresa ao se dar conta de que, mesmo quando um homem ama uma mulher, periodicamente ele precisa se afastar antes de poder se aproximar. Os homens instintivamente sentem esse impulso de se afastarem. Não é uma decisão ou uma escolha. Simplesmente acontece. Não é nem culpa dele nem dela. É um ciclo natural.

> **Quando um homem ama uma mulher, periodicamente ele precisa se afastar antes de poder se aproximar.**

As mulheres interpretam mal o afastamento de um homem porque uma mulher geralmente se afasta por motivos diferentes. Ela se retrai quando não confia nele para entender seus sentimentos, quando foi machucada e tem medo de ser machucada de novo, ou quando ele fez alguma coisa errada e lhe desapontou.

Certamente um homem pode se afastar pelos mesmos motivos, mas ele também se afastará mesmo que ela não tenha feito nada de errado. Ele pode amá-la e confiar nela, e de repente começar a se afastar. Como um elástico esticado, ele vai se distanciar e então voltar por si só.

Um homem se afasta para satisfazer sua necessidade de independência e autonomia. Quando ele tiver se esticado para longe completamente, então instintivamente voltará. Quando ele estiver completamente separado, então repentinamente sentirá de novo sua necessidade de amor e intimidade. Automaticamente ele ficará mais motivado a dar o seu amor e a receber o amor de que precisa. Quando um homem volta, ele retoma o relacionamento no mesmo grau de intimidade em que estava antes de se esticar para longe. Ele não sente nenhuma necessidade de um período de readaptação.

O que toda mulher deveria saber sobre os homens

Se compreendido, esse ciclo masculino de intimidade enriquece o relacionamento, mas como é mal compreendido, ele cria problemas desnecessários. Vamos examinar um exemplo.

Maggie estava aflita, ansiosa e confusa. Ela e seu namorado, Jeff, estavam juntos há seis meses. Tudo tinha sido muito romântico. Aí, sem nenhuma razão aparente, ele começou a se distanciar emocionalmente. Maggie não podia entender por que ele tinha se afastado de modo tão repentino. Ela me disse, "Num minuto ele estava todo atencioso, e então logo depois ele não queria nem mais conversar comigo. Tentei de tudo para trazê-lo de volta, mas isso só fazia piorar as coisas. Ele parece distante. Eu não sei o que fiz de errado. Será que sou tão ruim?"

Quando Jeff se afastou, Maggie tomou isso como algo pessoal. Essa é uma reação comum. Ela pensou que tivesse feito alguma coisa errada e se culpou. Ela queria fazer as coisas "certas de novo", mas quanto mais tentava se aproximar de Jeff, mais ele se afastava.

Depois de assistir a meu seminário, Maggie ficou bastante aliviada. Sua ansiedade e sua confusão desapareceram imediatamente. Mais importante que isso, ela parou de se culpar. Ela se deu conta de que quando Jeff se afastava, não era sua culpa. Além disso, aprendeu por que ele estava se afastando e como lidar com isso graciosamente. Meses depois, num outro seminário, Jeff me agradeceu pelo que Maggie havia aprendido. Ele me disse que agora eles estavam noivos e iam se casar. Maggie tinha descoberto um segredo que poucas mulheres sabem sobre os homens.

Maggie se deu conta de que, quando ficava tentando se aproximar enquanto Jeff tentava se afastar, estava na verdade evitando que ele se esticasse até sua distância completa e aí encolhesse. Correndo atrás dele, ela estava evitando que ele sentisse que precisava dela e que queria ficar com ela. Ela se deu conta de que tinha feito isso em todos os relacionamentos. Inadvertidamente ela tinha obstruído um ciclo importante.

Como um homem é transformado de repente

Se um homem não tiver a oportunidade de se afastar, ele nunca terá a chance de sentir seu forte desejo de estar perto. É essencial que as mulheres entendam que se elas insistirem em intimidade constante ou "correrem atrás" do seu parceiro íntimo masculino quando ele se afastar, então ele ficará quase sempre tentando escapar e se distanciar; ele nunca terá uma chance de sentir seu próprio desejo apaixonado por amor.

Em meus seminários eu demonstro isso com um grande elástico. Imagine que você está segurando um elástico. Agora comece a esticar o seu elástico puxando-o para sua direita. Esse elástico em particular pode esticar trinta centímetros. Quando o elástico está esticado trinta centímetros, não tem mais nenhum lugar para ir a não ser de volta. E ao retornar tem muito poder e vigor.

Do mesmo modo, quando um homem se esticar até sua distância completa, ele retornará com muito poder e vigor. Uma vez que ele se afaste até o seu limite, ele começa a passar por uma transformação. Toda a sua atitude começa a mudar. Esse homem que parecia não se importar ou estar interessado na sua parceira (quando está se afastando), de repente não pode viver sem ela. Ele está agora sentindo de novo sua necessidade de intimidade. Seu poder está de volta porque seu desejo de amar e ser amado foi redespertado.

Isso é geralmente complicado para uma mulher entender porque, na sua experiência, se ela se afastou, tornar-se íntima de novo requer um período de readaptação. Se ela não souber compreender que os homens são diferentes dessa forma, sua tendência será desconfiar do repentino desejo dele por intimidade e empurrá-lo para longe.

Os homens também precisam entender essa diferença. Quando um homem volta, antes que uma mulher possa se abrir de novo para ele, ela geralmente precisa de tempo e conversa para se reconectar. Essa transição pode ser mais suave se o homem entender que uma mulher pode precisar de mais tempo para readquirir o mesmo nível de intimidade – especialmente se ela se sentiu machucada quando ele se afastou. Sem essa compreensão das diferenças, um homem pode se tornar impaciente porque de repente está disponível para retomar a intimidade no mesmo nível de intensidade de quando se afastou e ela não está.

Por que os homens se afastam

Os homens começam a sentir sua necessidade de autonomia e independência quando eles satisfazem sua necessidade de intimidade. Automaticamente, quando ele começa a se afastar, ela começa a entrar em pânico. O que ela não se dá conta é de que quando ele se afastar e satisfizer sua necessidade de autonomia, então ele terá vontade de se tornar íntimo de novo. Um homem automaticamente alterna suas necessidades de intimidade e de autonomia.

Um homem automaticamente alterna suas necessidades de intimidade e de autonomia.

Por exemplo, no começo do seu relacionamento, Jeff estava forte e cheio de desejo. Seu elástico estava completamente esticado. Ele queria impressioná-la, satisfazê-la, agradá-la, e se aproximar dela. Como ele foi bem-sucedido, ela também quis se aproximar. Como ela abriu seu coração para ele, ele começou a se aproximar cada vez mais. Quando eles atingiram a intimidade, ela se sentiu maravilhada. Mas depois de um breve período, uma mudança se deu.

Imagine o que acontece com o elástico. O elástico se torna flácido. Seu poder e força se foram. Não há mais nenhum movimento. Isso é exatamente o que acontece com o desejo de um homem de se aproximar depois que a intimidade foi consumada.

Apesar dessa proximidade ser satisfatória para um homem, ele inevitavelmente passará por uma mudança interna. Ele começará a sentir o impulso de se afastar. Tendo satisfeito temporariamente sua fome de intimidade, ele agora sente sua fome de ser independente, de ficar sozinho. Chega de precisar de outra pessoa. Ele pode sentir que se tornou dependente demais ou pode não saber por que ele sente uma necessidade de se afastar.

Por que as mulheres entram em pânico

Quando Jeff instintivamente se afasta sem nenhuma explicação de Maggie (ou de si próprio), Maggie reage com medo. Ela entra em pânico e corre atrás dele. Ela pensa que fez alguma coisa errada e que o desestimulou. Imagina que ele esteja esperando que ela restabeleça a intimidade. Ela tem medo de que ele nunca volte.

Para piorar as coisas, ela se sente impotente para trazê-lo de volta porque ignora o que fez para desestimulá-lo. Não sabe que isso é somente uma parte do ciclo de intimidade dele. Quando ela lhe pergunta qual é o problema, ele não tem uma resposta clara, e então resiste a conversar sobre o assunto. Ele simplesmente continua a se distanciar dela ainda mais.

Por que homens e mulheres duvidam do seu amor

Sem uma compreensão desse ciclo, é fácil ver como homens e mulheres começam a duvidar do seu amor. Sem ver como estava evitando que Jeff encontrasse sua paixão, Maggie poderia facilmente admitir que Jeff não a amava. Sem ter uma chance para se afastar, Jeff perderia contato com seu desejo e sua paixão por estar perto. Ele poderia facilmente admitir que não amava mais Maggie.

Depois de aprender a deixar Jeff ter sua distância ou "espaço", Maggie descobriu que ele voltava mesmo. Ela aprendeu a não correr atrás dele quando ele se retirasse e confiou em que tudo estava OK. E sempre ele voltava.

Com o crescimento da sua confiança nesse processo, ficou mais fácil para ela não entrar em pânico. Quando ele se afastou, ela não correu atrás dele nem pensou que alguma coisa estivesse errada. Ela aceitou esse lado de Jeff. Quanto mais ela simplesmente o aceitava em tais momentos, mais rápido ele retornava. Quando Jeff começou a entender suas mudanças de sentimentos e necessidades, ele ficou mais confiante no seu amor. Ele pôde assumir um compromisso. O segredo do sucesso de Maggie e Jeff foi que eles entenderam e aceitaram que os homens são como elásticos.

Como as mulheres interpretam mal os homens

Sem a compreensão de como os homens assemelham-se a elásticos, é muito fácil para uma mulher interpretar mal as reações de um homem. Uma confusão comum surge quando ela diz "Vamos conversar" e imediatamente ele se distancia emocionalmente. Na mesma hora em que ela quer se abrir e se aproximar, ele quer se afastar. Comumente eu ouço a reclamação "Toda vez que quero conversar, ele se afasta. Sinto como se ele não se importasse comigo". Ela conclui erroneamente que ele não quer conversar com ela *nunca*.

Essa analogia com o elástico explica como um homem pode se preocupar muito com sua parceira, mas de repente se afastar. Quando ele se afasta, não é porque ele não queira conversar. Ao contrário, ele precisa de algum tempo sozinho; tempo para ficar consigo mesmo, para não ser responsável por ninguém mais. É um tempo para cuidar de si mesmo. Quando ele retornar, então, estará disponível para conversar.

Até certo ponto um homem se *perde* de si mesmo ao entrar em conexão com sua parceira. Sentindo as necessidades, problemas, vontades e emoções dela, ele pode perder contato com seu próprio sentido de eu. Afastar-se permite-lhe restabelecer seus próprios limites e satisfazer sua necessidade de se sentir autônomo.

> **Até certo ponto um homem se *perde* de si mesmo
> ao entrar em conexão com sua parceira.**

Alguns homens, no entanto, podem descrever esse afastamento diferentemente. Para eles é só um sentimento de "Eu preciso de algum espaço" ou "Eu preciso ficar sozinho". Independentemente da maneira com que seja descrito, quando um homem se afasta, ele está satisfazendo uma necessidade válida de tomar conta de si mesmo por algum tempo.

Do mesmo modo que nós não *decidimos* ficar com fome, um homem não decide se afastar. É um impulso instintivo. Ele só pode se aproximar até um certo ponto, a partir daí, começa a se perder de si mesmo. Nesse ponto ele começa a sentir sua necessidade de autonomia e começa a se afastar. Entendendo esse processo, as mulheres podem começar a interpretar esse afastamento corretamente.

Por que os homens se afastam quando as mulheres se aproximam

Para muitas mulheres, um homem tende a se afastar precisamente no momento em que ela quer conversar e ficar íntima. Isso acontece por duas razões.

1. Uma mulher percebe inconscientemente quando um homem está se afastando e precisamente nesses momentos ela tenta restabelecer suas conexões íntimas e diz "Vamos conversar". Como ele continua a se afastar, ela conclui erroneamente que ele não quer falar ou que não se importa com ela.

2. Quando uma mulher se abre e compartilha sentimentos mais profundos e mais íntimos, isso pode de fato acionar a necessidade de um homem de se afastar. Um homem só consegue lidar com a intimidade até certo ponto, a partir daí a campainha do seu alarme toca, dizendo que é tempo de encontrar um equilíbrio se afastando. Nos momentos mais íntimos um homem pode repentinamente passar a sentir sua necessidade de autonomia e se afastar.

É muito confuso para uma mulher ver um homem afastar-se porque algo que ela diz ou faz frequentemente aciona a partida dele. Geralmente quando uma mulher começa a falar de coisas com *sentimentos* um homem começa a sentir esse impulso para se afastar. Isso acontece porque os sentimentos aproximam mais os homens e criam intimidade, e quando um homem se aproxima demais ele automaticamente se afasta.

Não é que ele não queira ouvir os sentimentos dela. Em algum outro momento, nesse ciclo de intimidade, quando ele precisar se aproximar, os mesmos *sentimentos* que poderiam ter acionado sua partida farão com que se aproxime. Não é o que ela diz que aciona a partida dele, mas *quando* ela o diz.

Quando falar com um homem

Quando um homem está se afastando, não é o momento para conversar ou tentar fazê-lo se aproximar mais. Depois de algum tempo, ele voltará. Ele aparecerá amável e agirá como se nada tivesse acontecido. *Esse é o momento para conversar.*

Nesse momento de ouro, quando um homem quer intimidade e está de fato disponível para conversar, as mulheres geralmente não iniciam conversas. Isso acontece por essas três razões comuns:

1. Uma mulher tem medo de conversar porque da última vez que quis conversar ele se afastou. Ela admite erroneamente que ele não se importa e que não quer ouvir.
2. Uma mulher tem medo de que o homem esteja aborrecido com ela e espera que ele inicie uma conversa sobre seus sentimentos. Ela sabe que se ela se afastasse dele de repente, antes de se reconectar, ela precisaria conversar sobre o que aconteceu. Ela espera que ele inicie uma conversa sobre o que o aborreceu. Ele, no entanto, não precisa falar sobre seus sentimentos de aborrecimento porque ele não está aborrecido.
3. Uma mulher tem tanto a dizer que não quer ser rude e simplesmente começar a falar. Para ser educada, em vez de falar sobre *seus*

próprios pensamentos, ela comete o erro de fazer-lhe perguntas sobre os sentimentos e pensamentos *dele*. Quando ele não tem nada a dizer, ela conclui que ele não quer ter uma conversa com ela.

Com todas essas crenças incorretas sobre por que um homem não está falando, não é de admirar que as mulheres fiquem frustradas com os homens.

Como fazer um homem conversar

Quando uma mulher quer conversar ou sente a necessidade de se aproximar, ela deve liderar a conversa e não esperar que um homem a inicie. Para iniciar uma conversa, ela precisa ser a primeira a começar a compartilhar, mesmo que seu parceiro tenha pouco a dizer. Enquanto ela o aprecia por ouvir, gradualmente ele terá mais a dizer.

Um homem pode estar bastante receptivo a ter uma conversa com uma mulher, mas não ter nada a dizer de início. O que as mulheres não sabem sobre os marcianos é que eles precisam ter uma razão para conversar. Eles não falam somente porque gostam de compartilhar. Mas se a mulher fala por algum tempo, o homem começará a se abrir e a compartilhar como ele se relaciona com o que ela compartilhou.

Por exemplo, se ela fala de algumas de suas dificuldades durante o dia, ele pode compartilhar algumas das dificuldades do seu dia para que possam entender um ao outro. Se ela falar dos seus sentimentos em relação às crianças, ele poderá então falar dos próprios sentimentos em relação a elas. Quando ela se abre e ele não se sente acusado ou pressionado, então ele gradualmente começa a se abrir.

Como as mulheres pressionam os homens a falar

Uma mulher, ao compartilhar seus sentimentos, naturalmente motiva um homem a falar. Mas quando ele sente que uma demanda está sendo feita para que ele fale, dá um branco na sua cabeça. Ele não tem nada a dizer.

Mesmo que tenha alguma coisa a dizer, ele vai resistir porque sente a exigência dela.

É difícil para um homem quando uma mulher exige que ele fale. Ela inadvertidamente o desestimula quando o interroga. Especialmente quando ele não sente necessidade de falar. Uma mulher admite erroneamente que um homem "precisa falar" e que, por consequência, *deve*. Ela se esquece de que ele é de Marte e não sente necessidade de falar tanto.

Ela até mesmo sente que, a menos que *ele* fale, ele não a ama. Rejeitar um homem por não falar é garantir que ele não tenha nada a dizer. Um homem precisa se sentir aceito da maneira que é, só aí se abrirá gradualmente. Ele não se sente aceito quando ela quer que ele fale mais ou fica ressentida com seu afastamento.

Um homem que precisa se afastar muito antes que possa aprender a compartilhar e a se abrir precisará primeiro ouvir muito. Ele precisa ser apreciado por ouvir, aí então gradualmente dirá mais.

Como iniciar uma conversa com um homem

Quanto mais a mulher tenta fazer o homem falar, mais ele vai resistir. Tentar diretamente fazê-lo falar não é a melhor abordagem, especialmente se ele está se esticando para longe. Em vez de ficar pensando em como ela pode conseguir fazê-lo falar, uma questão melhor pode ser "Como eu posso conseguir mais intimidade, conversa e comunicação com meu parceiro?".

Se uma mulher sente necessidade de mais conversa no relacionamento, e a maioria das mulheres o sentem, então ela pode iniciar mais conversas, mas com uma consciência clara de que não só aceita, mas também espera, que algumas vezes ele esteja disponível e que em outros momentos ele instintivamente se afaste.

Quando ele está disponível, em vez de fazer-lhe vinte perguntas ou de exigir que ele fale, ela poderia fazer com que ele soubesse que ela o aprecia mesmo que ele só escute. No começo ela deve até desencorajá-lo de falar.

Por exemplo, Maggie poderia dizer "Jeff, você pode me escutar um pouco? Eu tive um dia difícil e quero falar sobre isso. Isso me fará sentir muito melhor". Depois que Maggie falou por alguns minutos então ela pôde parar e dizer "Eu realmente aprecio quando você ouve meus sentimentos, significa muito para mim". Esse reconhecimento o encoraja a ouvir mais.

Sem apreço e encorajamento um homem pode perder o interesse porque sente como se o fato de "ouvir" não estivesse "adiantando nada". Ele não se dá conta do quanto a sua escuta é valiosa para ela. A maioria das mulheres, no entanto, sabe instintivamente o quanto ouvir é importante. Esperar que um homem saiba disso sem algum treinamento é esperar que ele seja como uma mulher. Felizmente, depois de ser apreciado por ouvir uma mulher, um homem aprende a respeitar o valor da conversa.

Quando um homem não fala

Sandra e Larry estavam casados há vinte anos. Sandra queria o divórcio e Larry queria tentar ainda fazer com que o casamento desse certo. Ela disse "Como é que ele pode dizer que quer continuar casado? Ele não me ama. Ele não sente nada. Ele se afasta toda vez que preciso que ele fale. Ele é frio e sem coração. Por vinte anos ele tem contido seus sentimentos. Eu não estou disposta a lhe perdoar. Eu não permanecerei nesse casamento. Já estou cansada de tentar fazê-lo se abrir e compartilhar seus sentimentos e ficar vulnerável".

Sandra não sabia como tinha contribuído para o problema deles. Ela pensava que era tudo culpa do seu marido. Julgava que tinha feito de tudo para promover intimidade, conversa e comunicação, e que ele tinha resistido a ela por vinte anos.

Depois de ouvir sobre homens e elásticos no seminário, ela caiu em prantos, pedindo perdão para o seu marido. Ela se deu conta de que o problema "dele" era problema "deles". Reconheceu como tinha contribuído para o problema deles.

Ela disse "Eu me lembro, no nosso primeiro ano de casamento, eu me abria, falava dos meus sentimentos, e ele simplesmente se afastava. Eu pensei que ele não me amasse. Depois que isso aconteceu algumas vezes, eu desisti. Eu não estava disposta a ser machucada de novo. Eu não sabia que num outro momento ele teria condições de ouvir meus sentimentos.

Eu não lhe dei uma chance. Eu deixei de ficar vulnerável. Eu queria que ele se abrisse antes que eu o fizesse".

Conversas unilaterais

As conversas de Sandra eram geralmente unilaterais. Ela tentava fazê-lo falar primeiro com uma lista de perguntas. Então, antes que pudesse compartilhar sobre o que queria falar, ela ficava aborrecida com as respostas curtas dele. Quando ela finalmente compartilhava seus sentimentos, eles eram sempre os mesmos. Ela estava aborrecida por ele não estar aberto, amável e não compartilhar.

Uma conversa unilateral pode correr assim:

Sandra: Como foi o seu dia?
Larry: OK.
Sandra: O que aconteceu?
Larry: O de sempre.
Sandra: O que você está com vontade de fazer esse final de semana?
Larry: Eu não me importo. O que você quer fazer?
Sandra: Você quer convidar nossos amigos para vir aqui?
Larry: Não sei... Você sabe onde está o horário da TV?
Sandra: (*Aborrecida.*) Por que você não conversa comigo?
Larry: (*Atordoado e em silêncio.*)
Sandra: Você me ama?
Larry: É claro que eu a amo. Eu casei com você.
Sandra: Como é que você poderia me amar? Nós nunca conversamos. Como é que você pode simplesmente sentar aí e não dizer nada! Você não se importa?

A essa altura Larry se levantaria e sairia para uma caminhada. Quando ele voltasse, agiria como se nada tivesse acontecido. Sandra também agiria como se tudo estivesse bem, mas no fundo retrairia seu amor e seu calor. Aparentemente tentaria ser amável, mas no fundo seu ressentimento cresceria. De vez em quando esse ressentimento viria à tona e ela começaria um outro interrogatório unilateral sobre os sentimentos do seu marido.

Após vinte anos juntando evidências de que ele não a amava, ela não estava mais disposta a ser privada de intimidade.

Aprendendo a apoiar um ao outro sem ter que mudar

No seminário Sandra disse, "Eu passei vinte anos tentando fazer o Larry falar. Queria que ele se abrisse e ficasse vulnerável. Eu não me dava conta de que o que sentia falta era de um homem que *me* apoiasse para me abrir e ficar vulnerável. Era disso que eu realmente precisava. Eu compartilhei mais sentimentos íntimos com meu marido esse final de semana do que em vinte anos. Eu me sinto tão amada! É disso que eu tenho sentido falta. Eu pensei que ele tivesse que mudar. Agora sei que não tem nada de errado com ele ou comigo. Nós simplesmente não sabíamos como nos apoiar um ao outro".

Sandra sempre reclamou que Larry não falava. Tinha se convencido de que o silêncio dele tornava a intimidade impossível. No seminário ela aprendeu a compartilhar seus sentimentos sem esperar e exigir reciprocidade de Larry. Em vez de rejeitar o silêncio dele, ela aprendeu a apreciá-lo. Fez dele um ouvinte melhor.

Larry aprendeu a arte de escutar. Ele aprendeu a ouvir sem tentar consertá-la. É muito mais efetivo ensinar um homem a ouvir do que a se abrir e ficar vulnerável. Quando ele aprende a ouvir alguém por quem se importa e é reconhecido por isso, ele aos poucos se abre e compartilha mais automaticamente.

Quando um homem se sente apreciado por ouvir e não se sente rejeitado por não compartilhar mais, ele gradualmente começa a se abrir. Quando ele sente como se não tivesse que falar mais, então naturalmente o faz. Se ela ainda estiver frustrada com o silêncio dele ela estará esquecendo que os homens são de Marte!

Quando um homem não se afasta

Lisa e Jim estavam casados há dois anos. Eles faziam tudo juntos. Nunca se separavam. Após algum tempo, Jim se tornou progressivamente irritadiço, passivo, mal-humorado e temperamental.

Numa sessão particular de aconselhamento, Lisa me contou, "Não é mais divertido ficar com ele. Eu tentei de tudo para animá-lo, mas não funciona. Quero que façamos coisas divertidas juntos, como ir a restaurantes, fazer compras, viajar, ir ao teatro, festas, e dançar, mas ele não. Nós nunca fazemos nada. Só assistimos televisão, comemos, dormimos e trabalhamos. Eu tento amá-lo, mas estou com raiva. Ele costumava ser tão charmoso e romântico! Viver com ele agora é como viver com uma lesma. Não sei o que fazer. Ele simplesmente não arreda pé!".

Depois de aprender sobre o ciclo de intimidade masculino – a teoria do elástico – tanto Lisa quanto Jim se deram conta do que tinha acontecido. Eles estavam passando tempo demais juntos. Jim e Lisa precisavam passar mais tempo separados.

Quando um homem se aproxima demais e não se afasta, os sintomas comuns são mau humor, irritabilidade, passividade e cair na defensiva. Jim não tinha aprendido como se afastar. Ele se sentia culpado quando passava seu tempo sozinho. Julgava que deveria compartilhar tudo com a esposa.

Lisa também julgava que eles deveriam fazer tudo juntos. No aconselhamento, eu perguntei a Lisa por que ela tinha passado tanto tempo com Jim.

Ela disse, "Eu estava com medo de que ele se aborrecesse se eu fizesse qualquer coisa agradável sem ele. Uma vez fui fazer compras sozinha e ele ficou realmente aborrecido comigo".

Jim disse, "Eu me lembro desse dia. Mas eu não estava aborrecido com você. Eu estava aborrecido porque perdi dinheiro numa transação de negócios. Eu de fato me lembro desse dia porque me lembro do quanto eu me senti bem por ter a casa inteirinha para mim. Eu nem me atrevi a dizer isso porque pensei que fosse magoar seus sentimentos".

Lisa disse, "Eu pensei que você não quisesse que eu saísse sem você. Você parecia tão distante".

Tornando-se mais independente

Com essa nova consciência, Lisa conseguiu a permissão que precisava para não se preocupar tanto com Jim. O afastamento de Jim na verdade ajudou-a a se tornar mais autônoma e independente. Ela começou a tomar mais conta de si. Quando começou a fazer as coisas que queria fazer e a conseguir mais apoio de suas amigas, ela ficou muito mais feliz.

Ela liberou seu ressentimento com relação a Jim. Ela se deu conta de que tinha estado esperando demais dele. Depois de ouvir sobre o elástico, ela se deu conta de como estava contribuindo para o problema deles. Ela se deu conta de que ele precisava de mais tempo para ficar sozinho. Seu sacrifício amoroso não estava evitando que ele se afastasse e então voltasse, mas sua atitude dependente o estava sufocando.

Lisa começou a fazer coisas divertidas sem Jim. Fez algumas das coisas que tinha estado querendo fazer. Uma noite saiu para jantar com algumas amigas. Outra noite foi ao teatro. Depois foi a uma festa de aniversário num boliche.

Milagres simples

O que a surpreendeu foi como o relacionamento deles mudou rápido. Jim se tornou muito mais atencioso e interessado nela. Em menos de duas semanas Jim começou a agir como no início do relacionamento. Voltou a querer fazer coisas divertidas com ela. Ele teve sua motivação de volta.

No aconselhamento ele disse, "Me sinto aliviado. Me sinto amado... quando Lisa vem para casa, ela fica feliz em me ver. É tão bom sentir saudades dela quando ela está longe! É bom sentir de novo. Eu tinha quase me esquecido de como é isso. Antes parecia que nada do que eu fizesse estava bom o bastante. Lisa estava sempre tentando me pegar para fazer alguma coisa, me dizendo o que fazer e me fazendo perguntas".

Lisa disse, "Eu me conscientizei de que o estava culpando pela minha infelicidade. Quando assumi a responsabilidade pela minha felicidade, experimentei um Jim mais vibrante e vivo. É como um milagre".

Obstruindo o ciclo de intimidade

Há duas maneiras com as quais uma mulher pode, inadvertidamente, obstruir o ciclo de intimidade natural do seu parceiro masculino. Elas são: (1) persegui-lo quando ele se afasta; e (2) puni-lo por se afastar.

A seguir uma lista das maneiras mais comuns com que uma "mulher persegue um homem" e evita que ele se afaste:

Comportamentos persecutórios

- **Físico**

Quando ele se afasta, ela o segue fisicamente. Ele pode andar até uma outra sala e ela o segue. Ou como no exemplo de Lisa e Jim, ela não faz coisas que quer fazer para que possa ficar com seu parceiro.

- **Emocional**

Quando ele se afasta, ela o segue emocionalmente. Ela se preocupa com ele. Ela quer ajudá-lo a se sentir melhor. Ela sente pena dele. Ela o sufoca com atenção e elogios.

Outra maneira com que ela pode emocionalmente impedir que ele se afaste é desaprovando sua necessidade de ficar sozinho. Ao desaprová-lo, ela está também puxando-o de volta.

Outra abordagem é parecer ansiosa ou magoada quando ele se afasta. Dessa forma ela protesta contra a intimidade dele e ele se sente controlado.

- **Mental**

Ela pode tentar puxá-lo de volta mentalmente fazendo perguntas que induzam à culpa como "Como você pôde me tratar dessa maneira?" ou "O que há de errado com você?" ou "Você não se dá conta do quanto me machuca quando se afasta?".

Outra maneira com que ela pode tentar puxá-lo de volta é tentar agradá-lo. Ela se torna excessivamente solícita e acomodada. Tenta ser perfeita de modo que ele nunca tenha qualquer razão para se afastar. Ela desiste de si mesma e tenta se tornar o que acredita que ele quer.

Tem medo de estragar tudo por temer que ele possa ir embora, e por isso contém seus verdadeiros sentimentos e evita fazer qualquer coisa que possa aborrecê-lo.

A segunda maneira mais importante que uma mulher pode inadvertidamente interromper o ciclo de intimidade de um homem é puni-lo por se afastar. A seguir temos uma lista das maneiras mais comuns com que uma mulher "pune um homem" e evita que ele volte e se abra para ela:

Comportamentos punitivos

- **Físico**

Quando ele começa a desejá-la de novo, ela o rejeita. Ela rechaça sua atenção física. Pode rejeitá-lo sexualmente. Ela não permite que ele a toque ou que fique próximo. Pode bater nele ou quebrar coisas no sentido de demonstrar seu descontentamento.

Quando um homem é punido por se afastar, ele pode ficar com medo de alguma vez fazê-lo de novo. Esse medo pode evitar com que se afaste no futuro. Seu ciclo natural é então rompido. Pode também criar uma raiva que o impeça de sentir seu desejo por intimidade. Ele pode não voltar uma vez que tenha se afastado.

- **Emocional**

Quando ele retorna, ela está infeliz e o culpa. Ela não o perdoa por tê-la negligenciado. Não há nada que ele possa fazer para agradá-la ou fazê-la feliz. Ele se sente incapaz de satisfazê-la e desiste.

Quando ele retoma, ela expressa sua desaprovação através de palavras, tom de voz e olhando para seu parceiro de uma certa maneira ferida.

- **Mental**

Quando ele retorna, ela se recusa a se abrir e compartilhar seus sentimentos. Ela se torna fria e se ressente dele por não se abrir e falar.

Ela para de acreditar que ele realmente se preocupe com ela e o castiga não lhe dando a chance de ouvir e ser o "mocinho". Ao retornar feliz para ela, ele é punido.

Quando um homem se sente castigado por ter se afastado, pode vir a ficar com medo de perder o amor dela se se afastar. Começa a não se sentir merecedor do amor dela se se afastar. Pode vir a ter medo de tentar alcançar o seu amor de novo porque se sente desmerecedor; ele admite que será rejeitado. Esse medo da rejeição evita que ele volte da sua jornada pela caverna.

Como o passado de um homem pode afetar seu ciclo de intimidade

Esse ciclo natural num homem pode já estar obstruído desde sua infância. Ele pode ter medo de se afastar porque testemunhou a desaprovação da sua mãe ao distanciamento emocional do seu pai. Tal homem pode nem notar que precisa se afastar. Pode inconscientemente criar discussões para justificar seu afastamento.

Esse tipo de homem naturalmente desenvolve mais o seu lado feminino, mas à custa da repressão de um pouco do seu poder masculino. Ele é um homem sensível. Ele tenta bastante agradar e ser amável, mas perde parte do seu eu masculino no processo. Ele se sente culpado em se afastar. Sem saber o que aconteceu, perde seu desejo, poder e paixão; torna-se passivo e excessivamente dependente.

Ele pode estar com medo de ficar sozinho ou de ir para sua caverna. Pode pensar que não gosta de ficar sozinho porque no fundo está com medo de perder o amor. Ele já experimentou, na sua infância, sua mãe rejeitando seu pai ou o rejeitando diretamente.

Enquanto alguns homens não sabem como se afastar, outros não sabem como se aproximar. O machão não tem problemas para se afastar. Ele simplesmente não pode voltar e se abrir. Bem no fundo ele pode estar com medo de que seja indigno de amor. Ele tem medo de se aproximar e de se importar muito. Não tem ideia de como seria recebido se se aproximasse. Tanto o sensível quanto o machão estão perdendo um quadro ou experiência positivos do seu ciclo natural de intimidade.

Entender esse ciclo de intimidade masculino é tão importante para um homem como para uma mulher. Alguns homens se sentem culpados por terem necessidade de passar algum tempo nas suas cavernas, ou podem ficar confusos quando começam a se afastar e então, mais tarde, se encolhem de volta. Eles podem erroneamente julgar que alguma coisa está errada com eles. Por isso é importante tanto para homens quanto para mulheres entender esses segredos sobre os homens.

Homens e mulheres sábios

Os homens geralmente não se dão conta do quanto seu repentino afastamento e posterior retorno afeta as mulheres. Com esse novo insight sobre como as mulheres são afetadas pelo seu ciclo de intimidade, um homem pode reconhecer a importância de escutar sinceramente quando uma mulher fala. Ele entende e respeita a necessidade que ela tem de que ele reafirme que ele está interessado e que se importa. A qualquer hora que ele não tenha necessidade de se afastar, o homem sábio usa o tempo para iniciar conversas perguntando a sua parceira como ela está se sentindo.

Ele passa a entender seu próprio ciclo e reassegura à mulher, quando se afasta, que estará de volta. Ele pode dizer "Eu preciso de algum tempo para ficar sozinho e então nós teremos algum tempo especial juntos, sem dispersões". Ou se ele começa a se afastar enquanto ela está falando, ele pode dizer "Eu preciso de algum tempo para pensar sobre isso e aí nós poderemos conversar de novo".

> O homem passa a entender seu próprio ciclo e reassegura à mulher, quando se afasta, que estará de volta.

Quando ele retorna para conversar, ela pode sondá-lo para entender por que ele foi embora. Se ele não tem certeza, que muitas vezes é o caso, ele pode dizer "Eu não tenho certeza. Eu simplesmente precisava de algum tempo para mim mesmo. Mas vamos continuar nossa conversa".

Ele tem mais consciência de que ela precisa ser ouvida e que ele precisa ouvir mais quando não está se afastando. Além disso, ele sabe que ouvir o ajuda a tomar consciência do que quer compartilhar numa conversa.

Para iniciar uma conversa, a mulher sábia aprende a não exigir que um homem converse, mas pede que ele verdadeiramente a escute. Com a mudança na sua ênfase, a pressão sobre ele é liberada. Ela aprende a se abrir e dividir seus sentimentos sem exigir que ele faça o mesmo.

Ela acredita que ele irá gradualmente se abrir mais quando se sentir aceito e ouvir os sentimentos dela. Ela não o pune ou persegue. Ela entende que às vezes seus sentimentos internos acionam nele a necessidade de se afastar enquanto, em outras horas (quando ele está no caminho de volta), ele está bastante apto a escutar os sentimentos íntimos dela. Essa mulher sábia não desiste. Ela paciente e amavelmente persiste com um conhecimento que poucas mulheres têm.

7

AS MULHERES SÃO COMO ONDAS

Uma mulher é como uma onda. Quando ela se sente amada, sua autoestima sobe e desce num movimento ondulatório. Quando ela estiver se sentindo realmente bem, ela atingirá o pico, mas então, de repente, seu estado de ânimo pode mudar e sua onda quebrar vertiginosamente. Esse mergulho é temporário. Depois de atingir o fundo, de repente, seu estado de ânimo mudará e ela de novo se sentirá bem sobre si mesma. Automaticamente sua onda começa a subir de novo.

Quando a onda de uma mulher sobe, ela sente que tem uma abundância de amor para dar, mas quando desce, sente seu vazio interior e precisa ser preenchida com amor. Quando ela atingir o fundo, é o momento para uma faxina emocional.

Se ela reprimiu qualquer sentimento negativo ou se sacrificou no sentido de ser mais amável na ascensão da sua onda, então no movimento descendente ela começa a experimentar esses sentimentos negativos e necessidades insatisfeitas. Durante esse período de baixa, ela precisa especialmente falar sobre os problemas e ser ouvida e entendida.

Minha mulher, Bonnie, diz que essa experiência de "descida" é como descer num poço escuro. Quando uma mulher entra no seu "poço", está conscientemente afundando no seu eu inconsciente, para dentro da escuridão e de sentimentos difusos. Ela pode de repente experimentar uma grande quantidade de emoções inexplicáveis e sentimentos vagos. Pode se sentir desesperada, pensando que está sozinha ou sem apoio. Mas logo depois de atingir o fundo, se ela se sentir amada e apoiada, vai automaticamente começar a se sentir melhor. Tão repentinamente quanto mergulhou, ela vai automaticamente subir e de novo irradiar amor em seus relacionamentos.

> A autoestima de uma mulher sobe e desce como uma onda. Quando ela atingir o fundo, é o momento para uma faxina emocional.

A habilidade de uma mulher para dar e receber amor em seus relacionamentos é geralmente um reflexo de como ela está se sentindo em relação a si mesma. Quando não está se sentindo *tão* bem consigo mesma, ela não pode ser *tão* acolhedora e apreciar *tanto* seu parceiro. Nos seus momentos de baixa, ela tende a ficar indefesa ou mais emocionalmente reativa. Quando sua onda atinge o fundo, ela fica mais vulnerável e precisa de mais amor. É crucial que seu parceiro entenda o que ela precisa nesses momentos, do contrário ele pode fazer exigências irracionais.

Como os homens reagem à onda

Quando um homem ama uma mulher, ela começa a brilhar com amor e satisfação. A maioria dos homens ingenuamente espera que esse brilho dure para sempre. Mas esperar que sua natureza amorosa seja constante é como esperar que o clima nunca mude e que o sol brilhe o tempo todo. A vida está repleta de ritmos dia e noite, quente e frio, verão e inverno, primavera e outono, nublado e céu claro. Do mesmo modo, num relacionamento, homens e mulheres têm seus ritmos e ciclos próprios. Os homens se retraem e se aproximam, enquanto as mulheres sobem e descem em sua habilidade de amar a si mesmas e aos outros.

> Nos relacionamentos, os homens se retraem e se aproximam, enquanto as mulheres sobem e descem em sua habilidade de amar a si mesmas e aos outros.

Um homem admite que a repentina mudança no estado de ânimo dela está baseada unicamente no seu comportamento. Quando ela está feliz, ele colhe os louros, mas quando ela está infeliz, ele também se sente responsável. Ele pode se sentir extremamente frustrado por não saber como melhorar as coisas. Num minuto ela parece feliz, e então ele acredita que está fazendo um bom trabalho, mas no minuto seguinte ela está infeliz. Ele fica chocado porque julgava que estava indo tudo tão bem.

Não tente consertar as coisas

Bill e Mary estavam casados há seis anos. Bill tinha observado esse padrão ondulatório em Mary, mas como não o entendia, tentou "consertá-lo", o que só piorou as coisas. Ele pensou que havia algo errado nesta tendência dela de subir e descer. Ele tentaria explicar-lhe que ela não precisava ficar aborrecida. Mary sentiu que ele não a compreendia e ficou mais aflita ainda.

Apesar de pensar que estava "consertando as coisas", ele estava, na verdade, evitando que ela se sentisse melhor. Quando uma mulher vai para dentro do seu poço, ele precisa aprender que é nesse momento que ela mais precisa dele, que não se trata de um problema para ser resolvido ou consertado, mas de uma oportunidade para apoiá-la com amor incondicional.

Bill disse, "Eu não aguento minha mulher, Mary. Por semanas ela é a mulher mais maravilhosa do mundo. Ela dá seu amor tão incondicionalmente a mim e a todo mundo. Então, de repente, ela se torna indefesa pelo tanto que está fazendo para todo mundo e começa a me desaprovar. Não é minha culpa que ela esteja infeliz. Eu lhe explico isso e nós simplesmente nos metemos na maior briga".

Como muitos homens, Bill cometeu o erro de tentar evitar que sua parceira "descesse" ou "fosse para o fundo". Ele tentou salvá-la puxando-a para cima. Ele não tinha aprendido que quando sua esposa estava descendo, ela precisava atingir o fundo antes de poder voltar para cima.

Quando sua esposa, Mary, começou a mergulhar, seu primeiro sintoma foi se sentir indefesa. Ao invés de ouvi-la com carinho, calor e empatia, ele tentava trazê-la de volta para cima com explicações sobre por que ela estaria tão aborrecida.

A última coisa que uma mulher precisa quando está a caminho do fundo é de alguém dizendo a ela por que ela não deveria estar lá embaixo.

O que ela precisa é de alguém que fique com ela enquanto ela desce, que a ouça enquanto compartilha seus sentimentos, e que tenha empatia para com o que ela está passando. Mesmo que um homem não possa entender completamente por que uma mulher se sente indefesa, ele pode oferecer seu amor, atenção e apoio.

Como os homens ficam confusos

Depois de aprender que as mulheres são como ondas, Bill ainda estava confuso. Quando sua mulher entrou no poço outra vez, ele tentou ouvi-la. Enquanto ela falava sobre algumas coisas que a estavam aborrecendo, ele ensaiou não oferecer sugestões para "consertá-la" ou fazê-la sentir-se melhor. Depois de uns vinte minutos ele ficou bastante irritado, porque ela não estava se sentindo nada melhor.

> Ele me contou, "Primeiro eu a ouvi, e ela parecia se abrir e compartilhar mais. Mas aí ela começou a ficar ainda mais aborrecida. Parecia que quanto mais eu a ouvia mais aborrecida ela ficava. Eu lhe disse que ela não precisava ficar mais aborrecida e aí nós entramos numa grande discussão".

Apesar de Bill estar ouvindo Mary, ele ainda estava tentando consertá-la. Ele esperava que ela se sentisse melhor imediatamente. O que Bill não sabia é que quando uma mulher entra no poço, mesmo que ela se sinta apoiada, isso não significa necessariamente que vá se sentir melhor de imediato. Ela pode se sentir pior. Porém esse é um sinal de que o seu apoio pode estar funcionando. Seu apoio pode na verdade ajudá-la a atingir o fundo mais rápido, e então ela pode e vai se sentir melhor. Para subir genuinamente, primeiro ela precisa atingir o fundo. Esse é o ciclo.

Bill estava confuso, porque enquanto ele a ouvia, ela parecia não colher benefício algum do seu apoio. Para ele parecia simplesmente que ela estava indo cada vez mais para o fundo. Para evitar essa confusão, um homem deve se lembrar de que às vezes quando ele está tendo sucesso em apoiar uma mulher, ela pode ficar ainda mais aborrecida. Entendendo que uma onda tem que atingir o fundo antes que possa subir de novo, ele pode se libertar das suas expectativas de que ela se sinta melhor imediatamente em resposta à sua assistência.

> **Mesmo quando um homem está tendo sucesso em apoiar uma mulher, ela pode ficar ainda mais aborrecida.**

Com esse novo insight, Bill foi capaz de ser mais compreensivo e paciente com Mary. Depois de se tornar muito mais bem-sucedido em apoiar Mary no seu poço, ele também aprendeu que não havia como prever por quanto tempo ela ficaria aborrecida; algumas vezes seu poço estava mais fundo do que das outras vezes.

Conversas e discussões recorrentes

Quando uma mulher sai do poço, ela volta ao seu eu amável de novo. Essa mudança positiva é geralmente mal compreendida pelos homens. Um homem pensa, tipicamente, que seja lá o que for que a estava chateando, agora está completamente cicatrizado e resolvido. Não é esse o caso. É uma ilusão. Como ela está repentinamente mais amável e positiva, ele julga erroneamente que todas as questões dela estão resolvidas.

Quando sua onda quebrar de novo, questões similares surgirão. Quando suas questões vêm à tona de novo, ele se torna impaciente, pois acreditava que já tivessem sido resolvidas. Sem entender a onda, ele acha difícil validar e acalentar os sentimentos dela enquanto ela está no "fundo do poço".

Quando os sentimentos não resolvidos de uma mulher são recorrentes, ele pode reagir impropriamente dizendo:
1. "Quantas vezes nós temos que passar por isso?"
2. "Eu já escutei essa história antes."
3. "Eu pensei que nós tínhamos resolvido isso."
4. "Quando é que você vai sair dessa?"
5. "Eu não quero mais lidar com isso."
6. "Que loucura! Nós estamos tendo a mesma discussão!"
7. "Por que você tem tantos problemas?"

Quando uma mulher vai para o fundo do poço, suas questões mais profundas tendem à superfície. Essas questões podem ter a ver com o relacionamento, mas em geral estão fortemente associadas aos relacionamentos do passado e à infância. Qualquer trauma ou problema não resolvido no passado vai inevitavelmente vir à tona. Aqui estão alguns dos sentimentos comuns que ela pode experimentar quando vai para o fundo do poço.

Sinais de alerta para os homens de que ela pode estar indo para o fundo do poço ou de quando ela mais precisa do amor dele

Ela se sente	Ela pode dizer
Indefesa	"Há tanta coisa para fazer."
Insegura	"Eu preciso de mais."
Ressentida	"Eu faço tudo."
Preocupada	"Mas e sobre o..."
Confusa	"Eu não entendo por que..."
Exausta	"Eu não posso fazer mais nada."
Desesperada	"Eu não sei o que fazer."
Passiva	"Eu não me importo, faz o que você quiser."
Exigente	"Você devia..."
Contida	"Não, eu não quero..."
Desconfiada	"O que você quer dizer com isso?"
Controladora	"Bem, você fez...?"
Desaprovadora	"Como você pôde esquecer...?"

À medida que se sentir mais apoiada nesses momentos difíceis, ela começará a confiar no relacionamento e será capaz de viajar para dentro e para fora do seu poço sem conflitos no seu relacionamento ou lutas na sua vida. Eis a bênção de um relacionamento amoroso.

Apoiar uma mulher quando ela está no fundo do poço é um presente especial que ela apreciará enormemente. Gradualmente ela vai se livrar da absorvente influência do passado. Ela terá seus altos e baixos, mas eles não serão tão extremos que possam obscurecer sua natureza amorosa.

Entendendo carências

Durante meu seminário sobre relacionamento Tom reclamou, dizendo, "No começo do nosso relacionamento, Susan parecia tão forte, mas aí, de repente, ela se tornou tão carente! Me lembro de sempre ter que reafirmar que a amava e de que ela era importante para mim. Depois de muita conversa, nós superamos aquele obstáculo, mas aí de novo, um mês mais tarde, ela passou pela mesma insegurança. Era como se nem tivesse me escutado da primeira vez. Fiquei tão frustrado com ela que nós nos metemos numa grande discussão".

Tom ficou surpreso de ver que muitos outros homens compartilharam a mesma experiência em seus relacionamentos. Quando Tom conheceu Susan, ela estava no movimento ascendente de sua onda. Com o progresso de seu relacionamento, o amor de Susan por Tom cresceu. Depois que sua onda chegou ao pico, de repente ela começou a se sentir carente e possessiva. Tornou-se insegura e exigia mais atenção.

Esse foi o começo do seu mergulho para dentro do poço. Tom não podia entender por que ela tinha mudado, mas depois de uma discussão bastante intensa, que se estendeu por quatro horas, Susan se sentiu muito melhor. Tom tinha-lhe reassegurado seu amor e apoio, e Susan estava agora se maneando para cima de novo. No fundo ela se sentia aliviada.

Depois dessa interação, Tom pensou que tinha tido sucesso e resolvido esse problema no relacionamento deles. Mas, um mês depois, Susan começou a mergulhar e começou a se sentir do mesmo jeito de novo. Dessa vez Tom foi muito menos compreensivo e receptivo. Ele ficou impaciente. Ele se sentiu insultado porque ela desconfiava dele de novo depois dele ter reassegurado seu amor um mês antes. Na defensiva, ele julgou negativamente a necessidade recorrente dela de reafirmação. Como resultado, eles discutiram.

Compreensões reasseguradoras

Compreendendo que as mulheres são como ondas, Tom se deu conta de que a recorrência da carência e da insegurança de Susan era natural, inevitável e temporária. Ele se deu conta do quanto fora ingênuo ao pensar que sua resposta amorosa às questões mais profundas de Susan pudessem curá-la para sempre.

Saber como apoiar Susan quando ela estava no seu poço não só fez com que ficasse mais fácil para ela curar-se internamente mas também ajudou-os a não ter mais brigas nessas horas. Tom estava encorajado pelas três realizações seguintes.

1. O amor e o apoio de um homem não podem instantaneamente resolver uma questão de uma mulher. O amor dele, no entanto, pode fazer com que a descida dela até o fundo do poço seja segura. É ingênuo esperar que uma mulher seja perfeitamente amável todo o tempo. Ele pode esperar que essas questões venham à tona muitas vezes. A cada vez, no entanto, ele pode se aperfeiçoar ao apoiá-la.
2. A ida de uma mulher para dentro do seu poço não é culpa do homem. Ele *não pode* impedir que isso aconteça, mas pode ajudá-la a atravessar esses momentos difíceis.
3. Uma mulher tem, dentro de si mesma, a habilidade de se erguer espontaneamente depois de ter atingido o fundo. Um homem não precisa consertá-la. Ela não está "enguiçada", mas simplesmente precisa do seu amor, paciência e compreensão.

Quando uma mulher não se sente segura no seu poço

Essa tendência a ser como uma onda aumenta quando a mulher está num relacionamento íntimo. É essencial que ela se sinta segura para poder passar por esse ciclo. Do contrário fará um grande esforço para fingir que tudo está sempre bem e reprimirá seus sentimentos negativos.

Quando uma mulher não se sente segura para entrar no seu poço, sua única alternativa é evitar intimidades e sexo ou suprimir e adormecer seus sentimentos através de vícios como beber, comer em excesso, trabalhar demais ou excesso de zelo. Mesmo com seus vícios, no entanto, ela cairá periodicamente no seu poço e seus sentimentos podem vir à tona da forma mais descontrolada.

Você provavelmente conhece histórias de casais que nunca brigam ou discutem e que, de repente, para surpresa de todo o mundo, decidem se divorciar. Em muitos desses casos a mulher reprimiu seus sentimentos negativos para evitar brigas. Como resultado, ela fica insensível e incapaz de sentir amor.

Quando sentimentos negativos são reprimidos, sentimentos positivos ficam reprimidos também, e o amor morre. Evitar discussões e brigas é certamente saudável, mas não através da repressão de sentimentos. No capítulo 9 nós vamos examinar como evitar discussões sem reprimir sentimentos.

Quando sentimentos negativos são reprimidos, sentimentos positivos ficam reprimidos também, e o amor morre.

Faxina emocional

Quando a onda de uma mulher quebra, é o momento para uma limpeza emocional ou "faxina emocional". Sem essa limpeza ou catarse emocional, a mulher perde vagarosamente sua habilidade para amar e crescer no amor. Com a repressão controlada dos seus sentimentos, sua natureza ondulatória fica obstruída e ela pouco a pouco se torna insensível e impassível com o tempo.

Algumas mulheres que evitam lidar com suas emoções negativas e resistem ao movimento natural de seus sentimentos experimentam síndrome pré-menstrual (SPM). Há uma forte correlação entre a SPM e a incapacidade de lidar com sentimentos negativos de forma positiva. Em alguns casos, mulheres que aprenderam a lidar com seus sentimentos com êxito sentiram os sintomas de sua SPM desaparecerem. No capítulo 11 examinaremos técnicas para lidar com emoções negativas.

Mesmo uma mulher forte, confiante e bem-sucedida precisará visitar seu poço de vez em quando. Os homens comumente cometem o erro de julgar que se sua parceira é bem-sucedida no trabalho, então ela não vai experimentar esses momentos de faxina emocional. É justamente o contrário.

Quando uma mulher trabalha fora, ela geralmente se vê exposta ao estresse e à poluição emocional. Sua necessidade por uma faxina emocional se torna imensa. Da mesma forma, a necessidade que o homem tem de se retrair como um elástico pode aumentar quando ele está sob intenso estresse no trabalho.

Um estudo revelou que a autoestima de uma mulher geralmente sobe e desce num ciclo entre vinte e um e trinta e cinco dias. Nenhum estudo foi feito sobre a frequência com que um homem se retrai como um elástico, mas minha experiência diz que é mais ou menos a mesma. O ciclo de autoestima de uma mulher não está necessariamente em sincronia com seu ciclo menstrual, mas tem mesmo sua média em vinte e oito dias.

Quando uma mulher veste sua roupa de trabalho, ela pode se afastar dessa montanha-russa emocional, mas quando volta para casa ela precisa que seu parceiro dê o apoio amável e terno que toda mulher precisa e aprecia nesses momentos.

É importante reconhecer que essa tendência a ir para o fundo do poço não necessariamente afeta a competência de uma mulher no trabalho, mas influencia enormemente sua comunicação com as pessoas que ela ama e precisa intimamente.

Como um homem pode apoiar uma mulher que está no fundo do poço

Um homem sábio aprende a se desviar do seu caminho para ajudar uma mulher a se sentir segura para se levantar e cair. Ele se libera dos próprios julgamentos e exigências e aprende como dar o apoio requerido. Como resultado, ele desfruta de um relacionamento que cresce em amor e paixão com os anos.

Ele pode ter que resistir a alguns temporais emocionais ou afogamentos, mas a recompensa é muito maior. O homem não iniciado ainda sofre de temporais e afogamentos, mas, como ele não conhece a arte de amá-la durante seu período no poço, o amor deles para de crescer e se torna gradualmente reprimido.

Quando ela está no poço e ele está na caverna

Harris disse, "Tentei tudo o que aprendi no seminário. Estava realmente funcionando. Nós estávamos tão próximos! Eu me senti como se estivesse no céu. Aí, de repente, minha mulher, Cathy, começou a reclamar que eu assistia televisão demais. Começou a me tratar como se eu fosse uma criança. Nós nos envolvemos numa enorme discussão. Eu não sei o que aconteceu. Nós estávamos indo tão bem".

Esse é um exemplo do que pode acontecer quando a onda e o elástico ocorrem mais ou menos ao mesmo tempo. Depois de assistir ao seminário, Harris conseguira com êxito se dar mais para sua esposa e família do que nunca. Cathy estava encantada. Ela não podia acreditar. Eles tinham se tornado mais próximos do que nunca. Sua onda estava chegando ao ápice. Isso durou por umas duas semanas, e então Harris resolveu ficar acordado até tarde uma noite e assistir à televisão. Seu elástico estava começando a pender. Ele precisava se afastar para sua caverna.

Quando se afastou, Cathy ficou enormemente magoada. Sua onda começou a quebrar. Ela viu o afastamento dele como o final da sua nova experiência de intimidade. As duas semanas anteriores tinham sido tudo o que ela tinha desejado, e agora ela pensava que iria perdê-lo. Desde garotinha esse tipo de intimidade era seu sonho. O afastamento dele foi um tremendo choque para ela. Para a garotinha que havia dentro dela foi como uma experiência de ganhar doces e depois os doces lhe serem tirados. Ela ficou bastante aborrecida.

Lógicas marciana e venusiana

A experiência de abandono de Cathy é difícil de entender para um marciano. A lógica marciana diz "Eu tenho sido tão maravilhoso pelas duas últimas semanas. Será que isso não me dá direito a algum tempo livre? Eu me dediquei a você esse tempo todo, agora é a minha hora. Você deve estar mais segura e reafirmada sobre o meu amor do que nunca".

A lógica venusiana aborda a experiência diferentemente: "Essas duas últimas semanas têm sido maravilhosas. Eu me deixei abrir para você mais do que nunca. Perder sua amável atenção é mais doloroso do que antes. Eu comecei a me abrir realmente e então você se afastou."

Como sentimentos passados vêm à tona

Por não confiar e não se abrir completamente, Cathy tinha passado anos se protegendo de ser magoada. Mas durante suas duas semanas vivendo apaixonadamente ela começou a se abrir mais do que jamais houvera na sua vida adulta. O apoio de Harris tinha feito com que fosse seguro para ela entrar em contato com seus velhos sentimentos.

De repente ela começou a se sentir do modo como se sentia quando era criança e seu pai estava sempre muito ocupado para dedicar atenção a ela. Seus sentimentos passados não resolvidos de raiva e impotência foram projetados para o fato de Harris assistir à televisão. Se esses sentimentos não tivessem vindo à tona, Cathy teria sido capaz de aceitar tranquilamente o desejo de Harris de assistir à televisão.

Como seus sentimentos passados estavam vindo à tona, ela se sentiu machucada. Se tivesse tido uma chance de compartilhar a sua dor, sentimentos profundos teriam emergido. Cathy teria atingido o fundo e então teria se sentido significativamente melhor. Mais uma vez, ela teria estado disposta a confiar na intimidade, mesmo sabendo que pode ser doloroso quando ele inevitavelmente se afasta.

Quando se magoam sentimentos

Mas Harris não entendeu por que ela estaria magoada. Ele lhe disse que ela não deveria estar magoada. E a discussão começou. Dizer a uma mulher que ela não deveria estar magoada é talvez a pior coisa que um homem pode dizer. Vai magoá-la ainda mais, como cutucar uma ferida aberta.

Quando uma mulher está se sentindo magoada, pode parecer como se ela o estivesse culpando. Mas se receber carinho e compreensão, a acusação vai desaparecer. Tentar explicar por que ela não deveria estar magoada vai piorar muito as coisas.

Às vezes, quando uma mulher está magoada, ela pode até racionalmente concordar que não deveria estar. Mas emocionalmente ainda está machucada e não quer ouvi-lo falar que não deveria estar magoada. O que ela precisa é da compreensão dele do por que isso acontece.

Por que homens e mulheres brigam

Harris não entendeu nada da reação dolorosa de Cathy. Ele pensou que ela estava exigindo que ele desistisse da televisão para sempre. Cathy não estava exigindo que Harris desistisse da televisão. Ela só queria que ele soubesse o quanto isso era doloroso para ela.

As mulheres sabem instintivamente que se ao menos sua dor pudesse ser ouvida então elas poderiam confiar em seu parceiro para fazer quaisquer mudanças que pudessem fazer. Quando Cathy compartilhou sua dor, ela precisava simplesmente ser ouvida e então reassegurada de que ele não estava voltando a ser o velho Harris, viciado em televisão e emocionalmente inacessível.

Certamente Harris merecia assistir à televisão, mas Cathy merecia o direito de ficar aborrecida. Ela merecia ser escutada, compreendida e reassegurada. Harris não estava errado por assistir à televisão, e Cathy não estava errada por estar aborrecida.

Os homens discutem pelo direito de serem livres enquanto as mulheres discutem pelo direito de ficarem aborrecidas. Os homens querem espaço enquanto as mulheres querem compreensão.

Como Harris não entendeu a onda de Cathy, ele pensou que a reação dela era injusta. Ele pensou que tivesse que invalidar os sentimentos dela se quisesse algum tempo para assistir à televisão. Ele se tornou irritadiço e pensou, eu não posso ser amável o tempo todo!

Harris sentiu que tinha que fazer com que os sentimentos dela estivessem errados para adquirir o direito de assistir à televisão e viver sua vida e ser ele mesmo. Ele discutiu por seu direito quando Cathy precisava simplesmente ser escutada. Ela discutiu pelo seu direito de estar magoada e aborrecida.

Resolvendo conflitos através do entendimento

Foi ingênuo da parte de Harris pensar que a raiva de Cathy, seu ressentimento e os sentimentos de impotência por ter sido negligenciada por doze anos iriam embora depois de duas semanas de paixão.

Foi igualmente ingênuo da parte de Cathy pensar que Harris pudesse sustentar seu foco nela e na família sem tirar algum tempo para se afastar e se concentrar em si mesmo.

Quando Harris começou a se afastar, isso disparou em Cathy a quebra da onda. Os seus sentimentos não resolvidos começaram a vir à tona. Ela não estava somente reagindo ao fato de Harris assistir à televisão, mas a anos de negligência. A discussão deles tornou-se gritaria. Depois de duas horas de gritaria eles não estavam mais se falando.

Ao entenderem o amplo quadro do que tinha acontecido, eles foram capazes de resolver seus conflitos e de reatarem. Harris entendeu que quando começou a se afastar isso disparou em Cathy o momento para fazer um pouco de faxina emocional. Ela precisava falar dos seus sentimentos e não de que ele dissesse que ela estava errada. Harris foi encorajado ao se dar conta de que ela estava lutando para ser ouvida, do mesmo modo que ele estava lutando para ficar livre. Ele aprendeu que apoiando a necessidade dela de ser escutada ela poderia apoiá-lo na sua necessidade de ficar livre.

Apoiando a necessidade dela de ser ouvida ela poderia apoiá-lo na sua necessidade de ficar livre.

Cathy entendeu que Harris não queria invalidar seus sentimentos magoados. Além disso entendeu que, apesar de estar se afastando, ele voltaria e eles seriam capazes de experimentar intimidade de novo. Ela se deu conta de que o aumento na intimidade deles tinha acionado em Harris a necessidade de se afastar. Ela aprendeu que seus sentimentos magoados faziam-no sentir-se controlado, e ele precisava sentir que ela não estava tentando dizer-lhe o que podia fazer.

O que um homem pode fazer quando ele não pode ouvir

Harris perguntou, "E se eu simplesmente não puder ouvir e precisar ficar na minha caverna? Às vezes eu começo a ouvir e fico furioso".

Eu lhe assegurei de que isso é normal. Quando a onda dela quebra e ela precisa ser ouvida, algumas vezes o elástico dele é acionado e ele precisa se afastar. Ele não pode dar a ela o que ela precisa. Ele concordou enfaticamente e disse, "Sim, está certo. Quando eu quero me afastar, ela quer conversar".

Quando um homem precisa se afastar e uma mulher precisa conversar, tentar ouvir somente piora as coisas. Depois de pouco tempo ele ou a estará julgando e pode explodir de raiva, ou ficará incrivelmente cansado ou distraído, e ela ficará mais aborrecida. Quando ele não é capaz de ouvir atentamente, com carinho, compreensão e respeito, essas três atitudes podem ajudar:

Três passos para apoiá-la
quando ele precisa se afastar

1. Aceitar seus limites
A primeira coisa que você precisa fazer é aceitar que você precisa se afastar e não tem nada para dar. Não interessa o quanto você queira ser amável, você não pode ouvir atentamente. Não tente ouvir quando você não consegue.

2. Entender a dor dela
Depois, você precisa entender que ela precisa mais do que você pode dar nesse momento. A dor dela é válida. Não julgue que ela está errada por

precisar mais ou por estar machucada. Ser abandonada quando ela mais precisa do seu amor machuca. Você não está errado por precisar de espaço, e ela não está errada por querer estar perto. Você pode ter medo de que ela não o perdoe ou não confie mais em você. Ela poderá confiar e perdoar mais se você for carinhoso e compreensivo com a dor dela.

3. Evite discutir e dê segurança

Entendendo a sua dor, você não fará com que ela esteja errada por estar aborrecida e sofrendo. Apesar de você não poder dar o apoio que ela quer e precisa, você pode evitar que as coisas piorem através de discussões. Reassegure-a de que você voltará, e então terá condições de dar-lhe o apoio que ela merece.

O que ele pode dizer em vez de discutir

Não havia nada de errado com a necessidade de Harris de ficar sozinho ou de assistir à televisão, nem havia nada de errado com os sentimentos magoados de Cathy. Em vez de discutir pelo seu direito de assistir à televisão, ele poderia ter-lhe dito alguma coisa assim: "Eu entendo que você esteja aborrecida, e agora eu realmente preciso relaxar. Quando eu me sentir melhor, nós poderemos conversar." Isso lhe daria tempo para assistir à televisão bem como uma oportunidade de se acalmar e se preparar para ouvir a dor de sua parceira sem fazer com que os sentimentos magoados dela estivessem errados.

Ela pode não gostar dessa resposta, mas vai respeitá-la. É claro que ela quer que ele seja o homem amável de sempre, mas se ele precisa se afastar, esta sua necessidade é válida. Ele não pode dar o que não tem. O que ele pode fazer é evitar que as coisas piorem. A solução é respeitar suas necessidades, bem como as dela. Ele deve levar o tempo que precisar e então voltar e dar-lhe o que ela precisa.

Quando um homem não consegue ouvir os lamentos de uma mulher porque precisa se afastar, ele pode dizer "Eu entendo que você se sinta machucada e eu preciso de algum tempo para pensar sobre isso. Vamos dar um tempo". Para um homem, desculpar-se dessa maneira e parar de ouvir é muito melhor do que tentar explicar a mágoa dela até que acabe.

O que ela pode fazer em vez de discutir

Ao ouvir essa sugestão, Cathy disse, "Se acontecer dele ficar na sua caverna, então, como é que eu fico? Eu lhe dou paz, mas o que é que eu ganho?".

O que Cathy ganha é o melhor que o seu parceiro pode lhe dar no momento. Não exigindo que ele a escute quando ela quer conversar, ela pode evitar piorar muito as coisas tendo uma discussão. Segundo, ela receberá o apoio dele quando ele voltar – quando ele for verdadeiramente capaz de apoiá-la.

Lembre-se, se um homem precisar se afastar como um elástico, quando ele retornar voltará com muito mais amor. Aí ele poderá ouvir. Esse é o melhor momento para iniciar conversações.

Aceitar a necessidade de um homem de ir para sua caverna não significa desistir da necessidade de conversar. Significa desistir da exigência que ele ouça sempre que ela tenha vontade de falar. Cathy aprendeu a aceitar que algumas vezes um homem não pode ouvir ou falar e aprendeu que em outros momentos ele poderia. Sincronismo era muito importante. Ela foi encorajada a não desistir de iniciar conversas, mas a encontrar esses outros momentos quando ele poderia ouvir.

Quando um homem se afasta, é hora de receber mais apoio dos amigos. Se Cathy sentir a necessidade de falar, mas Harris não puder ouvir, então Cathy poderia falar mais com suas amigas. Fazer de um homem a única fonte de amor e apoio é colocar pressão demais sobre ele. Quando a onda de uma mulher quebra e seu parceiro está na sua caverna, é essencial que ela tenha outras fontes de apoio. Do contrário, ela não poderá fazer nada a não ser se sentir impotente e se ressentir do seu parceiro.

Fazer de um homem a única fonte de amor e apoio é colocar pressão demais sobre ele.

Como o dinheiro pode criar problemas

Chris disse, "Eu estou completamente confuso. Quando nos casamos, nós éramos pobres. Ambos trabalhávamos duro e mal tínhamos dinheiro para o aluguel. Às vezes minha mulher, Pam, reclamava do quanto sua vida era difícil. Eu podia entender. Mas agora nós estamos ricos. Ambos temos carreiras de sucesso. Como é que ela ainda pode estar infeliz e reclamar? Outras mulheres dariam qualquer coisa para estar na situação dela. Tudo o que fazemos é brigar. Nós estávamos mais felizes quando éramos pobres; agora queremos nos divorciar".

Cris não entendeu que as mulheres são como ondas. Quando ele se casou com Pam, de vez em quando a onda dela quebrava. Nesses momentos ele ouvia e entendia a infelicidade dela. Era fácil para ele validar os sentimentos negativos dela porque ele compartilhava deles. Na sua perspectiva ela tinha uma boa razão para estar aborrecida – eles não tinham muito dinheiro.

Dinheiro não satisfaz necessidades emocionais

Os marcianos tendem a pensar que o dinheiro seja a solução para todos os problemas. Quando Chris e Pam eram pobres e lutavam para viver dentro do seu orçamento, ele ouvia e sentia empatia pela dor dela e resolvia ganhar mais dinheiro para que ela não fosse tão infeliz. Pam sentia que ele realmente se importava.

Mas quando suas vidas melhoraram financeiramente, ela continuou a ficar aborrecida de vez em quando. Ele não podia entender por que ela ainda não estava feliz. Ele pensava que ela deveria estar feliz o tempo todo porque eles estavam tão ricos. Pam sentiu como se ele não se importasse mais com ela.

Chris não se deu conta de que o dinheiro não podia evitar que Pam ficasse aborrecida. Quando sua onda quebrava, eles brigavam porque ele invalidava a necessidade dela de ficar aborrecida. Ironicamente, quanto mais ricos ficavam, mais brigavam.

Quando eles eram pobres, o dinheiro era o maior foco da sua dor, mas quando se tornaram financeiramente seguros, ela pôde ter consciência do que não estava recebendo emocionalmente. Essa progressão é natural, normal e previsível.

> **Quando as necessidades financeiras de uma mulher são satisfeitas, ela se torna mais consciente das suas necessidades emocionais.**

Uma mulher rica precisa de mais permissão para ficar aborrecida

Eu me lembro de ler essa citação num artigo: "Uma mulher rica só pode ter a empatia de um psiquiatra rico." Quando uma mulher tem muito dinheiro, as pessoas (e especialmente seu marido) não lhe dão o direito de se aborrecer. Ela não tem permissão para ser como uma onda e mergulhar de vez em quando. Ela não tem permissão para explorar seus sentimentos ou precisar mais em qualquer área da sua vida.

Espera-se que uma mulher com dinheiro esteja satisfeita o tempo todo porque sua vida poderia ser tão pior sem essa abundância econômica. Essa expectativa além de não ser prática é também desrespeitosa. Independentemente de riqueza, status, privilégios ou circunstâncias, uma mulher tem o direito de ficar aborrecida e deixar que sua onda quebre.

Chris foi encorajado quando se deu conta de que poderia fazer sua esposa feliz. Ele se lembrou de que tinha validado os sentimentos de sua esposa quando eles eram pobres, e podia fazê-lo de novo, mesmo que fossem ricos. Em vez de se sentir desesperançado, ele percebeu que sabia como apoiá-la. Ele tinha apenas se desviado ao julgar que seu dinheiro deveria fazê-la feliz, quando seu carinho e compreensão tinham sido realmente a fonte do contentamento dela.

Sentimentos são importantes

Se uma mulher não recebe apoio para ficar infeliz às vezes, então ela nunca poderá ser verdadeiramente feliz. Ser genuinamente feliz requer mergulhos dentro do poço para liberar, curar e purificar emoções. Esse é um processo natural e saudável.

Se nós sentimos os sentimentos positivos do amor, alegria, confiança e gratidão, nós periodicamente também temos que sentir raiva, tristeza, medo e pesar. Quando uma mulher desce ao fundo do poço, este é o momento em que ela pode curar essas emoções negativas.

Os homens também precisam processar seus sentimentos negativos para que possam assim experimentar seus sentimentos positivos. Quando um homem vai para sua caverna, este é o momento em que ele silenciosamente sente e processa seus sentimentos negativos. No capítulo 11 vamos examinar uma técnica para liberar sentimentos negativos que funciona tanto para mulheres quanto para homens.

Quando uma mulher está no movimento ascendente, ela pode se satisfazer com aquilo que tem. Mas no movimento descendente, ela vai se tornar consciente daquilo que falta. Quando está se sentindo bem, ela é capaz de ver e de reagir às coisas boas da vida. Mas quando está mergulhando, sua visão amorosa se torna nublada e ela reage mais àquilo que está faltando na sua vida.

Do mesmo modo que um copo de água pode ser visto como meio cheio ou meio vazio, quando uma mulher está no seu caminho para cima, ela vê a plenitude da sua vida. Na descida, ela vê o vazio. Seja lá qual for o vazio para o qual ela faz vista grossa na subida, ele entra mais em foco quando ela está na descida do poço.

Sem aprender que as mulheres são como ondas, os homens não podem entender nem apoiar suas esposas. Eles ficam confusos quando as coisas ficam melhores superficialmente, mas piores dentro do relacionamento. Ao lembrar-se dessa diferença, um homem tem a chave para dar a sua parceira o amor que ela merece quando ela mais precisa.

8

DESCOBRINDO NOSSAS DIFERENTES NECESSIDADES EMOCIONAIS

Homens e mulheres geralmente não estão conscientes de que têm necessidades emocionais diferentes. Como resultado, eles não sabem instintivamente como se apoiarem uns aos outros. Os homens dão tipicamente, num relacionamento, o que os homens querem, enquanto as mulheres dão o que as mulheres querem. Cada um admite erroneamente que o outro tem as mesmas necessidades e desejos. Como resultado, ambos acabam insatisfeitos e ressentidos.

Tanto homens quanto mulheres sentem que dão mas não recebem de volta. Eles sentem que seu amor não é reconhecido nem apreciado. A verdade é que ambos estão dando amor, mas não da maneira desejada.

Por exemplo, uma mulher pensa que está sendo amável quando faz um monte de perguntas carinhosas ou expressa sua preocupação. Como já discutimos antes, isso pode ser bastante irritante para um homem. Ele pode começar a se sentir controlado e querer espaço. Ela fica confusa porque se lhe fosse oferecido esse tipo de apoio ela apreciaria. Seus esforços para ser amável são, na melhor das hipóteses, ignorados e, na pior, irritantes.

Da mesma forma, os homens pensam que estão sendo amáveis, mas a maneira que eles expressam o seu amor pode fazer uma mulher se sentir menosprezada e desamparada. Por exemplo, quando uma mulher fica aborrecida, ele pensa que a está amando e ajudando ao fazer comentários que minimizem a importância dos problemas dela. Ele pode dizer "Não se preocupe, não é nada tão importante assim". Ou pode ignorá-la completamente, supondo que está lhe dando bastante "espaço" para que se acalme e ela possa entrar na sua caverna. O que ele pensa que é apoio faz com que ela se sinta minimizada, desamada e ignorada.

Como já discutimos, quando uma mulher está aborrecida, ela precisa ser ouvida e compreendida. Sem esse insight das diferentes necessidades masculinas e femininas, um homem não entende por que suas tentativas de ajudar fracassam.

Os doze tipos de amor

A maioria das nossas complexas necessidades emocionais podem ser resumidas como necessidade de amor. Homens e mulheres têm, cada um, seis necessidades únicas de amor que são todas igualmente importantes. Os homens precisam principalmente de confiança, aceitação, apreço, admiração, aprovação e encorajamento. As mulheres precisam principalmente de carinho, compreensão, respeito, devoção, validação e reafirmação. A enorme tarefa de descobrir o que nosso parceiro precisa fica grandemente simplificada através do entendimento desses doze diferentes tipos de amor.

Ao rever essa lista, você pode ver facilmente por que seu(sua) parceiro(a) pode não se sentir amado(a). E mais importante, essa lista pode lhe dar uma orientação para melhorar seus relacionamentos com o sexo oposto quando você não sabe mais o que fazer.

Necessidades amorosas primordiais de homens e mulheres

Aqui estão os tipos diferentes de amor, listados lado a lado:	
Mulheres precisam receber	**Homens precisam receber**
1. Carinho	1. Confiança
2. Compreensão	2. Aceitação
3. Respeito	3. Apreço
4. Devoção	4. Admiração
5. Validação	5. Aprovação
6. Reafirmação	6. Encorajamento

Entendendo suas necessidades primordiais

Certamente qualquer homem e mulher precisa, em última análise, de todos os doze tipos de amor. Reconhecer os seis tipos de amor primordialmente necessários por mulheres não implica que o homem não precise desses tipos de amor. Os homens também precisam de carinho, compreensão, respeito, devoção, validação e reafirmação. O que quero dizer com "necessidades primordiais" é que satisfazer uma necessidade primordial é necessário antes que alguém esteja apto a receber e apreciar totalmente os outros tipos de amor.

> Satisfazer uma necessidade primordial é necessário antes que alguém esteja apto a receber e apreciar totalmente os outros tipos de amor.

Um homem fica totalmente receptivo aos seis tipos de amor primordialmente necessários por mulheres (carinho, compreensão, respeito, devoção, validação, e reafirmação) quando suas próprias necessidades primordiais são satisfeitas primeiro. Do mesmo modo, uma mulher precisa de confiança, aceitação, apreço, admiração, aprovação e encorajamento. Mas antes de ela poder verdadeiramente avaliar e apreciar esses tipos de amor, suas necessidades primordiais têm que ser satisfeitas primeiro.

Entender os tipos de amor primordiais de que seu(sua) parceiro(a) precisa é um poderoso segredo para melhorar os relacionamentos na Terra. Lembrar que os homens são de Marte vai ajudá-lo(a) a se lembrar e a aceitar que os homens têm necessidades amorosas primordiais diferentes.

É fácil para uma mulher dar aquilo de que ela precisa e esquecer que seu marciano favorito pode precisar de alguma coisa a mais. Do mesmo modo, os homens tendem a se concentrar nas suas necessidades, perdendo contato com o fato de que o tipo de amor de que eles precisam nem sempre é de grande auxílio para sua venusiana favorita.

O aspecto mais poderoso e prático dessa nova compreensão do amor é que esses tipos diferentes são recíprocos. Por exemplo, quando um marciano expressa seu carinho e compreensão, uma venusiana automaticamente começa a retribuir devolvendo-lhe a confiança e a aceitação de que ele precisa primordialmente. A mesma coisa acontece quando uma venusiana expressar sua confiança – um marciano automaticamente vai começar a retribuir com o carinho de que ela precisa.

Nas seis seções seguintes, nós vamos definir os doze tipos de amor em termos práticos e revelar sua natureza recíproca.

1. Ela precisa de carinho e ele precisa de confiança

Quando um homem mostra interesse pelos sentimentos de uma mulher e preocupação sincera com o seu bem-estar, ela se sente amada e amparada. Quando faz com que ela se sinta especial dessa maneira carinhosa, ele obtém êxito em satisfazer a primeira necessidade primordial dela. Naturalmente ela começa a confiar mais nele. Ao confiar, torna-se mais aberta e receptiva.

Quando a atitude de uma mulher está aberta e receptiva em relação a um homem, ele sente que ela confia nele. Confiar num homem é acreditar que ele esteja dando o melhor de si e que queira o melhor para sua parceira. Quando as reações de uma mulher revelam uma crença positiva nas habilidades e intenções do seu homem, a primeira necessidade primordial dele é satisfeita. Automaticamente ele fica mais carinhoso e atento aos sentimentos e necessidades dela.

2. Ela precisa de compreensão e ele precisa de aceitação

Quando um homem ouve sem julgar, mas com empatia e interesse, uma mulher que expressa seus sentimentos, ela se sente ouvida e compreendida. Uma atitude compreensiva não presume que já se conheçam os pensamentos ou sentimentos de uma pessoa; ao contrário, junta significados do que é ouvido, e faz um movimento no sentido de validar o que está sendo comunicado. Quanto mais a necessidade de uma mulher de ser ouvida e compreendida é satisfeita, mais fácil é para ela dar ao seu homem a aceitação de que ele precisa.

Quando uma mulher amavelmente acolhe um homem sem tentar mudá-lo, ele se sente aceito. Uma atitude de aceitação não rejeita, mas reafirma que ele está sendo favoravelmente recebido. Não quer dizer que a mulher acredite que ele seja perfeito, mas indica que ela não está tentando mudá-lo, que ela confia nele para fazer seus próprios progressos. Quando um homem se sente aceito, fica muito mais fácil para ele ouvi-la e dar-lhe a compreensão de que ela precisa e merece.

3. Ela precisa de respeito e ele precisa de apreço

Quando um homem responde a uma mulher de uma maneira que reconheça e priorize os direitos, desejos e necessidades dela, ela se sente respeitada. Quando o comportamento dele leva em consideração os pensamentos e sentimentos dela, ela com certeza se sente respeitada. Expressões físicas e concretas de respeito, como flores e lembrar-se de aniversários, são essenciais para satisfazer a terceira necessidade primordial de uma mulher. Quando se sente respeitada, fica muito mais fácil para ela dar ao seu homem o apreço que ele merece.

Quando uma mulher reconhece que é valorizada e apoiada pelo homem, ele se sente apreciado. Apreço é a reação natural ao apoio. Quando um homem é apreciado, ele sabe que seu esforço não foi desperdiçado e fica assim encorajado a dar mais. Quando um homem é apreciado, ele fica automaticamente habilitado e motivado a respeitar mais sua parceira.

4. Ela precisa de devoção e ele precisa de admiração

Quando um homem dá prioridade às necessidades de uma mulher e orgulhosamente se compromete a apoiá-la e satisfazê-la, sua quarta necessidade de amor é satisfeita. Uma mulher se realiza quando se sente adorada e especial. Um homem satisfaz sua necessidade de ser amada dessa maneira quando ele faz com que os sentimentos e necessidades dela sejam mais importantes do que seus outros interesses – como trabalho, estudo e recreação. Quando uma mulher sente que é a coisa mais importante na vida dele, então, com bastante facilidade, ela o admira.

Do mesmo modo que uma mulher precisa sentir a devoção de um homem, um homem tem uma necessidade primordial de sentir a admiração de uma mulher. Admirar um homem é observá-lo atentamente com admiração, deleite e prazerosa aprovação. Um homem se sente admirado, quando ela fica alegremente espantada com suas características ou talentos únicos, que podem incluir humor, força, persistência, integridade, honestidade, romantismo, amabilidade, amor, compreensão e outras das chamadas virtudes antiquadas. Quando um homem se sente admirado, ele se sente seguro para se devotar a sua mulher e adorá-la.

5. Ela precisa de validação e ele precisa de aprovação

Quando um homem não se opõe ou discute com os sentimentos e vontades de uma mulher, mas, em vez disso, aceita-os como válidos, uma mulher se sente verdadeiramente amada porque sua quinta necessidade primordial é satisfeita. A atitude de validação do homem confirma o direito de uma mulher se sentir do modo como o faz. (É importante lembrar que se pode validar o ponto de vista dela mesmo que este seja diferente.) Quando um homem aprende como fazer com que uma mulher saiba que ele tem essa atitude de validação, ele se assegura de conseguir a aprovação de que primordialmente precisa. No fundo, todo homem quer ser o herói ou o cavaleiro de armadura reluzente para sua mulher. O sinal de que ele passou no teste é a aprovação dela. A atitude aprovadora de uma mulher reconhece a bondade num homem e expressa satisfação total com ele. (Lembre-se, dar aprovação a um homem nem sempre significa concordar com ele.) Uma atitude aprovadora reconhece ou procura as boas razões subjacentes ao que ele faz. Quando o homem recebe a aprovação de que precisa, fica mais fácil para ele validar os sentimentos da mulher.

6. Ela precisa de reafirmação e ele precisa de encorajamento

Quando um homem repetidamente demonstra que se importa, entende, respeita, valida e é devotado a sua parceira, a necessidade primordial dela de reafirmação é satisfeita. Uma atitude reafirmadora sinaliza à mulher que ela é amada continuamente.

Um homem comumente comete o erro de pensar que, uma vez que tenha satisfeito todas as necessidades amorosas primordiais de uma mulher e que ela se sinta feliz e segura, ela deva saber daí em diante que é amada. Não é esse o caso. Para satisfazer sua sexta necessidade amorosa primordial, ele tem que se lembrar de reafirmá-la repetidamente.

> **Um homem comumente comete o erro de pensar que, uma vez que tenha satisfeito todas as necessidades amorosas primordiais de uma mulher e que ela se sinta feliz e segura, ela deva saber daí em diante que é amada.**

Da mesma forma, o homem precisa primordialmente ser encorajado por uma mulher. A atitude encorajadora de uma mulher, quando esta expressa confiança nas suas habilidades e no seu caráter, dá esperança e coragem ao homem. Quando a atitude de uma mulher expressa confiança, aceitação, apreço, admiração e aprovação, ela o encoraja a ser tudo o que puder ser. Sentir-se encorajado motiva-o a dar a ela a amável reafirmação de que ela precisa.

O melhor de um homem aparece quando suas seis necessidades amorosas primordiais são satisfeitas. Mas quando uma mulher não sabe o que ele precisa primordialmente e dá um amor carinhoso em vez de um amor confiante, ela pode inadvertidamente estar sabotando o relacionamento deles. A história a seguir exemplifica esse ponto.

O cavaleiro de armadura reluzente

No fundo de cada homem há um herói ou um cavaleiro de armadura reluzente. Mais que qualquer coisa, ele quer obter sucesso em servir e proteger a mulher a quem ele ama. Quando sente que tem a confiança dela, ele é capaz de assumir o seu lado nobre. Torna-se mais carinhoso. Quando não sente que tem a confiança dela, ele perde um pouco da sua vivacidade e energia e, depois de algum tempo, pode parar de se importar.

Imagine um cavaleiro numa armadura reluzente viajando pelo campo. De repente ele ouve uma mulher chorando com sofrimento. Num minuto ele se reaviva. Impelindo seu cavalo a um galope, corre até o castelo, onde ela se acha aprisionada por um dragão. O nobre cavaleiro saca sua espada e mata o dragão. Como resultado, é amavelmente recebido pela princesa.

Quando o portão se abre, é recebido e comemorado pela família da princesa e pelos habitantes da cidade. Ele é convidado a morar na cidade e é reconhecido como um herói. Ele e a princesa se apaixonam.

Um mês depois, o nobre cavaleiro sai em outra viagem. No caminho de volta, ouve sua bem-amada princesa clamando por ajuda. Outro dragão atacou o castelo. Quando o cavaleiro chega, saca sua espada para matar o dragão.

Antes de desferir o golpe, a princesa grita da torre, "Não use sua espada, use esse laço. Vai funcionar melhor".

Ela lhe atira o laço e o mexe para instruí-lo sobre como usá-lo. Ele segue suas instruções hesitantemente. Ele o enrola ao redor do pescoço do dragão e puxa com força. O dragão morre e todo mundo se rejubila.

No jantar de comemoração, o cavaleiro sente que não fez nada realmente. De alguma forma, o fato de ter usado o laço e não a espada, ele não se sente merecedor da confiança e da admiração da cidade. Depois do acontecido, ele fica um pouco deprimido e esquece de lustrar sua armadura.

Um mês depois, ele sai em mais uma viagem. Quando ele sai com sua espada, a princesa lembra-lhe para ter cuidado e lhe diz para levar o laço. No caminho de volta para casa ele vê mais um dragão atacando o castelo. Dessa vez ele se precipita com sua espada, mas hesita pensando que talvez devesse usar o laço. Nesse momento de hesitação o dragão sopra fogo e queima seu braço direito. Confuso, ele olha para cima e vê sua princesa acenando da janela do castelo.

"Use esse veneno", ela grita. "O laço não funciona."

Ela lhe atira o veneno, que ele derrama na boca do dragão, e o dragão morre. Todo mundo se rejubila e comemora, mas o cavaleiro se sente envergonhado.

Um mês depois ele faz outra viagem. Ao sair com a espada, a princesa recomenda-lhe para ter cuidado e levar o laço e o veneno. Ele fica irritado com a sugestão, mas leva-os por precaução.

Dessa vez, na sua jornada, ele ouve uma outra mulher em sofrimento. Quando ele corre ao seu chamado, sua depressão é suspensa e ele se sente confiante e animado. Mas quando saca sua espada para matar o dragão, ele hesita de novo. Ele pensa, será que devo usar minha espada, o laço ou o veneno? O que a princesa diria?

Por um momento ele fica confuso. Mas aí então ele se lembra de como se sentia antes de conhecer a princesa, e volta aos dias em que só carregava uma espada. Com uma explosão de confiança renovada, joga fora o laço e o veneno e ataca o dragão com sua espada de confiança. Ele mata o dragão e os habitantes da cidade se rejubilam.

O cavaleiro de armadura reluzente nunca mais voltou para sua princesa. Ele permaneceu nessa nova vila e viveu feliz desde então. Tempos depois acabou se casando, mas só após ter certeza de que sua nova parceira não entendia nada de laços e venenos.

Lembrar-se de que dentro de cada homem há um cavaleiro de armadura reluzente é uma metáfora poderosa para ajudá-la a se lembrar das necessidades primordiais de um homem. Apesar de um homem poder apreciar carinho e assistência, abusar disso vai diminuir sua confiança ou desestimulá-lo.

Como você pode estar inadvertidamente desestimulando seu(sua) parceiro(a)

Sem uma consciência do que é importante para o sexo oposto, homens e mulheres não se dão conta do quanto podem estar prejudicando seus(suas) parceiros(as). Podemos ver que tanto homens quanto mulheres inadvertidamente se comunicam de maneiras que não são só contraproducentes mas podem até estar funcionando como um estímulo negativo.

Homens e mulheres têm seus sentimentos feridos mais facilmente quando não recebem o tipo de amor primordial de que precisam. As mulheres geralmente não se dão conta de como as suas atitudes podem estar sendo prejudiciais ao ego de um homem. Uma mulher pode tentar ser sensível aos sentimentos de um homem, mas como as necessidades amorosas primordiais dele são diferentes das suas, ela não prevê instintivamente as necessidades dele.

Entendendo as necessidades amorosas primordiais de um homem, uma mulher pode ficar mais atenta e sensível às fontes do descontentamento dele. A seguir uma lista de erros comuns de comunicação que as mulheres cometem em relação às necessidades amorosas primordiais de um homem.

Erros que as mulheres comumente cometem	Por que ele não se sente amado
1. Ela tenta melhorar o comportamento dele ou ajudá-lo oferecendo conselhos não solicitados.	1. Ele se sente desamado porque ela não *confia* mais nele.
2. Ela tenta mudar ou controlar o comportamento dele compartilhando seus sentimentos negativos ou seus aborrecimentos. (Tudo bem em compartilhar sentimentos, mas não quando eles tentam manipular ou punir.)	2. Ele se sente desamado porque ela não o *aceita* como ele é.
3. Ela não reconhece o que ele faz por ela, mas reclama do que ele não faz.	3. Ele se sente desamado e como se ela não lhe desse valor porque não *aprecia* o que ele faz.
4. Ela corrige o comportamento dele e lhe diz o que fazer, como se ele fosse uma criança.	4. Ele se sente desamado porque não se sente *admirado*.

5. Ela expressa sua desaprovação indiretamente, com perguntas retóricas do tipo "Como você pôde fazer isso?".	5. Ele se sente desamado porque percebe que ela não o *aprova*. Ele não se sente mais como o mocinho.
6. Quando ele toma decisões ou iniciativas ela o corrige ou critica.	6. Ele se sente desamado porque ela não o *encoraja* a fazer as coisas por si só.

Do mesmo modo que as mulheres facilmente cometem erros quando não entendem o que os homens primordialmente precisam, os homens também cometem erros. Os homens geralmente não reconhecem como suas atitudes podem ser desrespeitosas para uma mulher. Um homem pode até saber que ela está infeliz com ele, mas se não entender por que ela se sente desamada e o que ela precisa, ele não será capaz de mudar sua abordagem.

Ao entender as necessidades primordiais de uma mulher, o homem será capaz de ser mais sensível e respeitoso com as necessidades dela. A seguir uma lista de erros de comunicação que os homens cometem em relação às necessidades emocionais primordiais de uma mulher.

Erros que os homens cometem	Por que ela não se sente amada
1. Ele não ouve, se distrai facilmente, não faz perguntas que demonstrem interesse ou preocupação.	1. Ela se sente desamada porque ele não é atencioso ou não demonstra que se *importa*.
2. Ele toma os sentimentos dela literalmente e a corrige. Julga que ela está pedindo soluções, e desanda a dar conselhos.	2. Ela se sente desamada porque ele não a *compreende*.
3. Ele ouve, mas fica com raiva e a culpa por aborrecê-lo ou por deprimi-lo.	3. Ela se sente desamada porque ele não *respeita* seus sentimentos.

4. Ele minimiza a importância dos sentimentos e necessidades dela. Dá mais importância aos filhos ou ao trabalho.	4. Ela se sente desamada porque ele não é *devotado* e não a honra como sendo especial.
5. Quando ela está aborrecida, ele explica por que ele está certo e por que ela não deveria estar aborrecida.	5. Ela se sente desamada porque ele não *valida* seus sentimentos mas, pelo contrário, faz com que se sinta errada e desamparada.
6. Depois de ouvir, ele não diz nada ou simplesmente sai de perto.	6. Ela se sente insegura porque não recebe a *reafirmação* de que precisa

Quando o amor fracassa

O amor fracassa frequentemente porque as pessoas instintivamente dão aquilo que elas querem. Como as necessidades amorosas primordiais de uma mulher são carinho, compreensão, e assim por diante, ela automaticamente dá ao seu homem bastante carinho e compreensão. Para um homem, esse apoio carinhoso é frequentemente sentido como se ela não confiasse nele. Ter a confiança dela é a sua necessidade primordial, não carinho e atenção.

Então, quando ele não responde positivamente ao carinho dela, ela não pode entender por que ele não aprecia seu tipo de apoio. Ele, é claro, está dando seu próprio tipo de amor, que não é o que ela precisa. Assim eles são apanhados num círculo de erros quando tentam satisfazer às necessidades um do outro.

> Beth reclamou dizendo, "Eu simplesmente não posso mais continuar dando sem receber de volta. Arthur não aprecia o que eu dou. Eu o amo, mas ele não me ama".

> Arthur reclamou dizendo, "Nada que eu faço jamais é bom o bastante. Eu não sei o que fazer. Já tentei tudo e ela ainda não me ama. Eu a amo, mas simplesmente não está dando certo".

Beth e Arthur estão casados há oito anos. Ambos sentiam vontade de desistir porque não se sentiam amados. Ironicamente, *ambos* garantiam estar dando mais amor do que recebiam em troca. Beth acreditava que ela estava dando mais, enquanto Arthur pensava que ele estava dando mais. Na verdade ambos estavam dando, mas nenhum deles estava recebendo o que queria e precisava.

Eles se amavam mesmo, mas por não entenderem as necessidades primordiais um do outro, seu amor não estava dando certo. Beth estava dando o que precisava receber, enquanto Arthur estava dando o que queria. Pouco a pouco eles se esgotaram.

Muitas pessoas desistem quando os relacionamentos se tornam difíceis demais. Os relacionamentos se tornam mais fáceis quando entendemos as necessidades primordiais do(a) nosso(a) parceiro(a). Sem dar mais, mas dando o que é pedido, nós não esgotamos. Essa compreensão dos doze diferentes tipos de amor finalmente explica por que nossas tentativas sinceras fracassam. Para satisfazer seu(sua) parceiro(a), você precisa aprender a dar o amor de que ele ou ela precisa *primordialmente*.

Aprendendo a ouvir sem ficar com raiva

A maneira mais fácil para um homem obter sucesso em satisfazer às necessidades amorosas primordiais de uma mulher é através da comunicação. Como vimos, a comunicação é particularmente importante em Vênus. Aprendendo a escutar os sentimentos de uma mulher, um homem pode efetivamente inundar uma mulher de carinho, compreensão, respeito, devoção, validação e reafirmação. Um dos maiores problemas que os homens têm em ouvir as mulheres é que eles ficam frustrados ou nervosos porque esquecem que as mulheres são de Vênus e que elas esperam que eles se comuniquem diferentemente. O quadro abaixo destaca algumas maneiras de se lembrar dessas diferenças e oferece algumas sugestões sobre o que fazer.

Como ouvir sem ficar com raiva

Do que se lembrar	O que fazer e o que não fazer
1. Lembre-se de que a raiva é consequência do não entendimento do ponto de vista dela, e isso nunca é culpa dela.	1. Assuma a responsabilidade pelo entendimento. Não a culpe por aborrecê-lo. Comece de novo a tentar entender.
2. Lembre-se de que os sentimentos nem sempre fazem sentido logo de cara, mas ainda assim são válidos e precisam de empatia.	2. Respire fundo, não diga nada! Relaxe e desista de tentar controlar. Tente imaginar como você se sentiria se visse o mundo através dos olhos dela.
3. Lembre-se de que a raiva pode ser consequência de não se saber o que fazer para melhorar as coisas. Mesmo que ela não se sinta melhor imediatamente, sua escuta e compreensão estão ajudando.	3. Não a culpe por não se sentir melhor com as soluções que você ofereceu. Como ela pode se sentir melhor se não é de soluções que ela precisa? Resista ao impulso de oferecer soluções.
4. Lembre-se de que você não tem que concordar para compreender o ponto de vista dela ou ser apreciado como bom ouvinte.	4. Se você deseja expressar um ponto de vista diferente, tenha certeza de que ela já terminou e então reformule o ponto de vista dela antes de dar o seu. Não levante a voz.
5. Lembre-se de que você não tem que entender o ponto de vista dela completamente para ter êxito em ser um bom ouvinte.	5. Faça com que ela saiba que você não entende, mas quer entender. Assuma responsabilidade por não entender; não a julgue nem afirme que ela não possa ser compreendida.

6. Lembre-se de que você não é responsável pelo modo como ela se sente. Pode parecer que ela o está culpando, mas ela está realmente precisando ser compreendida.	6. Abstenha-se de se defender até que ela sinta que você compreende e se importa. Aí está bem para você se explicar e pedir desculpas.
7. Lembre-se que se ela o deixa com muita raiva, ela estará desconfiando de você. No fundo, ela é uma garotinha assustada que tem medo de se abrir e se machucar, e que precisa da sua bondade e compaixão.	7. Não discuta com os sentimentos e opiniões dela. Espere algum tempo e discuta as coisas mais tarde, quando houver menos carga emocional. Pratique a técnica da Carta de Amor descrita no capítulo 11.

Quando um homem é capaz de ouvir os sentimentos de uma mulher sem ficar com raiva ou frustrado, ele está lhe dando um presente maravilhoso. Ela começa a se sentir segura para expressar seus sentimentos. Quanto mais puder expressar seus sentimentos, mais ela se sentirá ouvida e compreendida, e mais será capaz de proporcionar ao homem confiança, aceitação, apreço, admiração, aprovação e encorajamento de que ele precisa.

A arte de fortalecer um homem

Do mesmo modo que um homem precisa aprender a arte de saber ouvir para satisfazer às necessidades amorosas primordiais de uma mulher, as mulheres precisam aprender a arte de fortalecer o homem. Quando uma mulher arregimenta o apoio de um homem, ela lhe dá poderes para ser tudo o que possa ser. Um homem se sente fortalecido quando tem a confiança dela, é aceito, apreciado, admirado, aprovado e encorajado.

Como na nossa história do cavaleiro de armadura reluzente, muitas mulheres tentam ajudar seu homem melhorando-o, mas inadvertidamente o enfraquecem ou machucam. Qualquer tentativa para mudá-lo leva embora a amável confiança, aceitação, apreço, admiração, aprovação, e encorajamento que são suas necessidades primordiais.

O segredo para fortalecer um homem é nunca tentar mudá-lo ou melhorá-lo. Certamente você pode querer que ele mude – só não atue nesse sentido. Somente se ele direta e especificamente pedir algum conselho, estará aberto para assistência na mudança.

> O segredo para fortalecer um homem
> é nunca tentar mudá-lo ou melhorá-lo.

Dê confiança e não conselhos

Em Vênus, oferecer conselho é considerado um gesto de amor. Mas em Marte não. As mulheres precisam se lembrar de que os marcianos não oferecem conselhos a não ser que estes sejam diretamente pedidos. Uma maneira de demonstrar amor é confiar no outro marciano para solucionar seu problema sozinho.

Isso não significa que uma mulher tenha que sufocar seus sentimentos. Ela pode até se sentir frustrada e nervosa, desde que não tente mudá-lo. Qualquer tentativa de mudá-lo é prejudicial e contraproducente.

Quando uma mulher ama um homem, ela frequentemente começa a tentar melhorar o relacionamento deles. Na sua exuberância, ela faz dele um alvo de suas melhorias. Ela dá início a um processo gradual para a lenta reabilitação dele.

Por que os homens resistem às mudanças

Ela tenta mudá-lo ou melhorá-lo de dez mil maneiras. Julga que suas tentativas para mudá-lo são um sinal de amor, mas ele se sente controlado, manipulado, rejeitado e desamado. Ele vai resistir e rejeitá-la porque sente que ela o está rejeitando. Quando uma mulher tenta mudar um homem, ele não recebe a amorosa confiança e aceitação que de fato precisa para mudar e crescer.

Quando eu pergunto num seminário com centenas de mulheres e homens, todos eles relatam a mesma experiência: quanto mais uma mulher tenta mudar um homem, mais ele resiste.

O problema é que quando um homem resiste às tentativas de melhorá-lo, ela interpreta mal sua reação. Julga erroneamente que ele não esteja disposto a mudar, provavelmente porque ele não a ama o bastante. A verdade, no entanto, é que ele está resistente porque acredita que não está sendo amado o bastante. Quando um homem se sente amado, aceito, apreciado, sente que tem a confiança dela e assim por diante, ele automaticamente começa a mudar, crescer e melhorar.

Dois tipos de homens/um tipo de comportamento

Há dois tipos de homens. Um se tornará incrivelmente defensivo e teimoso quando uma mulher tentar mudá-lo, enquanto outro vai concordar em mudar, mas, mais tarde, vai se esquecer e voltar ao comportamento antigo. Um homem ou resiste ativamente ou resiste passivamente.

Quando um homem não se sente amado pelo que é, ele vai, consciente ou inconscientemente, repetir o comportamento que não está sendo aceito. Sente uma compulsão interior por repetir o comportamento, até que se sinta amado e aceito.

Para um homem melhorar a si mesmo, ele precisa se sentir amado de uma maneira receptiva. Do contrário, se defenderá e continuará o mesmo. Ele precisa se sentir aceito pelo que é, e então, por conta própria, vai procurar maneiras de melhorar a si mesmo.

Os homens não querem que alguém os melhore

Do mesmo modo que os homens querem explicar por que uma mulher não deveria estar aborrecida, as mulheres querem explicar por que os homens não deveriam se comportar da maneira que o fazem. Do mesmo modo que os homens querem erroneamente "consertar" uma mulher, as mulheres tentam erroneamente "melhorar" um homem.

Os homens veem o mundo através de olhos marcianos. Seu lema é "não conserte se não está enguiçado". Quando uma mulher tenta mudar um homem, ele recebe a mensagem de que ela pensa que ele está "enguiçado". Isso o machuca e o coloca numa posição extremamente defensiva. Ele não se sente amado e aceito.

> **A melhor maneira de ajudar um homem a crescer
> é deixar de tentar mudá-lo de qualquer maneira.**

Um homem precisa ser aceito independentemente de suas imperfeições. Aceitar as imperfeições de uma pessoa não é fácil, especialmente quando vemos como ela poderia se tornar melhor. Fica, no entanto, mais fácil quando entendemos que a melhor maneira de ajudar alguém a crescer é deixar de *tentar* mudá-lo de qualquer maneira.

A tabela a seguir lista as maneiras com que uma mulher pode apoiar um homem, para que ele cresça e mude, desistindo de tentar mudá-lo:

Como desistir de tentar mudar um homem

Do que ela precisa se lembrar	O que ela pode fazer
1. Lembre-se: não lhe faça perguntas demais quando ele estiver aborrecido ou ele sentirá como se você estivesse tentando mudá-lo.	1. Ignore o aborrecimento dele a menos que ele queira falar sobre o assunto. Mostre alguma preocupação inicial, mas não muita, como um convite para conversar.
2. Lembre-se: desista de tentar melhorá-lo de qualquer maneira. Ele precisa do seu amor, não de rejeição, para crescer.	2. Confie nele para crescer por si mesmo. Compartilhe sinceramente seus sentimentos, mas sem a exigência de que ele mude.
3. Lembre-se: quando você oferece conselhos não solicitados, ele pode se sentir sem confiança, controlado ou rejeitado.	3. Seja paciente e tenha confiança de que ele vai aprender por si mesmo o que precisa aprender. Espere até que ele peça por conselho.
4. Lembre-se: quando um homem se torna teimoso e resiste a mudanças, ele não está se sentindo amado; ele receia admitir os próprios erros por medo de não ser amado.	4. Tente mostrar-lhe que ele não tem que ser perfeito para merecer o seu amor. Tente perdoar. (Ver capítulo 11.)

5. Lembre-se: se você faz sacrifícios esperando que ele faça o mesmo por você, então ele se sentirá pressionado a mudar.	5. Tente fazer coisas para si mesma e não depender dele para fazê-la feliz.
6. Lembre-se: você pode compartilhar sentimentos negativos sem tentar mudá-lo. Quando ele se sente aceito, fica mais fácil para ele ouvir.	6. Quando compartilhar sentimentos, faça com que ele saiba que você não está tentando dizer-lhe o que fazer, mas que você quer que ele leve seus sentimentos em consideração.
7. Lembre-se: se você lhe der instruções e tomar decisões por ele, ele vai se sentir corrigido e controlado.	7. Relaxe e se renda. Tente aceitar imperfeições. Faça dos sentimentos dele algo mais importante do que a perfeição e não dê sermões.

Quando homens e mulheres aprendem a se apoiar uns aos outros de uma forma mais condizente com suas próprias necessidades únicas, mudança e crescimento se tornam automáticos. Com uma consciência maior das seis necessidades primordiais do seu(sua) parceiro(a), você pode redirecionar seu apoio amoroso de acordo com as necessidades dele(a) e fazer com que seus relacionamentos sejam mais descomplicados e mais satisfatórios.

9

COMO EVITAR DISCUSSÕES

Um dos desafios mais difíceis nos nossos relacionamentos amorosos é lidar com diferenças e discordâncias. Quase sempre, quando os casais discordam, suas discussões se transformam em brigas e então, sem muito aviso, batalhas. De repente eles param de conversar de maneira amável e automaticamente começam a se agredir: culpando, reclamando, acusando, exigindo, se ressentindo e duvidando.

Homens e mulheres discutindo dessa maneira ferem não só seus sentimentos como também seus relacionamentos. Do mesmo modo que a comunicação é o elemento mais importante num relacionamento, discussões podem ser o elemento mais destrutivo, porque quanto mais próximos estamos de alguém, mais fácil é machucar e ser machucado.

> Do mesmo modo que a comunicação é o elemento mais importante num relacionamento, discussões podem ser o elemento mais destrutivo.

Por um motivo prático, eu recomendo enfaticamente que os casais não discutam. Quando duas pessoas não estão sexualmente envolvidas é muito mais fácil se manter imparcial e objetivo numa discussão ou debate. Mas quando casais discutem, por estarem emocionalmente envolvidos e especialmente, sexualmente envolvidos, eles facilmente levam a discussão para o lado pessoal.

Como pauta básica: nunca discuta. Em vez disso, debata os prós e contras de alguma coisa. Negocie por aquilo que você quer, mas não discuta. É possível ser honesto, aberto e mesmo expressar sentimentos negativos sem discutir ou brigar.

Alguns casais brigam o tempo todo, e gradualmente o seu amor acaba. No outro extremo, alguns casais reprimem seus sentimentos sinceros de modo a evitar conflitos e discussões. Como resultado, ao reprimirem sentimentos verdadeiros, eles perdem contato com seus sentimentos amorosos também. Um casal está em guerra declarada enquanto o outro está numa guerra fria.

É melhor que o casal encontre um equilíbrio entre esses dois extremos. Lembrando-nos de que somos de planetas diferentes, é possível evitar discussões e assim desenvolver boas habilidades de comunicação, é possível evitar discussões sem reprimir sentimentos negativos e ideias e desejos conflitantes.

O que acontece quando discutimos

Sem entender como homens e mulheres são diferentes, é muito fácil se envolver em discussões que machucam não só nosso(a) parceiro(a) mas também a nós mesmos. O segredo para evitar discussões é a comunicação amável e respeitosa.

As diferenças e discordâncias não machucam tanto quanto a maneira como nós as comunicamos. Teoricamente uma discussão não tem que ser prejudicial; ao invés disso pode ser somente uma conversa estimulante que expresse nossas diferenças e discordâncias. (Inevitavelmente todos os casais terão diferenças e discordâncias às vezes.) Mas falando de modo prático, a maioria dos casais começa a discutir sobre uma coisa e, em cinco minutos, já está discutindo sobre o modo como estão discutindo.

Inadvertidamente eles começam a ferir um ao outro; o que poderia ter sido uma discussão inocente, facilmente resolvida com compreensão mútua e aceitação das diferenças, aumenta progressivamente até se tornar uma batalha. Eles se recusam a aceitar ou compreender o ponto de vista do seu(sua) parceiro(a) por causa do modo como o assunto está sendo abordado.

Resolver uma discussão requer uma ampliação dos nossos pontos de vista para incluir e integrar um outro ponto de vista. Para conseguir essa ampliação nós precisamos nos sentir apreciados e respeitados. Se a atitude do(a) nosso(a) parceiro(a) não é amável, nossa autoestima pode de fato se ferir ao adotar seu ponto de vista.

A maioria dos casais começa a discutir sobre uma coisa e, em cinco minutos, já está discutindo sobre o modo como estão discutindo.

Quanto mais íntimos somos de alguém, mais difícil fica para ouvir objetivamente o seu ponto de vista sem reagir aos seus sentimentos negativos. Para nos proteger de nos sentirmos merecedores do seu desrespeito ou desaprovação surgem defesas automáticas que nos fazem resistir ao seu ponto de vista. Mesmo que concordemos com seu ponto de vista, podemos teimosamente persistir na discussão dele.

Por que as discussões machucam

Não é *o que* dizemos que machuca, mas *como* dizemos. Muito comumente, quando um homem se sente desafiado, sua atenção fica concentrada em estar certo e ele esquece de ser amável também. Automaticamente sua habilidade de se comunicar num tom carinhoso, respeitoso e reafirmador diminui. Ele não tem consciência nem do quanto parece não se importar nem do quanto isso possa ser prejudicial a sua parceira. Em tais momentos, uma simples discordância pode parecer como uma agressão a uma mulher; um pedido se torna uma ordem. Naturalmente uma mulher se sente resistente a essa abordagem nada amável, mesmo quando ela devesse ser de outro modo receptiva ao conteúdo do que ele estava dizendo.

Um homem inadvertidamente fere os sentimentos de sua parceira ao falar de uma maneira como se não se importasse e ao explicar por que ela não deveria estar aborrecida. Ele supõe erroneamente que ela está resistindo ao seu ponto de vista, quando realmente seu estilo nada amável é o que a aborrece. Como não entende a reação dela, ele se concentra mais em explicar o mérito do que está falando ao invés de corrigir a maneira como está falando.

Ele não tem ideia de que está começando uma discussão; ele pensa que *ela* está discutindo com ele. Ele defende seu ponto de vista enquanto ela *se defende* das expressões afiadas dele, que são prejudiciais a ela.

Quando um homem não se dá ao trabalho de honrar os sentimentos feridos de uma mulher, ele os invalida e aumenta a sua dor. É difícil para ele entender a mágoa dela porque ele não é tão vulnerável a comentários e tons não carinhosos. Consequentemente um homem pode nem se dar conta do quanto está machucando sua parceira e, dessa forma, provocando sua resistência.

Da mesma forma, as mulheres não se dão conta do quanto podem ferir homens. Diferentemente de um homem, quando uma mulher se sente ameaçada o tom do seu discurso automaticamente se torna cada vez mais desconfiado e rejeitador. Esse tipo de rejeição agride muito o homem, especialmente quando ele está emocionalmente envolvido.

As mulheres começam e aumentam progressivamente as discussões primeiro ao compartilharem sentimentos negativos sobre o comportamento de seus parceiros e, depois, ao darem conselhos não solicitados. Quando a mulher não se dá ao trabalho de amortecer seus sentimentos negativos com mensagens de confiança e aceitação, o homem reage negativamente, deixando a mulher confusa. De novo ela não tem consciência do quanto sua desconfiança é prejudicial a ele.

Para evitar discutir, nós precisamos nos lembrar de que nosso(a) parceiro(a) não se opõe ao que estamos dizendo, mas ao modo como estamos dizendo. Quando um não quer, dois não brigam. A melhor maneira de parar uma briga é cortá-la ainda em botão. Assuma a responsabilidade de reconhecer quando uma discordância está se tornando uma discussão. Pare de falar e dê um intervalo. Reflita sobre como você está abordando seu(sua) parceiro(a). Tente entender como você não está lhe dando o que ele(a) precisa. Aí, depois que algum tempo tenha se passado, volte e converse de novo, mas de forma amável e respeitosa. Intervalos permitem que nos acalmemos, cicatrizemos nossas feridas e nos concentremos em nós mesmos antes de tentar nos comunicar de novo.

Os quatro Cs para evitar agressões

Há basicamente quatro atitudes que as pessoas tomam para evitar serem agredidas em discussões. Elas são os quatro Cs: combater, correr, camuflar e curvar-se. Cada uma dessas atitudes oferece um ganho de curto prazo, mas no final das contas são todas contraproducentes. Vamos examinar cada uma dessas posições.

1. **Combater.** Essa atitude definitivamente vem de Marte. Quando uma conversa se torna desapoiadora e inamistosa, algumas pessoas simplesmente começam a brigar. Elas imediatamente assumem uma atitude ofensiva. Seu lema é "a melhor defesa é o ataque". Elas começam o ataque culpando, julgando, criticando e fazendo com que os parceiros pareçam errados. Começam a gritar e a expressar-se com bastante raiva. Sua motivação interior é intimidar os parceiros para que estes os amem e apoiem. Quando os parceiros recuam, elas admitem que venceram, mas na verdade perderam.

   Intimidação sempre enfraquece
   a confiança num relacionamento.

   Intimidação sempre enfraquece a confiança num relacionamento. Abrir caminho à força para conseguir o que você quer fazendo com que os outros pareçam errados é uma maneira certeira de fracassar num relacionamento. Quando casais brigam, eles gradualmente perdem sua capacidade de serem abertos e vulneráveis. As mulheres se fecham para se proteger e os homens deixam de se importar tanto. Gradualmente eles perdem qualquer intimidade que tinham no começo.

2. **Correr.** Essa atitude também veio de Marte. Para evitar confronto, os marcianos podem retirar-se para dentro de suas cavernas e nunca mais saírem. É como uma guerra fria. Eles se recusam a falar e nada se resolve. Esse comportamento passivo-agressivo não é o mesmo que dar um tempo para depois voltar e conversar para resolver as coisas de uma forma mais amistosa.

   Esses marcianos têm medo de confrontos e preferem ficar na moita e não falar de qualquer assunto que pode provocar uma briga. É como se pisassem em ovos para relacionarem-se. As mulheres comumente reclamam que elas têm que pisar em ovos, mas os homens também. É tão inerente aos homens que eles nem se dão conta do quanto fazem isso.

   Em vez de discutir, alguns casais irão simplesmente parar de falar sobre suas discordâncias. Sua maneira de tentar conseguir o que querem é punir seu(sua) parceiro(a) por reter amor. Eles não saem e ferem seus(suas) parceiros(as) diretamente, como os combatentes. Em vez disso, eles os(as) machucam indiretamente, privando-os(as) do amor de que eles(as) precisam. Ao reter amor, nossos(as) parceiros(as) certamente têm menos a nos dar.

   O ganho de curto prazo é paz e harmonia, mas se as questões não estão sendo conversadas e os sentimentos não estão sendo ouvidos então o ressentimento vai se instalar. No final das contas, eles perdem contato com os sentimentos apaixonados e amorosos que os uniram. Em geral, passam a usar o excesso de trabalho, de comida, ou outros vícios como uma forma de entorpecer seus sentimentos dolorosos não resolvidos.

3. **Camuflar.** Essa atitude vem de Vênus. Para evitar que se machuque num confronto, essa pessoa finge que não há problema. Ela põe um sorriso na cara e parece estar satisfeita e feliz com tudo. Com o tempo, no entanto, essa mulher se torna progressivamente ressentida; elas estão sempre dando aos seus parceiros, mas não recebem o que precisam em troca. Esse ressentimento bloqueia a expressão natural do amor.

Por terem medo de serem sinceras com os próprios sentimentos, elas tentam fazer com que tudo esteja "bem, OK e legal". Os homens geralmente usam essas palavras, mas para eles elas querem dizer uma coisa completamente diferente. Ele quer dizer "Está OK porque estou lidando com isso sozinho" ou "Está tudo bem porque eu sei o que fazer", ou "Está legal porque estou lidando com isso, e não preciso de nenhuma ajuda". Ao contrário de um homem, quando uma mulher usa essas frases, pode ser um sinal de que está tentando evitar um conflito ou uma discussão.

Para evitar conflitos, uma mulher pode até enganar a si mesma e pensar que tudo está OK, legal e bem quando realmente não está. Ela sacrifica ou nega suas vontades, sentimentos e necessidades para evitar a possibilidade de conflito.

4. **Curvar-se.** Essa atitude também vem de Vênus. Ao invés de discutir, essa pessoa cede. Elas assumirão a culpa e a responsabilidade por qualquer coisa que esteja aborrecendo seus parceiros. A curto prazo criam o que parece um relacionamento bastante amoroso e apoiador, mas terminam perdendo a si mesmas.

Certa vez um homem reclamou para mim de sua mulher. Ele disse, "Eu a amo tanto. Ela me dá tudo o que quero. Minha única reclamação é que ela não é feliz". A esposa dele tinha passado vinte anos se sacrificando por seu marido. Eles nunca brigaram, e se você lhe perguntasse sobre o relacionamento deles, ela diria "Nós temos um relacionamento excelente. Meu marido é tão amável! Nosso único problema sou eu. Estou deprimida e não sei por quê". Ela está deprimida porque tem se sacrificado para ser agradável por vinte anos.

Para agradar seus parceiros essas pessoas percebem intuitivamente o desejo deles e então se modelam de forma a agradar. Por fim, acabam se ressentindo de terem que renunciar a si mesmas por amor.

Qualquer forma de rejeição é muito dolorosa porque elas já estão se rejeitando tanto. Elas buscam evitar rejeição a todo custo e querem ser amadas por todos. Nesse processo elas realmente renunciam a quem são.

Você pode ter se encontrado num desses quatro Cs ou em muitos deles. As pessoas geralmente mudam de um para outro. Em cada uma das quatro estratégias acima nossa intenção é nos proteger de sermos machucados. Infelizmente isso não funciona. O que funciona é identificar discussões e parar. Dar um tempo para se acalmar e então voltar e conversar de novo. Tente comunicar-se com mais compreensão e respeito pelo sexo oposto e você vai gradualmente aprender a evitar discussões e brigas.

Por que nós discutimos

Homens e mulheres comumente discutem por causa de dinheiro, sexo, decisões, horários, valores, educação dos filhos e responsabilidades domésticas. Essas discussões e negociações, no entanto, se transformam em brigas por um único motivo – nós não estamos nos sentindo amados. Dor emocional é consequência de não nos sentirmos amados, e quando uma pessoa sente dor emocional, é difícil ser amorosa.

Como as mulheres não são de Marte, elas não se dão conta instintivamente do que um homem precisa para obter sucesso ao lidar com discordâncias. Ideias, sentimentos e desejos conflitantes são um desafio difícil para um homem. Quanto mais próximo ele está de uma mulher, mais difícil é lidar com diferenças e discordâncias. Quando ela não gosta de alguma coisa que ele tenha feito, ele tende a tomar isso como algo muito pessoal e sente que ela não gosta dele.

Um homem pode lidar melhor com diferenças e discordâncias quando suas necessidades emocionais estão sendo satisfeitas. Quando ele é privado do amor de que precisa, no entanto, ele se torna defensivo e seu lado obscuro começa a emergir; instintivamente ele saca sua espada.

Na superfície pode parecer que ele esteja discutindo sobre o assunto (dinheiro, responsabilidades e assim por diante), mas a verdadeira razão por ele ter sacado sua espada é o fato de não se sentir amado. Quando um homem discute por dinheiro, horários, filho ou qualquer outro assunto, secretamente ele pode estar discutindo por algumas das seguintes razões:

As razões secretas pelas quais os homens discutem

As razões ocultas pelas quais ele está discutindo	Do que ele precisa para não discutir
1. "Eu não gosto quando ela fica aborrecida com coisinhas pequenas que faço ou que não faço. Eu me sinto criticado, rejeitado e não aceito."	1. Ele precisa se sentir aceito como é. Em vez disso, ele sente que ela está tentando melhorá-lo.
2. "Eu não gosto quando ela começa a me dizer como eu deveria fazer as coisas. Eu não me sinto admirado, ao contrário, me sinto como se estivesse sendo tratado como uma criança."	2. Ele precisa se sentir admirado. Em vez disso, ele se sente humilhado.
3. "Eu não gosto quando ela me culpa por sua infelicidade. Não me sinto encorajado a ser seu cavaleiro de armadura reluzente."	3. Ele precisa se sentir encorajado. Em vez disso, ele sente vontade de desistir.
4. "Eu não gosto quando ela reclama do quanto ela faz ou do quanto não se sente apreciada. Me faz sentir não apreciado pelas coisas que faço para ela."	4. Ele precisa se sentir apreciado. Em vez disso, se sente acusado, não reconhecido e impotente.
5. "Eu não gosto quando ela se preocupa com tudo que poderia sair errado. Eu não sinto que ela confia em mim."	5. Ele precisa sentir confiança e apreço dela pela sua contribuição à sua segurança. Em vez disso, ele se sente responsável pela sua ansiedade.
6. "Eu não gosto quando ela espera que eu faça alguma coisa ou converse quando ela quer. Eu não me sinto aceito ou respeitado."	6. Ele precisa se sentir aceito como é. Em vez disso, ele se sente controlado ou pressionado a falar e assim não tem nada a dizer. Faz com que ele sinta que não pode satisfazê-la nunca.

7. "Eu não gosto quando ela se sente magoada pelo que eu digo. Sinto que ela não me compreende, não confia em mim e me rechaça."	7. Ele precisa sentir a confiança dela. Em vez disso, se sente rejeitado e incapaz de ser perdoado.
8. "Eu não gosto quando ela espera que eu leia sua mente. Eu não posso. Me faz sentir mal e constrangido."	8. Ele precisa se sentir aprovado e aceito. Em vez disso, ele se sente um fracasso.

Satisfazer às necessidades primordiais de um homem diminui sua tendência a se envolver em brigas. Automaticamente ele será capaz de ouvir e falar com respeito, compreensão e carinho muito maiores. Desse modo, discussões, diferenças de opinião e sentimentos negativos podem ser resolvidos através de conversa, negociação e compromisso, sem o risco de transformarem-se em brigas. As mulheres também contribuem para as brigas, mas por motivos diferentes. Na superfície ela pode estar discutindo sobre finanças, responsabilidades ou algum outro assunto, mas secretamente ela está resistindo ao seu parceiro por algumas das razões seguintes:

As razões secretas pelas quais as mulheres discutem

As razões ocultas pelas quais ela está discutindo	Do que ela precisa para não discutir
1. "Eu não gosto quando ele minimiza a importância dos meus sentimentos ou pedidos. Eu me sinto repudiada e sem importância."	1. Ela precisa se sentir validada e acalentada. Em vez disso, se sente julgada e ignorada.
2. "Eu não gosto quando ele se esquece de fazer as coisas que eu peço, e então eu pareço uma chata. Sinto como se estivesse implorando por apoio."	2. Ela precisa ser respeitada e lembrada. Em vez disso, se sente negligenciada e como se estivesse no último lugar da lista de prioridades dele.

3. "Eu não gosto quando ele me culpa por estar aborrecida. Eu me sinto como se tivesse que ser perfeita para ser amada. Não sou perfeita."	3. Ela precisa que ele entenda por que ela está aborrecida e que ele a reassegure de que ainda é amada e que não tem que ser perfeita. Em vez disso, ela se sente insegura por ser o que é.
4. "Eu não gosto quando ele aumenta seu tom de voz ou começa a fazer uma lista dos porquês ele está certo. Me faz sentir como se eu estivesse errada e ele não se importasse com meu ponto de vista."	4. Ela precisa se sentir compreendida e respeitada. Em vez disso, não se sente ouvida, se sente maltratada e como se tivesse sido derrubada.
5. "Eu não gosto da sua atitude condescendente quando faço perguntas sobre decisões que precisamos tomar. Me faz sentir como se eu fosse um fardo ou estivesse desperdiçando seu tempo."	5. Ela precisa sentir que ele se importa com seus sentimentos e respeita sua necessidade de juntar informação. Em vez disso, ela se sente desrespeitada e inútil.
6. "Eu não gosto quando ele não responde às minhas perguntas ou comentários. Me faz sentir como se eu não existisse."	6. Ela precisa ser reassegurada de que ele está ouvindo e que se importa. Em vez disso, se sente ignorada ou julgada.
7. "Eu não gosto quando ele explica por que eu não deveria estar magoada, preocupada, com raiva ou qualquer outra coisa. Me sinto invalidada e sem apoio."	7. Ela precisa se sentir validada e compreendida. Em vez disso, se sente sem apoio, desamada e ressentida.
8. "Eu não gosto quando ele espera que eu seja mais desprendida. Me faz sentir como se estivesse errada ou fraca por ter sentimentos."	8. Ela precisa ser respeitada e acalentada, especialmente quando está compartilhando seus sentimentos. Em vez disso, se sente insegura e desprotegida.

Apesar de todos esses sentimentos e necessidades dolorosos serem válidos, geralmente não lidamos com eles ou os comunicamos diretamente. Dessa forma eles crescem por dentro e surgem de maneira explosiva numa discussão. Algumas vezes eles são ditos diretamente, mas geralmente vêm à tona e são expressos através de expressões faciais, posturas corporais e tons de voz.

Homens e mulheres precisam entender e cooperar com suas sensibilidades particulares, e não se ressentirem delas. Você estará atingindo o verdadeiro problema se tentar se comunicar de uma maneira que satisfaça às necessidades emocionais de seu(sua) parceiro(a). Discussões podem então verdadeiramente tornarem-se conversas apoiadoras necessárias para resolver e negociar diferenças e discordâncias.

A anatomia de uma discussão

Uma briga geralmente tem uma anatomia básica. Vejamos o exemplo a seguir.

Minha mulher e eu saímos para uma linda caminhada e um piquenique. Depois de comer, tudo parecia bem até que eu comecei a falar sobre possíveis investimentos. De repente ela ficou aborrecida por eu ter considerado investir uma certa parte das nossas economias em ações de alto risco. Sob meu ponto de vista, eu estava somente considerando a ideia, mas o que ela escutou foi que eu estava planejando isso (sem nem ao menos considerar seu ponto de vista). Ela ficou aborrecida comigo por fazer tal coisa. Eu fiquei aborrecido com ela por estar aborrecida comigo, e nós começamos uma discussão.

Eu pensei que ela estivesse desaprovando minhas opções de investimento e comecei a justificá-las. Meus argumentos, no entanto, eram movidos pela raiva que eu sentia por ela estar aborrecida comigo. Ela argumentou que ações de alto risco são perigosas demais. Mas na verdade ela estava aborrecida por eu ter considerado esse investimento sem consultar suas ideias sobre o assunto. Além disso, estava aborrecida por eu não estar respeitando seu direito de ficar aborrecida. Finalmente eu fiquei tão aborrecido que ela se desculpou comigo por não me compreender e não confiar em mim e nós nos acalmamos.

Mais tarde, depois de termos nos reconciliado, ela me colocou a seguinte questão. Ela disse, "Muitas vezes, quando discutimos, parece que eu me aborreço com alguma coisa e então você fica aborrecido por eu estar aborrecida, e então eu tenho que me desculpar por isso. De certa forma eu acho que está faltando alguma coisa. Às vezes eu gostaria que você me dissesse que sente muito por ter-me aborrecido".

Imediatamente eu reconheci a lógica do seu ponto de vista. Esperar um pedido de desculpas da parte dela parecia bastante injusto, especialmente quando eu a aborreço primeiro. Esse novo insight transformou nosso relacionamento. Quando compartilhei essa experiência nos meus seminários, descobri que milhares de mulheres se identificaram imediatamente com a experiência da minha esposa. Era um outro padrão masculino/feminino comum. Vamos rever os padrões básicos.

1. Uma mulher expressa seu aborrecimento com o assunto x.
2. Um homem explica por que ela não deveria estar aborrecida com x.
3. Ela se sente invalidada e fica mais aborrecida. (Agora ela está mais aborrecida por estar sendo invalidada do que com o assunto x.)
4. Ele sente a desaprovação dela e fica aborrecido. Ele a culpa por aborrecê-lo e espera um pedido de desculpas antes de se reconciliar.
5. Ela se desculpa e se pergunta o que aconteceu, ou fica mais aborrecida e a discussão aumenta até virar uma batalha.

Com uma consciência mais clara da anatomia de uma discussão, eu pude resolver esse problema de uma maneira mais justa. Lembrando que as mulheres são de Vênus, eu tentei não culpá-la por estar aborrecida. Em vez disso, buscava entender como eu a tinha aborrecido e mostrar-lhe que me importava. Mesmo que ela estivesse me compreendendo mal, se ela se sentia machucada por mim, eu precisava fazer com que ela soubesse que eu me importava e que estava pesaroso.

Quando ela ficava aborrecida, eu aprendi, primeiro, a escutar, depois tentar entender com o que ela estava aborrecida, e então dizer, "Sinto muito por tê-la aborrecido quando eu disse *x*". O resultado foi imediato. Nós discutimos muito menos.

Às vezes, no entanto, pedir desculpas é muito difícil. Em tais momentos eu respiro fundo e não digo nada. Por dentro tento imaginar como ela se sente e descobrir as razões a partir do seu ponto de vista. Então, "Sinto muito por você se sentir tão aborrecida". Apesar disso não ser um pedido de desculpas, ele realmente soa como "Eu me importo", e parece que isso ajuda muito.

Os homens raramente dizem "Sinto muito" porque em Marte isso significa que você fez alguma coisa errada e está pedindo desculpas.

Os homens raramente dizem "Sinto muito" porque em Marte isso significa que você fez alguma coisa errada e que está pedindo desculpas. As mulheres, no entanto, dizem "Sinto muito" como uma maneira de dizer "Eu me importo com o que você está sentindo". Não significa que elas estão pedindo desculpas por terem feito alguma coisa errada. Os homens que raramente dizem "Sinto muito" podem criar maravilhas se aprenderem a usar esse aspecto da linguagem venusiana. A maneira mais fácil de abortar uma discussão é dizer "Sinto muito".

A maioria das discussões aumenta progressivamente quando um homem começa a invalidar os sentimentos de uma mulher e ela lhe responde com desaprovação. Sendo homem, eu tive que aprender a validar. Minha esposa tentou expressar seus sentimentos mais diretamente sem me desaprovar. O resultado foi menos brigas e mais amor e confiança. Sem essa nova consciência, nós provavelmente ainda estaríamos tendo as mesmas discussões.

A maioria das discussões cresce progressivamente quando um homem começa a invalidar os sentimentos de uma mulher e ela lhe responde com desaprovação.

Para evitar discussões dolorosas é importante reconhecer como os homens inadvertidamente invalidam os sentimentos da mulher e como as mulheres inadvertidamente mandam mensagens de desaprovação.

Como os homens, sem saber, começam discussões

A maneira mais comum de os homens começarem discussões é invalidando os sentimentos ou pontos de vista de uma mulher. Os homens não se dão conta do quanto eles invalidam.

Por exemplo, um homem pode fazer pouco dos sentimentos negativos de uma mulher. Ele pode dizer "Ah, não se preocupe com isso". Para outro homem essa frase pareceria amigável. Mas para uma parceira íntima é insensível e machuca.

Em outro exemplo, um homem pode tentar resolver o aborrecimento de uma mulher dizendo "Não é nada de mais". Aí ele oferece alguma solução prática para o problema, esperando que ela fique feliz e aliviada. Ele não entende por que ela se sente invalidada e desamparada. Ela não poderá apreciar sua solução enquanto ele não validar a necessidade dela de estar aborrecida.

Um exemplo muito comum é quando um homem fez alguma coisa para aborrecer uma mulher. Seu instinto é fazê-la se sentir melhor explicando por que ela não deveria estar aborrecida. Ele confiantemente explica que tem uma razão perfeitamente boa, lógica e racional para o que fez. Ele não faz a menor ideia de que essa atitude faz com que ela se sinta como se não tivesse o direito de se sentir aborrecida. Quando ele se explica, a única mensagem que ela pode escutar é que ele não se importa com os sentimentos dela.

Para que ela escute as boas razões dele, ela primeiro precisa que *ele* escute as suas boas razões para estar aborrecida. Ele precisa colocar suas explicações para esperar e ouvir com compreensão. Quando ele simplesmente começa a se importar com os sentimentos dela, ela começa a se sentir apoiada.

Essa mudança de abordagem requer prática, mas pode ser alcançada. Geralmente, quando uma mulher compartilha sentimentos de frustração, decepção ou preocupação *cada* célula do corpo de um homem instintivamente reage com uma lista de explicações e justificativas projetadas para atenuar seus aborrecimentos por meio das explicações. Um homem nunca pretende piorar as coisas. Sua tendência para atenuar sentimentos por meio de explicações é somente um instinto marciano.

Entendendo que essas reações automáticas são contraproducentes um homem pode, no entanto, fazer essa mudança. Através de uma conscientização crescente e de sua experiência do que funciona com uma mulher, um homem pode fazer essa mudança.

Como as mulheres, sem saber, começam discussões

A maneira mais comum com que as mulheres inadvertidamente começam discussões é não sendo diretas quando compartilham seus sentimentos. Em lugar de expressar seu desgosto ou decepção diretamente, uma mulher faz perguntas retóricas e, sem saber (ou sabendo), passa uma mensagem de desaprovação. Mesmo que às vezes não seja essa a mensagem que ela queira transmitir, geralmente é o que o homem vai escutar.

A maneira mais comum com que as mulheres inadvertidamente começam discussões é não sendo diretas quando compartilham seus sentimentos.

Por exemplo, quando um homem está atrasado, uma mulher pode sentir "Eu não gosto de esperar por você quando você está atrasado" ou "Eu estava preocupada que alguma coisa tivesse acontecido com você". Quando ele chega, no lugar de compartilhar diretamente seus sentimentos, ela faz perguntas retóricas como "Como é que você pôde se atrasar tanto?" ou "O que eu devo pensar quando você se atrasa tanto?" ou "Por que você não ligou?".

Certamente que perguntar a alguém "Por que você não ligou?" revela que está sinceramente procurando uma razão válida. Mas quando uma mulher está aborrecida, o tom da sua voz quase sempre revela que ela não está procurando por uma resposta válida, mas que está afirmando que não existe nenhuma razão aceitável para se estar atrasado.

Quando um homem ouve uma pergunta do tipo "Como é que você pôde se atrasar tanto?" ou "Por que você não ligou?", ele não escuta os sentimentos dela, e sim sua desaprovação. Ele sente o invasivo dela de ajudá-lo a ser mais responsável. Ele se sente atacado e se torna defensivo. Ela não tem ideia do quanto sua desaprovação é dolorosa para ele.

Do mesmo modo que as mulheres precisam de validação, os homens precisam de aprovação. Quanto mais um homem ama uma mulher mais ele precisa de sua aprovação. Ela está sempre lá desde o começo do relacionamento. Ou a mulher transmite a mensagem de que o aprova ou ele tem confiança de que vai ganhar a aprovação dela. Em qualquer dos casos, a aprovação está presente.

Mesmo que uma mulher tenha sido ferida por outro homem ou seu pai, ela ainda dará aprovação no começo do relacionamento. Ela pode sentir "Ele é um homem especial, não é como os outros que conheci".

A retirada de aprovação por parte de uma mulher é particularmente dolorosa para um homem. As mulheres são geralmente desatentas a como afastam sua aprovação. E quando elas realmente a afastam, se sentem bastante justificadas em fazê-lo. Uma razão para essa insensibilidade é que as mulheres realmente não prestam atenção no quanto a aprovação é significativa para os homens.

Uma mulher pode, no entanto, aprender a discordar de um comportamento de um homem e ainda aprová-lo pelo que ele é. Para um homem se sentir amado, ele precisa que ela o aprove pelo que ele é, mesmo que não concorde com o seu comportamento. Geralmente quando uma mulher não concorda com o comportamento de um homem e deseja mudá-lo, ela o está desaprovando. Certamente que há momentos em que ela o esteja aprovando mais e aprovando menos, mas desaprová-lo é muito doloroso e o machuca.

A maioria dos homens têm vergonha de admitir o quanto precisam de aprovação. Eles podem se estender longamente para provar que não se importam. Mas por que eles se tornam imediatamente frios, distantes e defensivos quando perdem a aprovação de uma mulher? Porque não receber o que precisam machuca.

Uma das razões pelas quais os relacionamentos são tão bem-sucedidos no começo é que um homem ainda goza das boas graças de uma mulher. Ele ainda é seu cavaleiro de armadura reluzente. Ele recebe a bênção da sua aprovação e, como resultado, fica nas nuvens. Mas tão logo comece a desapontá-la, ele cai em desgraça. Ele perde a aprovação dela e de repente se vê enfraquecido.

Um homem pode lidar com a decepção de uma mulher, mas quando ela é expressa com desaprovação ou rejeição, ele se sente ferido por ela. As mulheres comumente questionam o comportamento dos homens num tom desaprovador. Fazem isso porque julgam que assim vão ensinar-lhes uma lição. Não ensinam. Só criam medo e ressentimento. E pouco a pouco o homem se torna cada vez menos motivado.

Aprovar um homem é ver as boas razões por trás do que ele faz. Mesmo quando é irresponsável, preguiçoso ou desrespeitoso, se a mulher o ama verdadeiramente, ela saberá encontrar e reconhecer a bondade dentro dele. Aprovar é encontrar a intenção amorosa ou a bondade por trás do comportamento externo.

Tratar um homem como se ele não *tivesse* nenhuma boa razão para o que faz é conter a aprovação que ela deu tão livremente no começo do relacionamento. Uma mulher precisa se lembrar de que ainda pode dar aprovação mesmo quando não concorda.

Um par crítico de problemas de onde surgem discussões:
1. O homem sente que a mulher não aprova seu ponto de vista.
2. Ou a mulher não aprova a maneira como o homem está falando com ela.

Quando ele mais precisa da aprovação dela

A maioria das discussões ocorre não porque duas pessoas discordem, mas porque ou o homem sente que a mulher não aprova seu ponto de vista ou que a mulher não aprova a maneira como ele está falando com ela. Ela pode frequentemente desaprová-lo por ele não estar validando o ponto de vista dela ou não estar falando com ela de uma maneira carinhosa. Quando homens e mulheres aprendem a aprovar e a validar, eles não têm que discutir. Eles podem debater e negociar diferenças.

Quando um homem comete um erro ou se esquece de fazer alguma coisa ou de assumir alguma responsabilidade, uma mulher não se dá conta do quanto ele se sente sensível. Esse é o momento em que ele mais precisa do amor dela. Retirar sua aprovação a essa altura causa-lhe extrema dor.

Ela pode nem se dar conta de que o está fazendo. Ela pode pensar que só está se sentindo desapontada, mas *ele* sente a desaprovação dela.

Uma das formas com que as mulheres inadvertidamente comunicam desaprovação é através dos olhos e do tom de voz. As palavras que ela escolhe podem ser gentis, mas seu olhar ou o tom da sua voz podem ferir um homem. Sua reação defensiva é fazer com que ela se sinta errada. Ele a invalida e se justifica.

Os homens estão mais dispostos a discutir quando cometeram um erro ou aborreceram a mulher que amam.

Os homens estão mais dispostos a discutir quando cometeram um erro ou aborreceram a mulher que amam. Se ele a desapontar ele vai querer explicar por que ela não deveria estar aborrecida. Ele pensa que suas razões vão ajudá-la a se sentir melhor. O que ele não sabe é que, se ela está aborrecida, o que ela mais precisa é ser escutada e validada.

Como expressar nossas diferenças sem discutir

Sem modelos sadios, expressar diferenças e discordâncias pode ser uma tarefa muito difícil. A maioria dos nossos pais ou não discutia de jeito nenhum, ou, quando o faziam, rapidamente chegavam à briga. A tabela seguinte revela como homens e mulheres inadvertidamente criam discussões e sugere alternativas sadias.

Em cada um dos tipos de discussões listados abaixo eu primeiro forneço a pergunta retórica que uma mulher pode fazer e então mostro como um homem pode interpretar essa pergunta. Em seguida, mostro como um homem pode se explicar e como uma mulher pode se sentir invalidada pelo que ouve. Por fim sugiro como homens e mulheres podem se expressar para evitar discussões.

A anatomia de uma discussão

1. Quando ele chega tarde em casa	
A pergunta retórica dela Quando ele chega tarde, ela pergunta "Como você pôde se atrasar tanto?" ou "Por que você não ligou?" ou "O que devo pensar?".	**A mensagem que ele escuta** O que ele escuta é "Não existe nenhuma boa razão para você se atrasar tanto! Você é irresponsável. Eu jamais me atrasaria. Sou melhor que você".
O que ele explica Quando ele chega tarde e ela está aborrecida, ele explica "Havia muito trânsito na ponte" ou "Às vezes a vida não pode ser do jeito que você quer", ou "Você não pode esperar que eu seja sempre pontual".	**A mensagem que ela escuta** O que ela ouve é "Você não deveria estar aborrecida porque eu tenho essas razões boas e lógicas para estar atrasado. De qualquer forma, meu trabalho é mais importante do que você, e você é exigente demais".
Como ela pode ser menos desaprovadora Ela poderia dizer "Eu realmente não gosto quando você se atrasa. Me aborrece. Eu realmente apreciaria um telefonema da próxima vez que você se atrasar".	**Como ele pode dar mais validade** Ele diz "Eu me atrasei, sinto muito tê-la aborrecido". O mais importante é simplesmente ouvir sem explicar muito. Tente entender e validar o que ela precisa para se sentir amada.
2. Quando ele esquece alguma coisa	
A pergunta retórica dela Quando ele se esquece de fazer alguma coisa, ela diz "Como você pôde esquecer?", ou "Quando é que você vai se lembrar?", ou "Como é que eu vou confiar em você?".	**A mensagem que ele escuta** O que ele escuta é "Não há nenhuma boa razão para esquecer. Você é estúpido e não merece confiança. Eu dou muito mais para esse relacionamento".

O que ele explica	A mensagem que ela escuta
Quando ele se esquece de fazer alguma coisa e ela fica aborrecida, ele explica "Eu estava muito ocupado e simplesmente esqueci. Essas coisas simplesmente acontecem algumas vezes", ou "Não é nada de mais. Não significa que eu não me importe".	O que ela escuta é "Você não deveria ficar tão aborrecida por coisas tão triviais. Você está sendo exigente demais e sua reação é irracional. Tente ser mais realista. Você vive num mundo de fantasia".
Como ela pode ser menos desaprovadora	**Como ele pode dar mais validade**
Se ela está aborrecida, poderia dizer "Eu não gosto quando você se esquece". Ela também poderia tomar outra abordagem efetiva e simplesmente não mencionar que ele tenha esquecido algo e simplesmente pedir de novo, dizendo "Eu apreciaria se você…" (Ele saberá que esqueceu.)	Ele diz "Eu esqueci mesmo… Você está com raiva de mim?". Aí deixe-a falar sem fazer com que esteja errada por estar com raiva. Enquanto estiver falando, ela se dará conta de que está sendo escutada e logo se sentirá muito mais receptiva.
3. Quando ele retorna da sua caverna	
A pergunta retórica dela	**A mensagem que ele escuta**
Quando ele volta da sua caverna, ela diz "Como você pode ser tão frio e insensível?", ou "Como você espera que eu reaja?", ou "Como é que eu vou saber o que está acontecendo dentro de você?".	O que ele escuta é "Não existe nenhuma boa razão para se afastar de mim. Você é cruel e não é amoroso. Você é o homem errado para mim. Você me machucou muito mais do que eu jamais machuquei você".
O que ele explica	**A mensagem que ela escuta**
Quando ele volta da sua caverna e ela está aborrecida, ele explica "Eu precisava de algum tempo sozinho, foi somente por dois dias. Qual é o problema?", ou "Eu não fiz nada. Por que é que você se aborrece tanto?".	O que ela escuta é "Você não deveria se sentir magoada ou abandonada, e se você se sente, eu não tenho nada a ver com isso. Você é carente e controladora demais. Vou fazer o que eu quiser, não me importo com seus sentimentos".

Como ela pode ser menos desaprovadora	Como ele pode dar mais validade
Se isso a aborrece, ela poderia dizer "Eu sei que você precisa se afastar às vezes, mas ainda me dói quando você se afasta. Eu não estou dizendo que você está errado, mas é importante para mim que você entenda pelo que estou passando".	Ele diz "Eu sei que te machuco quando eu me afasto. Deve ser muito doloroso para você. Vamos conversar sobre isso". (Quando se sente ouvida, é mais fácil para ela aceitar a necessidade dele de se afastar de vez em quando.)
4. Quando ele a desaponta	
A pergunta retórica dela	A mensagem que ele escuta
Quando ele a desaponta, ela diz "Como você pôde fazer isso?", ou "Por que você não pode fazer aquilo que diz que vai fazer?", ou "Você não disse que ia fazer?", ou "Quando é que você vai aprender?".	O que ele escuta é "Não existe nenhuma boa razão para me desapontar. Você é um idiota. Você não consegue fazer nada certo. Eu não posso ser feliz até que você mude!".
O que ele explica	A mensagem que ela escuta
Quando ela está desapontada com ele, ele explica "Olha, da próxima vez eu vou acertar", ou "Não é nada de mais", ou "Mas eu não sabia o que você quis dizer".	O que ela ouve é "Se você está aborrecida, a culpa é sua. Você deveria ser mais flexível. Você não deveria ficar aborrecida, e eu não tenho nada a ver com isso".
Como ela pode ser menos desaprovadora	Como ele pode dar mais validade
Se está aborrecida, ela poderia dizer "Eu não gosto de ser desapontada. Eu pensei que você fosse ligar. Está tudo bem e eu preciso que você saiba como me sinto quando você…".	Ele diz "Eu entendo que te desapontei. Vamos conversar sobre isso… Como foi que você se sentiu?". De novo, deixe-a falar. *Dê-lhe uma chance de ser ouvida* e ela se sentirá melhor. Depois de algum tempo diga-lhe "O que você precisa de mim agora para sentir meu apoio?", ou "Como posso ajudar agora?".

5. Quando ele não respeita os sentimentos dela e a machuca	
A pergunta retórica dela Quando ele não respeita os sentimentos dela e a machuca, ela diz "Como você pôde dizer isso?" ou "Como você pôde me tratar dessa maneira?", ou "Por que você não pode me ouvir?", ou "Você pelo menos ainda se importa comigo?", ou "Eu te trato assim?".	**A mensagem que ele escuta** O que ele escuta é "Você é uma pessoa má e abusiva. Eu sou mais amável que você. Jamais o perdoarei por isso. Eu deveria expulsá-lo da minha vida. É tudo culpa sua".
O que ele explica Quando ele não respeita os sentimentos dela e ela fica ainda mais aborrecida, ele explica "Olha, eu não quis dizer isso", ou "Eu a ouço sim; vê, é o que estou fazendo agora mesmo", ou "Eu não a ignoro sempre", ou "Eu não estou rindo de você".	**A mensagem que ela escuta** O que ela ouve é "Você não tem o menor direito de ficar aborrecida. Isso não faz sentido nenhum. Você é sensível demais, tem alguma coisa errada com você. Você é um fardo tão grande!".
Como ela pode ser menos desaprovadora Ela poderia dizer "Eu não gosto da maneira com que você fala comigo. Pare, por favor", ou "Você está sendo desagradável e eu não aprecio isso. Me dê um tempo", ou "Essa não é a maneira que eu queria ter essa conversa. Vamos começar de novo", ou "Eu não mereço ser tratada dessa maneira", ou "Você poderia, por favor, não interromper?", ou "Você poderia, por favor, ouvir o que estou dizendo?". (Um homem pode reagir melhor a afirmações curtas e diretas. Sermões e perguntas são contraproducentes.)	**Como ele pode dar mais validade** Ele diz "Sinto muito, você não merece ser tratada dessa maneira". Respire fundo e simplesmente ouça a resposta dela. Ela pode levar adiante e dizer algo como "Você nunca ouve". Quando ela fizer uma pausa, diga "Você está certa. Às vezes eu não ouço. Sinto muito, você não merece ser tratada dessa maneira... Vamos começar de novo. Dessa vez vamos fazer melhor". Começar uma conversa de novo é uma maneira excelente de evitar que uma discussão vire briga. Se ela

	não quiser começar de novo, não faça com que ela se sinta errada. Lembre-se, se você lhe der o direito de ficar aborrecida, então ela ficará mais receptiva e aprovadora.

6. Quando ele está com pressa e ela não gosta

A pergunta retórica dela Ela reclama "Por que estamos, sempre com pressa?", ou "Por que você tem sempre que se apressar para ir aos lugares?".	A mensagem que ele escuta O que ele escuta é "Não existe nenhuma boa razão para essa correria! Você nunca me faz feliz. Nada jamais irá mudá-lo. Você é incompetente e obviamente não se importa comigo".
O que ele explica Ele explica "Não é tão mau", ou "Sempre foi desse jeito", ou "Não há nada que possamos fazer a respeito disso agora", ou "Não se preocupe tanto; vai ficar tudo bem".	A mensagem que ela escuta O que ela escuta é "Você não tem o menor direito de reclamar. Você deveria estar agradecida pelo que tem e não ficar tão insatisfeita e infeliz. Não há nenhuma boa razão para reclamar, você está deprimindo todo mundo".
Como ela pode ser menos desaprovadora Se se sentir aborrecida, ela pode dizer "Tudo bem que tenhamos que nos apressar, só que eu não gosto. Parece que estamos sempre correndo", ou "Eu adoro quando não estamos apressados e detesto as vezes em que temos que nos apressar. Eu simplesmente não gosto. Você planeja nossa próxima viagem com quinze minutos de tempo extra?".	Como ele pode dar mais validade Ele diz "Eu também não gosto. Gostaria que nós pudéssemos simplesmente ir com mais calma. Parece tão maluco". Nesse exemplo ele sentiu empatia com os sentimentos dela. Mesmo que uma parte dele goste da pressa, ele pode apoiá-la melhor no momento da frustração, expressando como ele também sinceramente sente empatia com a frustração dela.

7. Quando ele se sente invalidado numa conversa	
A pergunta retórica dela Quando se sente desamparada ou invalidada numa conversa, ela diz "Por que você disse isso?", ou "Por que você tem que falar comigo dessa forma?", ou "Você nem se importa com o que estou dizendo?", ou "Como você pode dizer isso?".	**A mensagem que ele escuta** O que ele escuta é "Não existe nenhuma boa razão para me tratar assim. Portanto você não me ama. Você não se importa. Eu dou tanto e você não me dá nada em troca!".
O que ele explica Quando ela se sente invalidada e fica aborrecida, ele explica "Você está ficando louca", ou "Mas não foi isso que eu disse" ou, "Eu já ouvi tudo isso antes".	**A mensagem que ela escuta** O que ela escuta é "Você não tem o direito de ficar aborrecida. Você é irracional e confusa. Eu sei o que é certo e você não sabe. Sou superior a você. Você causa essas discussões, não eu".
Como ela pode ser menos desaprovadora Ela poderia dizer "Eu não gosto do que você está falando. Sinto como se você estivesse me julgando. Eu não mereço isso. Por favor me entenda", ou "Eu tive um dia difícil. Eu sei que não é só culpa sua. E eu preciso que você entenda o que estou sentindo. OK?", ou ela pode simplesmente deixar passar os comentários dele e pedir o que quer, dizendo "Eu estou de muito mau humor, você me ouve um pouco? Vai me ajudar a me sentir melhor". (Os homens precisam de muito encorajamento para escutar.)	**Como ele pode dar mais validade** Ele diz "Eu sinto muito se as coisas não estão bem para você. O que você está me escutando dizer?". Dando-lhe uma chance para refletir no que ela escutou então ele pode de novo dizer "Sinto muito. Entendo por que você não gostou". Então simplesmente faça uma pausa. Esse é um momento para ouvir. Resista à tentação de explicar que ela está interpretando mal o que você disse. Uma vez que a ferida está aberta, ela precisa ser ouvida, se é para ser curada. Explicações só são proveitosas depois que a ferida tiver cicatrizado com alguma validação e compreensão carinhosa.

Apoiando em momentos difíceis

Qualquer relacionamento tem momentos difíceis. Eles podem ocorrer por uma infinidade de razões, como a perda de um emprego, morte, doença, ou simplesmente descanso insuficiente. Nesses momentos difíceis a coisa mais importante é tentar se comunicar com uma atitude amável, aprovadora e que transmita validade. Além disso, precisamos aceitar e entender que nós e nossos(as) parceiros(as) não seremos sempre perfeitos. Aprender a se comunicar bem em resposta a aborrecimentos menores num relacionamento fica mais fácil lidar com os desafios maiores quando estes surgem de repente.

Em cada um dos exemplos acima, eu coloquei a mulher no papel de aborrecida com o homem por alguma coisa que ele fez ou deixou de fazer. Certamente que homens também podem se aborrecer com mulheres, e qualquer uma das minhas sugestões listadas acima se aplica a ambos os sexos. Se você está num relacionamento, perguntar ao seu(sua) parceiro(a) como ele ou ela reagiria às sugestões listadas acima é um exercício útil.

Escolha uma hora em que você não esteja aborrecido(a) com seu(sua) parceiro(a) para descobrir quais as palavras que funcionam melhor com ele(a) e compartilhe quais as palavras que funcionam melhor para você. Adotar algumas "afirmações previamente combinadas" pode ser imensamente útil para neutralizar tensões quando o conflito surgir.

Lembre-se também que não importa o quanto sua escolha de palavras seja correta, o sentimento por trás das palavras é o que mais conta. Mesmo que você usasse exatamente as frases listadas, se seu(sua) parceiro(a) não sentisse seu amor, validação e aprovação, a tensão continuaria a aumentar. Como mencionei antes, às vezes a melhor solução para evitar conflitos é enxergá-los vindo e ficar na moita por algum tempo. Dê um tempo para se concentrar de modo que vocês possam se reunir de novo com mais compreensão, aceitação, validação e aprovação.

Fazer algumas dessas mudanças pode no começo parecer estranho ou até mesmo manipulação. Muitas pessoas têm a ideia de que amar quer dizer "dizer a coisa do jeito que é". Essa abordagem excessivamente direta, no entanto, não leva em consideração os sentimentos do ouvinte. Uma pessoa ainda pode ser sincera e direta com os seus sentimentos, mas expressá-los de uma maneira que não ofenda ou machuque. Praticando algumas das sugestões listadas, você estará exercitando sua habilidade de se comunicar de uma maneira mais carinhosa e que transmita confiança. Depois de algum tempo, passará a ser mais automático.

Se você se encontra presentemente num relacionamento e seu(sua) parceiro(a) *está* tentando aplicar algumas das sugestões acima, tenha em mente que ele(a) está tentando ser mais apoiador(a). A princípio suas expressões *podem* parecer não somente antinaturais, mas também insinceras. Não é possível mudar uma vida de condicionamentos em poucas semanas. Tenha o cuidado de apreciar cada passo; do contrário ele(a) poderá rapidamente desistir.

Evitando discussões através da comunicação amistosa

Discussões e querelas emocionalmente carregadas podem ser evitadas se entendermos o que nosso(a) parceiro(a) precisa e nos lembrarmos de dar. As histórias seguintes ilustram como, quando uma mulher comunica seus sentimentos diretamente e o homem demonstra empatia por esses sentimentos, uma discussão pode ser evitada.

Lembro-me de certa vez, quando eu e minha esposa tiramos férias. Quando nós partimos no carro e pudemos finalmente relaxar de uma semana agitadíssima, eu esperava que Bonnie estivesse feliz por estarmos saindo para férias tão maravilhosas. Mas em vez disso ela soltou um suspiro profundo e disse, "Eu sinto que minha vida é uma longa e vagarosa tortura".

Eu fiz uma pausa, respirei fundo e então repliquei, "Eu sei o que quer dizer, sinto como se eles estivessem arrancando cada pedaço de vida de mim". Ao dizer isso, fiz um movimento como se estivesse torcendo a água de um trapo.

Bonnie inclinou a cabeça concordando e para minha surpresa sorriu de repente e mudou de assunto. Ela começou a falar sobre o quanto estava excitada para fazer essa viagem. Seis anos atrás isso não teria acontecido. Nós teríamos tido uma discussão e eu teria erroneamente colocado a culpa nela.

Eu teria ficado aborrecido com ela por dizer que sua vida era uma longa e vagarosa tortura. Eu teria tomado como algo pessoal e sentido que ela estava reclamando de mim. Teria me tornado defensivo e explicado que nossa vida não era uma tortura e que ela deveria estar agradecida por estarmos saindo para férias tão maravilhosas. Então nós teríamos discutido e passado umas longas e torturantes férias. Tudo isso teria acontecido se eu não tivesse entendido e validado os sentimentos dela.

Dessa vez compreendi que ela estava somente expressando um sentimento passageiro. Não era uma afirmação a meu respeito. Como interpretei corretamente, eu não fiquei na defensiva. Com o meu comentário acerca do seu sentimento, ela se sentiu completamente validada. Em resposta, ela ficou bastante receptiva para comigo e eu senti seu amor, aceitação e aprovação. Como aprendi a validar os seus sentimentos, ela recebeu o amor que merecia. Nós não tivemos nenhuma discussão.

10

MARCANDO PONTOS COM O SEXO OPOSTO

Um homem pensa que marca muitos pontos com uma mulher quando faz algo de grandioso para ela, como comprar-lhe um carro novo ou levá-la em férias. Ele admite que marca menos pontos quando faz algo pequeno, como abrir a porta do carro, comprar-lhe flores ou dar-lhe um abraço. Baseado nesse tipo de contagem de pontos, ele acredita que irá satisfazê-la melhor concentrando seu tempo, energia e atenção em fazer algo de grandioso para ela. Essa fórmula, no entanto, não funciona porque as mulheres contam pontos diferentemente.

Quando uma mulher faz contagem de pontos, não importa o quanto um presente de amor seja grande ou pequeno, ele marca um ponto; cada presente tem valor igual. O tamanho não importa; conta um ponto. Um homem, no entanto, pensa que marca um ponto por um presente pequeno e trinta pontos por um presente grande. Como não entende que as mulheres fazem contagem de pontos de forma diferente, ele naturalmente concentra suas energias em um ou dois presentes grandes.

Quando uma mulher faz contagem de pontos, não importa o quanto um presente de amor seja grande ou pequeno, ele marca um ponto; cada presente tem valor igual.

Um homem não se dá conta de que, para uma mulher, as pequenas coisas são tão importantes quanto as grandes. Em outras palavras, para uma mulher, uma única rosa recebe tantos pontos quanto pagar o aluguel em dia. Sem entender essa diferença básica na contagem de pontos, homens e mulheres ficam continuamente frustrados e desapontados em seus relacionamentos.

Os casos seguintes ilustram isso:

Durante o aconselhamento Pam disse, "Eu faço tanto por Chuck e ele me ignora. Tudo com o que ele se importa é o trabalho".

Chuck disse, "Mas meu trabalho paga nossa linda casa e nos permite tirar férias. Ela deveria estar feliz".

Pam replicou, "Eu não me importo com essa casa ou com as férias se nós não estamos nos amando. Eu preciso de mais do que isso de você".

Chuck disse, "Você faz parecer que você dá muito mais".

Pam replicou, "E dou. Estou sempre fazendo coisas para você. Eu lavo, faço comida, limpo a casa – tudo. Você faz uma coisa – vai trabalhar, o que realmente paga as contas. Mas aí você espera que eu faça todo o resto".

Chuck é um médico bem-sucedido. Como a maioria dos profissionais seu trabalho consome muito tempo mas é bastante rentável. Ele não podia entender por que sua esposa, Pam, estava tão descontente. Ele ganhava bem e proporcionava uma "boa vida" a sua esposa e família, mas quando vinha para casa, a mulher estava infeliz.

Na cabeça de Chuck, quanto mais dinheiro ele ganhasse no trabalho, menos teria que fazer em casa para satisfazer sua esposa. Ele pensava que seu gordo contracheque no fim do mês marcava pelo menos trinta pontos para ele. Quando abriu sua própria clínica e dobrou sua receita, ele admitiu que agora estava marcando sessenta pontos. Ele não tinha ideia de que esse contracheque valia só um ponto por mês com Pam – independentemente do seu tamanho.

Chuck não se dava conta que, do ponto de vista de Pam, quanto mais ele ganhava, menos ela recebia. Sua nova clínica requeria mais tempo e energia. Para compensar as coisas, ela começou a fazer ainda mais para administrar a vida pessoal e o relacionamento deles. Quando ela deu mais, se sentiu como se estivesse marcando sessenta pontos por mês para o único ponto dele. Isso a fez sentir muito infeliz e ressentida.

Pam sentia que estava dando muito mais e recebendo menos. Do ponto de vista de Chuck, ele agora estava dando mais (sessenta pontos) e deveria receber mais de sua esposa. Na sua cabeça, o placar estava empatado. Ele estava satisfeito com o relacionamento deles a não ser por uma coisa – ela não estava feliz. Ele a culpava por querer demais. Para ele seu contracheque aumentado se igualava ao que ela estava dando. Essa atitude deixava Pam com mais raiva ainda.

Depois de participar do meu curso, tanto Pam quanto Chuck foram capazes de abandonar suas acusações e resolverem seus problemas com amor. Um relacionamento direcionado para o divórcio foi transformado.

Chuck aprendeu que fazer pequenas coisas por sua esposa fazia uma grande diferença. Ele ficou surpreso com a rapidez com que as coisas mudaram quando começou a devotar mais amor e energia a ela. Começou a apreciar que para uma mulher pequenas coisas são tão importantes quanto grandes coisas. Ele foi capaz de entender então por que seu trabalho só marcava um ponto.

Na verdade, Pam tinha boas razões para estar infeliz. Ela verdadeiramente precisava da atenção, esforço e energia pessoal de Chuck muito mais do que do estilo de vida opulento deles. Chuck descobriu que ao gastar menos energia para ganhar dinheiro e ao devotar só um pouquinho mais de energia na direção certa, sua esposa ficaria muito mais feliz. Ele reconheceu que estivera trabalhando até mais tarde na esperança de fazê-la mais feliz. Uma vez que compreendeu o que importava para ela, ele pôde voltar para casa com uma nova confiança porque ele sabia como fazê-la feliz.

Pequenas coisas fazem uma grande diferença

Há uma infinidade de maneiras com que um homem pode marcar pontos com sua parceira sem ter que fazer muito esforço. É só uma questão de redirecionar a energia e a atenção que já está dando. A maioria dos homens já sabe sobre muitas dessas coisas mas não se preocupa em fazê-las porque não se dá conta do quanto as pequenas coisas são importantes para uma mulher. Um homem verdadeiramente acredita que as pequenas coisas são insignificantes se comparadas às grandes coisas *que* está fazendo para ela.

Alguns homens podem começar um relacionamento fazendo as pequenas coisas, mas depois de fazê-las uma ou duas vezes, eles param. Através de alguma força instintiva misteriosa, eles começam a concentrar sua energia em fazer algo de grandioso para suas parceiras. Eles então negligenciam todas as pequenas coisas necessárias para uma mulher se sentir satisfeita num relacionamento. Para satisfazer uma mulher, um homem precisa compreender o que ela precisa para se sentir amada e apoiada.

A maneira como as mulheres mantêm a contagem de pontos não é somente uma preferência mas uma verdadeira necessidade. As mulheres precisam de muitas manifestações de amor durante o relacionamento para se sentirem amadas. Uma ou duas manifestações de amor, não importa quão importantes, não vão, e não podem, satisfazê-la.

Isso pode ser extremamente difícil de um homem entender. Uma maneira de encarar esse fato é imaginar que as mulheres têm um tanque de amor, similar ao tanque de gasolina dos carros. Ele precisa ser enchido repetidamente. Fazer muitas coisas pequenas (e marcar muitos pontos) é o segredo para encher o tanque de amor de uma mulher. Uma mulher se sente amada quando seu tanque de amor está cheio. Ela é capaz de responder com mais amor, confiança, aceitação, apreço, admiração, aprovação e encorajamento. Muitas coisas pequenas são necessárias para completar seu tanque.

A seguir uma lista de 101 das pequenas maneiras de um homem marcar pontos com uma mulher.

101 maneiras de marcar pontos com uma mulher

1. Ao chegar em casa, encontre-a antes de fazer qualquer outra coisa e dê-lhe um abraço.

2. Faça-lhe perguntas específicas sobre o dia dela que indiquem que você sabe o que ela estava planejando fazer (ex.: "Como foi sua consulta com o médico?").
3. Tente ouvir e fazer perguntas.
4. Resista à tentação de resolver os problemas dela – em vez disso demonstre empatia.
5. Dê-lhe vinte minutos de atenção não solicitada (não leia o jornal ou se distraia com qualquer outra coisa durante esse tempo).
6. Traga-lhe flores de surpresa, bem como em ocasiões especiais.
7. Planeje um programa com vários dias de antecedência, é preferível do que esperar até sexta à noite e perguntar o que ela quer fazer.
8. Se é ela geralmente quem prepara o jantar, ou se é a vez dela e ela parecer cansada ou realmente ocupada, ofereça-se para fazer o jantar.
9. Faça elogios à aparência dela.
10. Demonstre empatia pelos sentimentos dela quando ela estiver aborrecida.
11. Ofereça-se para ajudá-la quando ela estiver cansada.
12. Planeje tempo extra quando estiverem viajando de modo que ela não precise se apressar.
13. Quando você se atrasar, ligue para ela e avise.
14. Quando ela pedir apoio, diga sim ou não sem fazer com que ela se sinta errada por perguntar.
15. Sempre que os sentimentos dela tiverem sido magoados, demonstre alguma empatia e diga-lhe "Sinto muito que você se sinta magoada". Depois fique em silêncio; deixe que ela sinta que você compreendeu a mágoa dela. Não ofereça soluções ou explicações de por que a mágoa dela não é culpa sua.
16. Sempre que você tiver que se afastar, faça com que ela saiba que você voltará ou que você precisa de algum tempo para pensar sobre as coisas.
17. Quando você tiver se acalmado e voltar, converse sobre o que o estava incomodando de uma forma respeitosa e não acusadora, para que ela não imagine o pior.
18. Ofereça-se para acender a lareira no inverno.

19. Quando ela falar com você, abaixe a revista ou desligue a televisão e dê-lhe sua atenção.
20. Se ela geralmente lava a louça, ocasionalmente ofereça-se para lavar a louça, especialmente se ela estiver cansada nesse dia.
21. Observe quando ela está aborrecida ou cansada e pergunte o que ela tem para fazer. Então se ofereça para ajudar fazendo algumas das suas tarefas.
22. Quando sair, pergunte se tem alguma coisa que ela quer que você compre, e lembre-se de comprar.
23. Diga-lhe quando você estiver planejando tirar uma soneca ou sair.
24. Dê-lhe quatro abraços por dia.

Dê-lhe quatro abraços por dia.

25. Ligue do trabalho para perguntar como ela está ou compartilhar alguma coisa excitante ou dizer "Eu te amo".
26. Diga-lhe "Eu te amo" pelo menos umas duas vezes todo dia.
27. Faça a cama e arrume o quarto.
28. Se ela lava suas meias, vire suas meias do avesso de modo que ela não tenha que fazê-lo.
29. Observe quando o lixo está cheio e se ofereça para esvaziá-lo.
30. Quando você estiver fora da cidade, ligue para deixar um número de telefone onde poderá ser encontrado e para que ela saiba que você chegou bem.
31. Lave o carro dela.
32. Lave seu carro e limpe o interior antes de um programa com ela.
33. Tome um banho antes de fazerem sexo ou passe uma colônia se ela gostar.
34. Fique do lado dela quando ela estiver aborrecida com alguém.
35. Ofereça-se para dar-lhe uma massagem nas costas, no pescoço ou nos pés (ou todas as três).
36. Faça questão de acariciar ou ser afetuoso algumas vezes sem ser sensual.
37. Seja paciente quando ela estiver compartilhando. Não olhe para o relógio.

38. Não aperte o controle remoto para canais diferentes quando ela estiver assistindo televisão com você.
39. Mostre afeto em público.
40. Quando estiverem de mãos dadas, não deixe que sua mão fique frouxa.
41. Aprenda as bebidas preferidas dela; assim você pode oferecer-lhe uma seleção daquelas que você sabe que ela já gosta.
42. Sugira restaurantes diferentes ao saírem; não empurre para ela o peso de decidir aonde ir.
43. Compre entradas para o teatro, concerto, ópera, balé, ou algum outro tipo de espetáculo de que *ela* goste.
44. Crie ocasiões em que ambos possam se vestir a rigor.
45. Seja compreensivo quando ela se atrasar ou decidir trocar de roupa.
46. Preste mais atenção nela do que nos outros em público.
47. Faça com que ela seja mais importante do que as crianças. Deixe que as crianças a vejam recebendo sua atenção primeiro e antes de tudo.
48. Compre-lhe pequenos presentes – como pequenas caixas de chocolates ou perfume.
49. Compre-lhe um vestido (leve uma foto da sua parceira junto com suas medidas para a loja e deixe-os ajudá-lo a escolher).
50. Tire fotos dela em ocasiões especiais.
51. Dê escapadas românticas.
52. Deixe que ela veja que você carrega uma foto dela na sua carteira e atualize-a de vez em quando.
53. Quando estiver num hotel, faça com que preparem o quarto com alguma coisa especial, como uma garrafa de champanhe ou sidra ou flores.
54. Escreva um recado ou faça um cartaz em ocasiões especiais como aniversários.
55. Ofereça-se para dirigir o carro em viagens longas.
56. Dirija devagar e com segurança, respeitando as preferências dela. Afinal de contas, ela está impotentemente sentada no banco da frente.

57. Observe como ela está se sentindo e comente "Você parece feliz hoje" ou "Você parece cansada" – e então faça uma pergunta como "Como foi o seu dia?".
58. Quando levá-la para sair, estude o endereço com antecedência para que ela não tenha que ser responsável pela orientação.
59. Leve-a para dançar ou frequentem cursos de dança juntos.
60. Surpreenda-a com um bilhete de amor ou um poema.
61. Trate-a da maneira que você fazia no começo do relacionamento.
62. Ofereça-se para consertar alguma coisa na casa. Diga "O que precisa ser consertado por aqui? Eu tenho algum tempo extra". Não se encarregue de mais do que você pode fazer.
63. Ofereça-se para afiar as facas dela na cozinha.
64. Compre alguma supercola para consertar as coisas que estiverem quebradas.
65. Ofereça-se para trocar lâmpadas logo que elas queimem.
66. Ajude a reciclar o lixo.
67. Leia em voz alta ou recorte seções do jornal que interessariam a ela.
68. Escreva com capricho qualquer recado telefônico que você pegar para ela.
69. Mantenha o chão do banheiro limpo e enxugue-o depois de tomar banho.
70. Abra a porta para ela.
71. Ofereça-se para carregar as compras.
72. Ofereça-se para carregar caixas pesadas para ela.
73. Em viagens, cuide da bagagem e seja responsável pela colocação dela no carro.
74. Se ela lava a louça ou se é a vez dela, ofereça-se para ajudar a esfregar panelas ou outras tarefas difíceis.
75. Faça uma lista de "coisas para consertar" e deixe na cozinha. Quando você tiver tempo sobrando, faça alguma coisa daquela lista para ela. Não deixe que demore muito.
76. Quando ela prepara uma refeição, elogie sua culinária.
77. Quando estiver ouvindo-a falar, use contato visual.
78. Toque-a com sua mão algumas vezes quando conversar com ela.
79. Mostre interesse pelo que ela faz durante o dia, pelos livros que lê e pelas pessoas com quem se relaciona.

80. Quando estiver ouvindo-a falar, reassegure-a de que você está interessado, fazendo pequenos barulhos como ah ah, uh-huh, oh, huh e hum.
81. Pergunte a ela como está se sentindo.
82. Se ela esteve doente de alguma forma, pergunte como está se sentindo.
83. Se ela estiver cansada, ofereça-se para fazer um chá para ela.
84. Apronte-se para ir dormir junto com ela e vá para a cama ao mesmo tempo.
85. Dê-lhe um beijo e se despeça quando você sair.
86. Ria das piadas e do humor dela.
87. Diga obrigado verbalmente quando ela faz coisas para você.
88. Observe quando ela faz o cabelo e faça um comentário reafirmador.
89. Crie momentos especiais para ficarem sozinhos.
90. Não atenda ao telefone em momentos íntimos ou se ela estiver compartilhando sentimentos vulneráveis.
91. Ande de bicicleta junto com ela, mesmo que seja somente uma distância curta.
92. Organize e prepare um piquenique. (Lembre-se de levar uma toalha de piquenique.)
93. Se ela cuida da lavagem das roupas, leve as roupas para a lavanderia ou ofereça-se para lavá-las.
94. Leve-a para passear a pé sem as crianças.
95. Negocie de uma maneira que mostre a ela que você quer que ela consiga o que quer e que você também quer o que ela quer. Seja carinhoso, mas não seja um mártir.
96. Faça com que ela saiba que sentiu saudades dela quando você esteve fora.
97. Traga para casa a torta ou sobremesa preferida dela.
98. Se ela normalmente faz as compras de comida, ofereça-se para fazê-las.
99. Coma moderadamente em ocasiões românticas de modo a não ficar cheio e cansado mais tarde.
100. Peça-lhe que acrescente seus pensamentos a essa lista.
101. Deixe a tampa do vaso sanitário abaixada.

A mágica de fazer coisas pequenas

É mágico quando um homem faz pequenas coisas para sua mulher. Mantém o tanque de amor dela cheio e o placar empatado. Quando o placar está empatado, ou quase empatado, uma mulher sabe que é amada, o que faz com que confie mais e seja mais amável em resposta. Quando uma mulher sabe que é amada, ela pode amar sem ressentimentos.

Fazer pequenas coisas para uma mulher é também benéfico para um homem. De fato, essas pequenas coisas tenderão a curar os ressentimentos dele, bem como os dela. Ele começa a se sentir fortalecido porque ela está recebendo o carinho de que precisa. Ambos são então satisfeitos.

Do que um homem precisa

Do mesmo modo que os homens precisam continuar a fazer pequenas coisas para uma mulher, ela precisa ser particularmente atenciosa para apreciar as pequenas coisas que ele faz para ela. Com um sorriso e um agradecimento, ela pode fazer com que ele saiba que marcou um ponto. Um homem precisa desse apreço e desse encorajamento para continuar a se dar. Ele precisa se sentir reconhecido. Os homens param de se dedicar quando sentem que não estão sendo reconhecidos. Uma mulher precisa fazê-lo saber que o que ele faz é apreciado.

Isso não significa que ela tenha que fingir que tudo está agora perfeitamente maravilhoso porque ele esvaziou o lixo para ela. Mas ela pode simplesmente notar que ele esvaziou o lixo e dizer "obrigada". Gradualmente mais amor vai fluir de ambos os lados.

Do que um homem precisa que uma mulher aceite

Uma mulher precisa aceitar as tendências instintivas de um homem de concentrar suas energias em uma grande coisa e minimizar a importância das coisas pequenas. Aceitando essa inclinação, isso não será mais tão doloroso para ela. Em vez de se ressentir dele por dar menos, ela pode construtivamente trabalhar com ele para resolver o problema. Ela pode repetidamente fazer com que ele saiba o quanto aprecia as pequenas coisas que ele tem feito por ela e do quanto trabalha para satisfazê-la.

Ela pode se lembrar de que o fato de ele não fazer pequenas coisas não significa que não a ame, mas que ele se concentrou demais em coisas grandes de novo. Em vez de brigar com ele ou de puni-lo, ela pode encorajar seu envolvimento pessoal pedindo seu apoio. Com mais apreço e encorajamento um homem vai gradualmente aprender a valorizar as pequenas coisas tanto quanto as grandes. Ele vai se tornar menos direcionado para o sucesso cada vez maior e começar a relaxar e passar mais tempo com sua esposa e família.

Redirecionando energia e atenção

Eu me lembro de que aprendi a redirecionar minha energia para as pequenas coisas. Quando Bonnie e eu tínhamos acabado de nos casar eu era do tipo viciado em trabalho. Além de escrever livros e dar aulas em seminários, eu dava aconselhamento de cinquenta horas por semana. No primeiro ano do nosso casamento, ela fez com que eu soubesse repetidamente o quanto ela precisava de mais tempo comigo. Repetidamente ela compartilhava seus sentimentos de abandono e dor.

Às vezes compartilhava seus sentimentos numa carta. Nós chamamos isso de uma Carta de Amor. Sempre termina com amor e inclui sentimentos de raiva, tristeza, medo e pesar. No capítulo 11 nós examinamos mais profundamente os métodos e a importância de escrever essas Cartas de Amor. Ela escreveu esta carta pelo fato de eu passar tempo demais no trabalho.

Querido John,
estou escrevendo essa carta para compartilhar meus sentimentos com você. Eu não quero dizer o que fazer. Só quero que você entenda como me sinto.

Estou com raiva por você passar tanto tempo no trabalho.

Estou com raiva por você voltar para casa e não sobrar nada para mim. Quero passar mais tempo com você.

Dói sentir que você se importa mais com seus clientes do que comigo. Eu me sinto triste por você estar tão cansado. Tenho saudades de você.

Tenho medo de que você não queira passar algum tempo comigo. Tenho medo de ser mais um fardo na sua vida. Tenho medo de parecer uma chata. Tenho medo de meus sentimentos não serem importantes para você.

Sinto muito se isso é difícil de ouvir. Sei que você está dando o melhor de si. Eu aprecio o fato de você se dedicar ao trabalho.

Te amo, Bonnie

Depois de ler que ela estava se sentindo negligenciada, eu me dei conta de que realmente estava me dedicando mais aos meus clientes do que a ela. Eu dava minha atenção exclusiva aos meus clientes e então voltava para casa exausto e ignorava minha esposa.

Quando um homem trabalha demais

Eu a estava ignorando não porque não a amasse ou não me importasse com ela, mas porque eu não tinha mais nada para dar. Eu ingenuamente pensava que estava fazendo o melhor ao trabalhar duro para proporcionar uma vida melhor (mais dinheiro) para ela e para nossa família. Uma vez que entendi como ela se sentia, desenvolvi um plano para resolver esse problema no nosso relacionamento.

Em lugar de atender oito clientes por dia, eu comecei a atender sete. Fiz de conta que minha mulher era meu oitavo cliente. Toda noite eu chegava em casa uma hora mais cedo. E fazia de conta, na minha cabeça, que minha mulher era meu cliente mais importante. E comecei a dar-lhe aquela atenção devotada e exclusiva que dava a um cliente. Quando chegava em casa, começava a fazer pequenas coisas para ela. O sucesso desse plano foi imediato. Não somente ela ficou mais feliz como eu também.

Gradualmente, quando me senti amado pela forma como a apoiava e à nossa família, eu me tornei menos direcionado para o sucesso. Comecei a reduzir a marcha e, para minha surpresa, não só nosso relacionamento, mas também meu trabalho floresceu, tornando-se mais bem-sucedido sem que eu tivesse que trabalhar tanto.

Descobri que quando estava obtendo sucesso em casa meu trabalho refletia esse sucesso. Me dei conta de que obter sucesso no trabalho não significa somente trabalhar demais. Dependia também da minha habilidade de inspirar confiança nos outros. Quando me senti amado por minha família, não só me senti mais confiante, mas as outras pessoas também confiaram e me apreciaram mais.

Como uma mulher pode ajudar

O apoio de Bonnie teve um papel muito importante nessa mudança. Além de compartilhar seus sentimentos sinceros e amorosos, ela era bastante persistente em me pedir para fazer coisas para ela e então me dar bastante apreço quando eu as fazia. Gradualmente comecei a me dar conta do quanto é maravilhoso ser amado por fazer pequenas coisas. Eu fiquei aliviado do sentimento de que precisava fazer grandes coisas para ser amado. Foi uma revelação.

Quando as mulheres marcam pontos

As mulheres possuem a habilidade especial de apreciar as pequenas coisas da vida tanto quanto as grandes. Isso é uma bênção para os homens. A maioria dos homens luta por um sucesso cada vez maior porque acredita que isso os fará merecedores de amor. No fundo, eles imploram por amor e admiração. Eles não sabem que podem atrair esse amor e admiração sem terem que ser um grande sucesso.

A maioria dos homens luta por um sucesso cada vez maior porque acredita que isso os fará merecedores de amor.

Uma mulher tem a habilidade de curar um homem desse vício do sucesso apreciando as pequenas coisas que ele faz. Mas ela pode não expressar apreço se não entender o quanto isso é importante para um homem. Ela pode deixar que seu ressentimento fique no caminho.

Curando os ressentimentos

As mulheres instintivamente apreciam as pequenas coisas. As únicas exceções são quando uma mulher não se dá conta de que um homem precisa ter o seu apreço ou quando ela sente que o placar está desigual. Quando uma mulher não se sente amada ou se sente negligenciada, é difícil para ela automaticamente apreciar o que um homem faz para ela. Ela fica ressentida porque deu muito mais do que recebeu. Esse ressentimento bloqueia sua habilidade de apreciar as pequenas coisas.

Ressentimentos, como pegar uma gripe ou um resfriado, não são saudáveis. Quando uma mulher está ressentida, tende a negar o que um homem fez para ela porque, de acordo com a maneira como as mulheres mantêm contagem de pontos, ela fez muito mais.

Quando o placar está quarenta a dez a favor de uma mulher, ela pode começar a se sentir bastante ressentida. Alguma coisa acontece a uma mulher quando ela sente que está dando mais do que está recebendo. Completamente inconsciente, ela subtrai o placar dele de dez do seu placar de quarenta e conclui que o placar no relacionamento deles é de trinta a zero. Isso faz sentido matematicamente e é compreensível, mas não funciona.

Quando ela subtrai o placar dele do dela, ele termina com um zero, e ele não é um zero. Ele não deu zero; ele deu dez. Quando ele volta para casa, ela demonstra uma frieza nos olhos ou na voz que dizem que ele é um zero. Ela está negando o que ele fez. Ela reage a ele como se ele não tivesse dado nada – mas ele deu dez.

A razão pela qual uma mulher tende a reduzir os pontos de um homem dessa forma é porque ela não se sente amada. O placar desigual faz com que ela sinta que não é importante. Sentindo-se desamada, ela acha muito difícil apreciar mesmo os dez pontos que ele pode legitimamente reclamar. É claro que isso não é justo, mas é como funciona.

O que geralmente acontece num relacionamento a essa altura é o homem não se sentir apreciado e perder sua motivação para fazer mais. Ele também passa a ficar ressentido dela. Ela então continua a se sentir mais ressentida e a situação se agrava cada vez mais. Seu ressentimento piora.

O que ela pode fazer

A maneira de resolver esse problema é através da compreensão compassiva de ambos os lados. Ele precisa ser apreciado, enquanto ela precisa se sentir apoiada. Do contrário seus ressentimentos se agravam.

A solução para esse ressentimento é ela assumir a responsabilidade. Ela precisa assumir a responsabilidade por ter contribuído para seu problema ao se dedicar mais e deixando o placar tão desigual. Ela precisa deixar-se mimar e deixar que seu parceiro tome mais conta dela.

Quando uma mulher se sente ressentida, geralmente não dá ao seu parceiro uma chance de ser apoiador ou, se ele tentar, ela nega o valor do que ele fizer e dá-lhe um outro zero. Ela fecha as portas ao apoio dele. Assumindo a responsabilidade por dedicar-se demais, ela pode desistir de culpá-lo pelo problema e começar um novo cartão de registro de pontos. Ela pode lhe dar uma outra chance e, com sua nova compreensão, melhorar a situação.

O que ele pode fazer

Quando um homem não se sente apreciado, ele para de dar apoio. Uma maneira como ele pode responsavelmente lidar com essa situação é entender que é difícil para ela dar pontos pelo seu apoio e apreciá-lo quando está ressentida.

Ele pode liberar seus próprios ressentimentos compreendendo que ela precisa receber por algum tempo antes de poder dar. Ele pode se lembrar disso enquanto atenciosamente dá seu amor e afeição de pequenas formas. Por algum tempo ele não deve esperar que ela o aprecie como ele merece e precisa. Ajudará o fato de ele assumir a responsabilidade por tê-la ressentido ao não fazer as pequenas coisas de que ela precisa.

Com essa providência, ele pode se dar sem esperar muito em retorno até que ela se recupere de seu ressentimento. Saber que pode resolver esse problema vai ajudá-lo a liberar seu ressentimento. Se ele continuar a se dedicar e ela se concentrar em receber o apoio dele com amor, o equilíbrio pode ser rapidamente restaurado.

Por que os homens se dão menos

Um homem raramente pretende receber mais e dar menos. Mesmo assim são famosos por se dedicarem menos nos relacionamentos. Provavelmente você já passou por isso em seu relacionamento. As mulheres comumente reclamam que seus parceiros começam mais amáveis e então gradualmente se tornam passivos. Os homens também se sentem tratados injustamente. No começo as mulheres são tão apreciadoras e amáveis, e então elas se tornam ressentidas e exigentes. Esse mistério pode ser compreendido quando nos damos conta de como homens e mulheres mantêm a contagem de pontos diferentemente.

Há cinco razões principais para um homem parar de se dar. São elas:

1. **Marcianos idealizam equidade.** Um homem concentra todas as suas energias num projeto de trabalho e pensa que acabou de marcar cinquenta pontos. Aí ele vem para casa e relaxa, esperando que sua mulher faça seus cinquenta pontos. Ele não sabe que, para ela, ele só marcou um ponto. Ele para de se dedicar porque julga que já deu demais.

   Na sua cabeça essa é a coisa certa e justa a fazer. Ele permite que ela dê o equivalente a cinquenta pontos para empatar o placar. Ele não se dá conta de que seu trabalho duro no escritório conta somente um ponto. Seu modelo de equidade poderá funcionar somente quando ele entender e respeitar como as mulheres dão um ponto para cada presente de amor. Esse primeiro insight tem aplicações práticas tanto para homens quanto para mulheres. São elas:
   Para homens: Lembre-se de que, para uma mulher, grandes coisas e pequenas coisas contam um ponto. Todos os presentes de amor são iguais e igualmente necessários – grandes ou pequenos. Para evitar criar ressentimentos, tente fazer algumas das pequenas coisas que fazem uma grande diferença. Não espere que uma mulher

se sinta satisfeita a não ser que ela receba uma infinidade de pequenas manifestações de amor, bem como as grandes.

Para mulheres: Lembre-se de que os homens são de Marte; eles não estão automaticamente motivados a fazer pequenas coisas. Eles dão menos não porque não a amem, mas porque acreditam que já deram sua parte. Tente não tomar isso como algo pessoal. Em vez disso, encoraje-os repetidamente a dar apoio pedindo mais. Não espere até que você desesperadamente precise do seu apoio ou até que o placar esteja enormemente desigual para pedir. Não exija o apoio dele; acredite que ele quer apoiá-la, mesmo que ele precise de algum encorajamento.

2. **Venusianas idealizam amor incondicional.** Uma mulher se dá tanto quanto pode e só nota que recebeu menos quando está vazia e desgastada. As mulheres não começam contando pontos como os homens; as mulheres se dão livremente e admitem que os homens farão a mesma coisa.

Como vimos, os homens não são iguais. Um homem se dá livremente até que o placar, da maneira que ele o percebe, fica desigual, e então ele para de dar. O homem em geral se dá muito, mas depois relaxa para receber o que deu em troca.

Quando uma mulher está feliz por se dedicar a um homem, ele instintivamente admite que ela está mantendo a contagem e que ele deve ter mais pontos. De sua posição de vantagem, ele jamais continuaria a se dar quando o placar estivesse desigual a seu favor.

Se lhe for exigido que se dedique mais quando sente que já se dedicou o suficiente, o homem, definitivamente, não ficará feliz com isso. Tenha isso em mente. Quando uma mulher continua a se dedicar livremente com um sorriso no rosto, o homem admite que o placar deve estar empatado de alguma maneira. Ele não se dá conta de que as venusianas têm a habilidade excepcional de se dar alegremente até que o placar esteja trinta a zero. Esse insight tem também aplicações práticas tanto para homens quanto para mulheres:

Para homens: Lembre-se de que quando uma mulher se dá com um sorriso no rosto, isso não quer dizer necessariamente que o placar esteja próximo do empate.

Para mulheres: Lembre-se de que quando você se dá livremente a um homem, ele recebe a mensagem de que o placar está empatado. Se você quiser motivá-lo a se dar mais, então, gentil e graciosamente, pare de se dar tanto. Permita que ele faça pequenas coisas para você. Encoraje-o pedindo seu apoio nas pequenas coisas e então aprecie-o.

3. **Os marcianos dão quando lhes é pedido.** Os marcianos se orgulham de serem autossuficientes. Eles não pedem ajuda a não ser que realmente precisem. Em Marte é grosseiro oferecer ajuda a não ser que esta lhe tenha sido pedida primeiro.

Ao contrário, as venusianas não esperam para oferecer seu apoio. Quando amam alguém, elas se dão de todas as formas que podem. Elas não esperam até que alguém lhes peça, e quanto mais amam alguém, mais elas se dão.

Quando um homem não oferece seu apoio, uma mulher erroneamente admite que ele não a ama. Ela pode até testar o amor dele não pedindo definitivamente seu apoio e esperando que ele lhe ofereça. Quando ele não se oferece para ajudar, ela se ressente dele. Não entende que ele está esperando que lhe peçam.

Como vimos, manter o placar empatado é importante para um homem. Quando um homem sente que se deu demais num relacionamento, ele instintivamente pede mais apoio; ele naturalmente se sente com mais direito a receber e começa a pedir mais. Por outro lado, quando deu menos num relacionamento, a última coisa que vai fazer é pedir mais. Instintivamente ele não vai pedir mais apoio, mas procurará maneiras para que possa dar mais apoio.

Quando uma mulher não pede apoio, um homem admite erroneamente que o placar deva estar empatado ou que ele deva estar dando mais. Não sabe que ela está esperando que ele ofereça seu apoio.

Essa terceira compreensão global tem aplicações práticas tanto para homens quanto para mulheres:

Para mulheres: Lembre-se de que um homem procura pistas que lhe digam quando e como se dar mais. Ele espera que lhe peçam. Ele só parece conseguir o feedback necessário quando ela está pedindo mais ou dizendo-lhe que ele precisa se dar mais. Além disso, quando ela pede, ele sabe o que dar. Muitos homens não sabem o que fazer. Mesmo que um homem sinta que está dando menos, a menos que ela especificamente peça apoio nas pequenas coisas, ele pode devotar ainda mais da sua energia para coisas grandes como o trabalho, julgando que mais sucesso ou mais dinheiro irão ajudar.

Para homens: Lembre-se de que uma mulher instintivamente não pede apoio quando ela quer. Em vez disso, ela espera que você o ofereça se você a ama. Tente oferecer-se para ajudá-la nas pequenas coisas.

4. **As venusianas dizem sim mesmo quando o placar está desigual.** Os homens não percebem que, quando pedirem apoio, a mulher dirá sim mesmo que o placar esteja desigual. Se puderem apoiar seu homem, elas o farão. O conceito de contar pontos não está na sua mente. Os homens têm que ser cautelosos para não pedirem demais. Se sentir que está dando mais do que está recebendo, depois de algum tempo, ela se ressentirá com o fato de você não se oferecer para ajudá-la mais.

Os homens erroneamente julgam que, uma vez que ela diga sim às suas necessidades e solicitações, ela está recebendo igualmente o que quer. Ele erroneamente admite que o placar está empatado quando não está.

Eu me lembro de levar minha mulher ao cinema mais ou menos uma vez por semana durante os primeiros dois anos do nosso casamento. Um dia ela ficou furiosa comigo e disse, "Nós sempre fazemos o que você quer fazer. Nunca fazemos o que eu quero fazer".

Eu fiquei genuinamente surpreso. Eu achava que, como ela dizia sim e continuava a dizer sim, ela estava igualmente feliz com a situação. Eu julgava que ela gostasse de cinema tanto quanto eu.

Ocasionalmente ela me sugeria que fôssemos à ópera ou que ela gostaria de ir a um concerto. Quando passávamos de carro pela casa de espetáculos, ela fazia um comentário como "Parece divertido, vamos assistir a essa peça".

Mas aí, com o passar da semana eu dizia, "Vamos ver esse filme, a crítica é excelente".

E ela alegremente dizia, "Tudo bem".

Erroneamente eu recebia a mensagem de que ela estava tão feliz quanto eu de irmos ao cinema. Na verdade ela estava feliz por estar comigo, o cinema pouco importava, mas o que *ela* queria era ir aos eventos culturais locais. É por isso que ficava mencionando-os para mim. Mas como ela continuava a dizer sim ao cinema, eu não tinha ideia de que ela estava sacrificando suas vontades para me fazer feliz.

Essa compreensão global tem aplicação prática tanto para homens quanto para mulheres:

Para homens: Lembre-se de que se ela disser sim às suas solicitações, isso não significa que o placar está empatado. O placar pode estar vinte a zero na cabeça dela e ela ainda ficará feliz em dizer "Claro que pego suas roupas na lavanderia", ou "OK, eu faço essa ligação para você".

Concordar em fazer o que você quer não significa que isto seja o que *ela* quer. Pergunte-lhe o que ela quer fazer. Recolha informações sobre o que ela gosta e se ofereça para levá-la a esses lugares.

Para mulheres: Lembre-se de que se você imediatamente disser sim à solicitação de um homem, ele fica com a impressão de que deu mais ou que o placar está pelo menos empatado. Se você está dando mais e recebendo menos, pare de dizer sim às solicitações dele. Em vez disso, de uma maneira graciosa, comece a pedir que ele faça mais por você.

5. **Os marcianos dão pontos negativos.** As mulheres não se dão conta de que os homens dão pontos negativos quando se sentem desamados ou desamparados. Quando uma mulher reage a um homem de uma forma desconfiada, rejeitadora, desaprovadora ou depreciativa, ele dá pontos negativos.

Por exemplo, se um homem se sente ferido ou desamado porque sua mulher fracassou em apreciar alguma coisa que ele fez, ele se sente justificado em tirar os pontos que ela já ganhou. Se ela estiver com dez, mas ele se sente magoado por ela, ele pode reagir tirando seus dez pontos. Se ele estiver muito magoado, pode até mesmo dar-lhe um vinte negativo. Como consequência, ela agora lhe deve dez pontos, quando um minuto atrás tinha dez pontos.

Isso é muito confuso para uma mulher. Ela pode ter dado o equivalente a trinta pontos e então, num momento de raiva, ele os tira. Na sua cabeça ele se sente justificado em não dar nada porque ela lhe deve. Ele pensa que é justo. Isso pode ser justo matematicamente, mas não é realmente justo.

Pontos negativos, ou de penalização, são destrutivos para relacionamentos. Eles fazem com que uma mulher não se sinta apreciada e com que o homem dê menos. Se ele nega, na sua mente, todo o apoio amoroso que ela lhe deu, quando ela de fato expressa alguma negatividade, o que está fadado a acontecer ocasionalmente, ele então perde sua motivação para dar. Esse quinto insight tem aplicações práticas tanto para homens quanto para mulheres:

Para homens: Lembre-se de que pontos de penalização não são justos e não funcionam. Nos momentos em que você se sentir desamado, ofendido ou magoado, perdoe-a e lembre-se de tudo de bom que ela tem dado em vez de penalizá-la negando tudo. Em vez de puni-la, peça-lhe o apoio de que você precisa e ela o dará. Respeitosamente faça com que ela saiba como o magoou. Faça com que saiba como o magoou e então dê-lhe a oportunidade de se desculpar. Punição não funciona! Você se sentirá muito melhor ao dar-lhe uma chance de apoiá-lo. Lembre-se de que ela é uma venusiana – ela não sabe do que você precisa ou o quanto magoou você.

Para mulheres: Lembre-se de que os homens têm essa tendência a dar pontos de penalização. Há duas abordagens para se proteger desse abuso.

A primeira abordagem é reconhecer que ele está errado em tirar seus pontos. De uma maneira respeitosa, faça com que ele saiba como você se sente. No próximo capítulo nós vamos examinar maneiras de expressar sentimentos difíceis e negativos.

A segunda abordagem é reconhecer que ele tira pontos quando se sente desamado e magoado e imediatamente os devolve quando se sente amado e apoiado. Quando se sente cada vez mais amado pelas pequenas coisas que faz, ele gradualmente dá cada vez menos pontos de penalização. Tente compreender as diferentes formas de amor de que ele precisa para que não se magoe tanto.

Quando você é capaz de reconhecer como ele se magoou, faça com que ele saiba que você sente muito. Mais importante, dê-lhe então o amor que ele não recebeu. Se ele não se sente apreciado, dê-lhe o apreço de que ele precisa; se ele se sente rejeitado ou manipulado, dê-lhe a aceitação de que ele precisa; se ele sente que você não confia nele, dê-lhe a confiança que ele precisa; se ele se sente desmotivado, dê-lhe a admiração de que ele precisa; se ele se sente desaprovado, dê-lhe a aprovação que ele precisa e merece. Quando um homem se sente amado, ele para de atribuir pontos de penalização.

A parte mais difícil do processo acima é saber o que o magoou. Na maioria dos casos, quando um homem se retira para sua caverna, ele não sabe o que o magoou. Aí, quando sai, ele geralmente não fala sobre isso. Como é que uma mulher vai saber o que de fato magoou os sentimentos dele? Ler esse livro e entender como os homens precisam de amor diferentemente é um bom começo e lhe dá uma vantagem que as mulheres nunca tiveram antes.

A outra maneira de uma mulher saber o que aconteceu é através da comunicação. Como já disse antes, quanto mais uma mulher é capaz de se abrir e compartilhar seus sentimentos de uma forma respeitável, mais um homem será capaz de aprender a se abrir e compartilhar sua mágoa e sua dor.

Como os homens dão pontos

Os homens dão pontos diferentemente das mulheres. Toda vez que uma mulher aprecia o que um homem fez por ela, ele se sente amado e lhe dá um ponto em retorno. Para manter o placar empatado num relacionamento, o homem não pede nada a não ser amor. As mulheres não se dão conta do poder do seu amor e muitas vezes desnecessariamente procuram ganhar o amor de um homem fazendo mais coisas para ele do que querem fazer.

Quando uma mulher aprecia o que um homem faz para ela, ele recebe muito do amor de que precisa. Lembre-se, os homens precisam primordialmente de apreço. Certamente um homem também requer participação equivalente de uma mulher nas tarefas domésticas do dia a dia, mas se ele não for apreciado, então a contribuição dela não significará quase nada e não terá a menor importância para ele.

> **Certamente um homem requer participação equivalente de uma mulher nas tarefas domésticas do dia a dia, mas se ele não for apreciado, então a contribuição dela não significará quase nada e não terá a menor importância para ele.**

Da mesma forma, uma mulher não pode apreciar as grandes coisas que um homem faz para ela a menos que ele também esteja fazendo um bocado de pequenas coisas. Fazer um bocado de pequenas coisas satisfaz a necessidade primordial dela de sentir que ele se importa com ela, de se sentir compreendida e respeitada.

Uma importante fonte de amor para um homem é a reação amorosa que uma mulher tem diante do seu comportamento. Ele também tem um tanque de amor, mas o dele não fica necessariamente cheio pelo que ela faz para ele. Em vez disso, fica completo principalmente pela maneira com que ela reage a ele ou como ela se sente em relação a ele.

Quando uma mulher prepara uma refeição para um homem, ele lhe dá um ponto ou dez pontos, dependendo de como ela está se sentindo em relação a ele. Se uma mulher se ressente secretamente de um homem, uma refeição que ela cozinhe para ele pode representar muito pouco – ele pode até dar pontos negativos porque ela estava ressentida com ele. O segredo de satisfazer um homem reside em aprender a expressar amor através dos seus sentimentos, não necessariamente através das suas ações.

Falando filosoficamente, quando uma mulher se sente amorosa, seu comportamento vai automaticamente expressar esse amor. Quando um homem se expressa de forma amorosa, automaticamente seus sentimentos o seguem e se tornam mais amorosos.

Mesmo que um homem não esteja sentindo seu amor por uma mulher, ele ainda assim pode decidir fazer alguma coisa amável para ela. Se sua oferta é recebida e apreciada, então ele começará a sentir seu amor por ela de novo. "Fazer" é um modo excelente de estimular o amor de um homem.

Entretanto as mulheres são muito diferentes. Uma mulher geralmente não se sente amada se não se sente compreendida, respeitada ou que se importam com ela. Tomar uma decisão de fazer algo mais para seu parceiro não vai ajudá-la a se sentir mais amorosa. Ao contrário, pode de fato aumentar a carga de ressentimentos. Quando uma mulher não está se sentindo amorosa, ela precisa concentrar sua energia diretamente na cura de seus sentimentos negativos e não em fazer mais.

Um homem precisa priorizar o seu "comportamento amoroso", pois isso irá lhe assegurar de que as necessidades amorosas de sua parceira serão satisfeitas. Vai abrir o coração dela e também abrir seu coração para se sentir mais amoroso. O coração de um homem se abre quando ele tem sucesso em satisfazer uma mulher.

Uma mulher precisa priorizar suas "atitudes e sentimentos amorosos", que lhe assegurem que as necessidades amorosas do seu parceiro sejam satisfeitas. Quando uma mulher é capaz de expressar atitudes e sentimentos amorosos em relação a um homem, ele se sente motivado a dar mais. Isso, então, a ajuda a abrir seu coração ainda mais. O coração de uma mulher se abre mais quando ela é capaz de obter o apoio de que precisa.

As mulheres às vezes não têm consciência de quando um homem realmente precisa de amor. Em tais momentos, uma mulher pode marcar de vinte a trinta pontos. Eis alguns exemplos:

Como as mulheres podem marcar muitos pontos com os homens

O que acontece	Pontos que ele dá
1. Ele comete um erro e ela não diz "Eu te falei" ou oferece conselho.	10-20
2. Ele a desaponta e ela não o pune.	10-20
3. Ele se perde enquanto dirige e ela não superestima o fato.	10-20

4.	Ele se perde e ela vê o lado bom da situação dizendo "Nós nunca teríamos visto esse lindo pôr do sol se tivéssemos tomado o caminho certo".	20-30
5.	Ele se esquece de comprar alguma coisa e ela diz "Tudo bem. Você compra da próxima vez que sair?".	10-20
6.	Ele se esquece de comprar alguma coisa de novo e ela diz com paciência e persistência confiantes "Está bem. Mas você ainda compra?".	20-30
7.	Quando ela o tiver magoado e entender a sua mágoa, ela se desculpa e lhe dá o amor de que ele precisa.	10-40
8.	Ela pede ajuda e ele diz não, ela não fica magoada se sentindo rejeitada, mas confia que ele faria se pudesse. Ela não o rejeita ou desaprova.	10-20
9.	Outra vez ela pede ajuda e ele de novo diz não. Ela não faz com que ele se sinta errado, mas aceita suas limitações naquele momento.	20-30
10.	Ela pede o apoio dele sem ser exigente quando ele admite que o placar está de algum modo empatado.	1-5
11.	Ela pede apoio sem ser exigente quando estiver aborrecida ou ele souber que ela tem dado mais.	10-30
12.	Quando ele se isola, ela não faz com que ele se sinta culpado.	10-20
13.	Quando ele volta da sua caverna, ela lhe dá as boas-vindas e não o pune ou rejeita.	10-20
14.	Quando ele se desculpa por um erro e ela recebe isso com amável aceitação e perdão. Quanto maior o erro que ele cometer, mais pontos ele dá.	10-50

15.	Quando ele lhe pede para fazer algo e ela diz não, sem lhe dar uma lista de motivos pelos quais não pode fazê-lo.	1-10
16.	Quando ele lhe pede para fazer algo e ela diz sim e fica de bom humor.	1-10
17.	Quando ele quer se reconciliar depois de uma briga e começa a fazer pequenas coisas para ela e ela começa a apreciá-lo de novo.	10-30
18.	Ela fica feliz em vê-lo quando ele chega em casa.	10-20
19.	Ela se sente desaprovadora e, em vez de expressar essa desaprovação, retira-se para outro cômodo e reservadamente se concentra em si mesma e então volta com um coração mais equilibrado e amoroso.	10-20
20.	Em ocasiões especiais ela faz vista grossa para os erros dele que possam normalmente aborrecê-la.	20-40
21.	Ela realmente gosta de fazer sexo com ele.	10-40
22.	Ele se esquece de onde colocou suas chaves e ela não o olha como se ele fosse irresponsável.	10-20
23.	Ela tem tato e sutileza para expressar sua decepção com algum restaurante ou filme quando eles saírem.	10-20
24.	Ela não dá conselhos quando ele está dirigindo ou estacionando o carro e então o aprecia por tê-los feito chegar lá.	10-20
25.	Ela pede o apoio dele em vez de se estender sobre o que ele fez de errado.	10-20
26.	Ela compartilha seus sentimentos negativos de uma maneira centrada, sem culpá-lo ou rejeitá-lo.	10-40

Quando uma mulher pode marcar mais pontos

Cada um dos exemplos acima revela como os homens mantêm contagem de pontos diferentemente das mulheres. Mas uma mulher não precisa fazer tudo o que está aí relacionado. Essa lista revela aqueles momentos em que ele está mais vulnerável. Se ela puder ser apoiadora no que se refere a dar o que ele precisa, ele ficará muito generoso para dar-lhe pontos.

Como mencionei no capítulo 7, a habilidade de uma mulher em dar amor nos momentos difíceis flutua como uma onda. Quando a habilidade de uma mulher em dar amor está aumentando (durante o movimento ascendente de sua onda), é o momento em que ela pode marcar muitos pontos. Ela não deve esperar de si mesma ser tão amável em outros momentos.

Do mesmo modo que a habilidade da mulher em dar amor flutua, a necessidade de amor de um homem flutua. Em cada um dos exemplos acima não há uma quantidade fixa de pontos que um homem dá. Em vez disso há uma variação aproximada; quanto mais precisar do amor dela, maior será a sua tendência em dar pontos.

Por exemplo, se ele cometeu um erro e se sente constrangido, pesaroso ou envergonhado, então estará precisando mais do amor dela; por consequência ele dará mais pontos se a reação dela foi ajudá-lo. Quanto maior o erro, mais pontos ele lhe dará por seu amor. Se não receber o seu amor, ele tenderá a lhe dar pontos negativos de acordo com o quanto ele precisava de amor. Se se sentir rejeitado como consequência de um grande erro, ele pode atribuir-lhe muitos pontos negativos.

Se um homem cometeu um erro e se sente constrangido, pesaroso ou envergonhado, então estará precisando mais do amor dela... Quanto maior o erro, mais pontos ele lhe dará.

O que coloca os homens na defensiva

Um homem pode ficar nervoso com uma mulher se ele cometeu um erro e ela está aborrecida. O aborrecimento dele é proporcional ao tamanho do seu erro. Um erro pequeno o torna menos defensivo, enquanto um grande erro o deixa muito mais defensivo. Às vezes as mulheres se perguntam por que o homem não se desculpa por um grande erro cometido. A resposta é que ele tem medo de não ser perdoado. É doloroso demais reconhecer que fracassou para ela de alguma forma. Em vez de desculpar-se, ele pode ficar nervoso pelo fato de ela estar aborrecida, e lhe dar pontos negativos.

Quando um homem está num estado negativo, trate-o como uma tempestade passageira e proteja-se.

Quando um homem está num estado negativo, se ela puder tratá-lo como uma tempestade passageira e se proteger, depois que a tempestade tiver passado, ele lhe dará muitos pontos por não julgá-lo mal ou por não tentar mudá-lo. Se ela tentar parar o ciclone vai criar devastação e ele a culpará por interferir.

Esse é um novo insight para muitas mulheres porque em Vênus, quando alguém está aborrecido, as venusianas nunca ignoram o fato ou mesmo pensam em se proteger. Tempestades não existem em Vênus. Quando alguém está aborrecido, todo mundo se envolve com o problema e tenta entender o que está incomodando essa pessoa fazendo um bocado de perguntas. Quando uma tempestade acontece em Marte, todo mundo trata de procurar um refúgio para se proteger.

Quando os homens dão pontos de penalização

Ajuda muito quando as mulheres compreendem que os homens mantêm contagem de pontos diferentemente. O fato de os homens darem pontos de penalização é muito confuso para as mulheres e não faz com que seja seguro para elas compartilharem seus sentimentos. Certamente seria maravilhoso se todos os homens pudessem ver o quanto são injustos os pontos de penalização e mudassem da noite para o dia – mas mudanças levam tempo. O que pode ser reafirmador para uma mulher, no entanto, é saber que do mesmo modo que um homem dá rapidamente pontos de penalização, ele também os retira.

Um homem que dá pontos de penalização é semelhante à mulher ressentida. Ela subtrai o placar dele do dela e lhe dá um zero. Em tais momentos um homem pode simplesmente compreender que ela está ressentida e dar-lhe algum amor extra.

Similarmente, quando um homem está dando pontos de penalização, uma mulher pode se dar conta de que ele tem a sua própria versão do ressentimento. Ele precisa de algum amor extra para que possa melhorar. Como consequência, ele imediatamente lhe dá pontos positivos para empatar o placar de novo.

Aprendendo como marcar muitos pontos com um homem, uma mulher tem uma nova vantagem para apoiar seu homem quando ele parece distante e magoado. Em vez de fazer pequenas coisas para ele (da lista 101 Maneiras de Marcar Pontos com uma Mulher), que é o que ela gostaria, ela pode concentrar suas energias com mais sucesso em dar-lhe o que ele quer (como listado em Como as Mulheres Podem Marcar Muitos Pontos com os Homens).

Lembrando nossas diferenças

Tanto homens quanto mulheres podem se beneficiar enormemente lembrando-se do quão diferentemente contam pontos. Melhorar um relacionamento não requer mais energia do que a que já estamos despendendo e não tem que ser terrivelmente difícil. Relacionamentos são exaustivos até que aprendamos como direcionar nossas energias para uma forma que nosso(a) parceiro(a) possa apreciar completamente.

11

COMO COMUNICAR SENTIMENTOS DIFÍCEIS

Quando estamos aborrecidos, desapontados, frustrados ou nervosos é difícil nos comunicarmos amistosamente. Quando emoções negativas vêm à tona, tendemos momentaneamente a perder nossos sentimentos amorosos de confiança, carinho, compreensão, aceitação, apreço e respeito. Em tais momentos, mesmo com a melhor das intenções, conversar se transforma em brigar. No calor do momento nós não nos lembramos de como nos comunicar de uma forma que funcione para o nosso parceiro ou para nós.

Em momentos como esses as mulheres inadvertidamente tendem a acusar os homens e fazê-los se sentirem culpados por suas ações. Em vez de se lembrar de que seu parceiro está fazendo o melhor que pode, uma mulher poderia supor o pior e parecer crítica e ressentida. Quando sente um surto de sentimentos negativos, é especialmente difícil para uma mulher falar de uma maneira confiante, receptiva e apreciadora. Ela não se dá conta do quanto sua atitude é negativa e prejudicial para o seu parceiro.

Quando os homens ficam aborrecidos, eles tendem a julgar as mulheres e seus sentimentos. Em vez de se lembrar de que sua parceira é vulnerável e sensível, um homem pode esquecer as necessidades dela e parecer egoísta e desatencioso. Quando sente um surto de sentimentos negativos é difícil para ele falar de uma maneira carinhosa, compreensiva e respeitosa. Ele não se dá conta do quanto sua atitude negativa é prejudicial a ela.

Esses são momentos em que conversar não adianta. Felizmente há outra alternativa. Em vez de compartilhar seus sentimentos verbalmente, escreva uma carta para ele ou ela. Escrever cartas permite que você ouça seus próprios sentimentos sem se preocupar em magoar o seu(sua) parceiro(a). Expressando e ouvindo livremente seus próprios sentimentos, você automaticamente se torna mais equilibrado e amoroso. Quando os homens escrevem cartas, eles se tornam mais carinhosos, compreensivos e respeitosos; quando as mulheres escrevem cartas, elas se tornam mais confiantes, receptivas e apreciativas.

Escrever nossos sentimentos negativos é uma excelente maneira de tomar consciência do quanto você pode parecer desamoroso(a). Com essa maior consciência, você pode ajustar a sua abordagem. Além disso, ao escrever suas emoções negativas, a intensidade delas pode ser descarregada, deixando espaço para que sentimentos positivos sejam sentidos de novo. Tendo se tornado mais equilibrado(a), você pode, então, ir até seu(sua) parceiro(a) e falar com ele ou ela de uma maneira mais amorosa – uma maneira que seja menos judiciosa ou acusadora. Como consequência suas chances de ser compreendido(a) e aceito(a) são muito maiores.

Depois de escrever sua carta, você pode não sentir mais necessidade de conversar. Em vez disso, você poderia ficar inspirado(a) para fazer alguma coisa amável para seu(sua) parceiro(a). Quer você compartilhe os sentimentos na sua carta ou simplesmente escreva uma carta para se sentir melhor, escrever seus sentimentos é uma ferramenta importante.

**Quer você compartilhe seus sentimentos na
sua carta ou simplesmente escreva uma carta para
se sentir melhor, escrever seus sentimentos
é uma ferramenta essencial.**

Em vez de escrever seus sentimentos, você pode também escolher um processo semelhante. Simplesmente abstenha-se de falar e faça uma revisão do que aconteceu na sua cabeça. Na sua imaginação imagine que você esteja dizendo o que sente, pensa e quer – sem se censurar de forma alguma. Levando avante um diálogo interno que expresse a verdade completa dos seus sentimentos, você repentinamente se verá livre das garras deles. Quer você escreva seus sentimentos ou o faça mentalmente, explorando, sentindo e expressando seus sentimentos negativos, eles perdem seu poder e os sentimentos positivos reemergem. A Técnica da Carta de Amor aumenta o poder e a eficácia desse processo tremendamente. Apesar de ser uma técnica de escrita, ela também pode ser feita mentalmente.

A Técnica da Carta de Amor

Uma das melhores maneiras de se liberar a negatividade e se comunicar de uma forma mais amável é usar a Técnica da Carta de Amor. Ao escrever seus sentimentos de uma maneira particular as emoções negativas automaticamente diminuem e os sentimentos positivos aumentam. A Técnica da Carta de Amor intensifica o processo de se escrever cartas. Há três aspectos ou partes para a Técnica da Carta de Amor.

1. Escreva uma Carta de Amor expressando seus sentimentos de raiva, tristeza, arrependimento e amor.
2. Escreva uma Carta-Resposta expressando o que você quer ouvir do(a) seu(sua) parceiro(a).
3. Compartilhe sua Carta de Amor e sua Carta-Resposta com seu(sua) parceiro(a).

A Técnica da Carta de Amor é bastante flexível. Você pode escolher fazer todos os três passos ou pode precisar fazer somente um ou dois deles. Por exemplo, você pode praticar os passos um e dois a fim de se sentir mais equilibrado(a) e amoroso(a) e então ter uma conversa verbal com seu(sua) parceiro(a) sem se sentir indefeso(a), culpado(a) ou ressentido(a). Uma outra hora você pode escolher fazer todos os três passos e compartilhar sua Carta de Amor e sua Carta-Resposta com seu(sua) parceiro(a).

Fazer todos os três passos é uma experiência poderosa e cicatrizante para ambos. No entanto, às vezes fazer todos os três passos leva tempo demais ou é impróprio. Em algumas situações, a técnica mais poderosa é fazer simplesmente o passo número um e escrever uma Carta de Amor. Vamos examinar alguns exemplos de como escrever uma Carta de Amor.

Passo nº 1:
Escrever uma Carta de Amor

Para escrever uma Carta de Amor, encontre um lugar isolado e escreva uma carta para seu(sua) parceiro(a). Em cada Carta de Amor expresse seus sentimentos de raiva, tristeza, medo, arrependimento e então amor. Esse formato permite que você se expresse e compreenda seus sentimentos completamente. Como consequência da compreensão de todos os seus sentimentos, você será capaz, então, de se comunicar com seu(sua) parceiro(a) de uma maneira mais equilibrada e amorosa.

Quando estamos aborrecidos, geralmente temos muitos sentimentos de uma vez só. Por exemplo, quando seu(sua) parceiro(a) a desaponta, você pode sentir *raiva* por ele estar sendo insensível, raiva por ela não estar sendo apreciadora; *tristeza* por ele ficar tão preocupado com seu trabalho, triste porque ela não parece confiar em você; *medo* de que ela nunca vá perdoá-lo, medo de que ele não se importe tanto com você; *pesar* por você estar secretamente contendo seu amor por ele ou ela. Mas, ao mesmo tempo, você *ama* que ele ou ela seja seu(sua) parceiro(a) e você quer o seu amor e atenção.

Para encontrar nossos sentimentos amorosos, muitas vezes precisamos primeiro sentir todos os nossos sentimentos negativos. Depois de expressar esses quatro níveis de sentimentos negativos (raiva, tristeza, medo e arrependimento), nós podemos sentir e expressar totalmente nossos sentimentos amorosos. Escrever Cartas de Amor automaticamente diminui a intensidade dos nossos sentimentos negativos e nos permite experimentar mais completamente nossos sentimentos positivos. Aqui estão algumas indicações para escrever uma Carta de Amor básica:

1. Enderece a carta a seu(sua) parceiro(a). Faça de conta que ele ou ela está ouvindo com amor e compreensão.

2. Comece com raiva, depois tristeza, depois medo, depois arrependimento e então amor. Inclua todas as cinco seções em cada carta.
3. Escreva algumas frases sobre cada sentimento; mantenha cada seção com aproximadamente a mesma extensão. Escreva em uma linguagem simples.
4. Depois de cada seção, faça uma pausa e observe o próximo sentimento vindo à tona. Escreva sobre esse sentimento.
5. Não conclua a carta, até que você chegue ao amor. Seja paciente e espere até o amor aparecer.
6. Assine seu nome no final. Tire alguns minutos para pensar sobre o que você precisa ou quer. Escreva isso num P.S.

Para simplificar a carta, você pode querer fazer cópias do modelo a seguir para usar como um guia na feitura das suas próprias Cartas de Amor. Em cada uma das cinco seções estão incluídas algumas frases de indicação úteis para ajudá-lo(a) a expressar seus sentimentos. Geralmente as expressões mais liberadoras são: "Eu estou com raiva", "Eu estou triste", "Eu estou com medo", "Eu sinto muito", "Eu quero" e "Eu amo". No entanto, quaisquer frases que o(a) ajudarem a expressar seus sentimentos vão funcionar. Geralmente leva vinte minutos para completar uma Carta de Amor.

Uma Carta de Amor

Querido(a)_____ Data_____
estou escrevendo esta carta para compartilhar meus sentimentos com você.

1. **Por raiva**
   - Eu não gosto...
   - Me sinto frustrado(a)...
   - Fico com raiva de...
   - Fico aborrecido(a)...
   - Eu quero...
2. **Por tristeza**
   - Me sinto desapontado(a)...
   - Estou triste porque...

- Estou magoado(a)...
- Eu quis...
- Eu quero...

3. **Por medo**
   - Me sinto preocupado(a)...
   - Eu temo que...
   - Estou com medo...
   - Eu não quero....
   - Eu preciso...
   - Eu quero...

4. **Por arrependimento**
   - Me sinto constrangido(a)...
   - Sinto muito...
   - Sinto vergonha...
   - Eu não queria...
   - Eu quero...

5. **Por amor**
   - Eu amo...
   - Eu quero...
   - Eu entendo...
   - Eu perdoo...
   - Eu aprecio...
   - Eu te agradeço por...
   - Eu sei...

P.S. A resposta que eu gostaria de ouvir de você:

Aqui estão algumas situações típicas e alguns exemplos de Cartas de Amor que vão ajudá-lo(a) a entender a técnica.

Uma Carta de Amor sobre o esquecimento

Quando Tom tirou uma soneca mais prolongada do que tinha programado e se esqueceu de levar sua filha, Hayley, ao dentista, sua mulher, Samantha, ficou furiosa. Em vez de confrontar Tom com sua raiva e desaprovação, no entanto, ela se sentou e escreveu a Carta de Amor a seguir. Depois disso ela foi capaz de abordar Tom de uma maneira mais equilibrada e receptiva.

Como escreveu essa carta, Samantha não sentiu um impulso por passar um sermão ou rejeitar seu marido. Em vez de entrarem numa discussão, eles aproveitaram uma noite amorosa. Na semana seguinte, Tom se assegurou de que Hayley chegasse ao dentista.

Essa é a Carta de Amor de Samantha:

Querido Tom,
1. **Raiva:** Estou furiosa por você ter esquecido. Estou com raiva de você ter dormido demais. Eu odeio quando você tira uma soneca e se esquece de tudo. Estou cansada de me sentir responsável por tudo. Você espera que eu faça tudo. Estou cansada disso.
2. **Tristeza:** Estou triste por Hayley ter perdido sua consulta. Estou triste por você ter esquecido. Estou triste porque sinto como se eu não pudesse contar com você. Estou triste que você tenha que trabalhar tanto. Estou triste por você estar tão cansado. Estou triste por você ter menos tempo para mim. Me sinto magoada quando você não fica excitado ao me ver. Me sinto magoada quando você esquece as coisas. Sinto como se você não se importasse.
3. **Medo:** Tenho medo de ter que fazer tudo. Tenho medo de confiar em você. Tenho medo de você não se importar. Tenho medo de ter que ser responsável da próxima vez. Eu não quero fazer tudo. Preciso da sua ajuda. Tenho medo de precisar de você. Tenho medo de que você nunca seja responsável. Tenho medo de que você esteja trabalhando demais. Tenho medo de que você adoeça.
4. **Arrependimento:** Eu me sinto constrangida quando você perde compromissos. Me sinto embaraçada quando você se atrasa. Sinto muito por ser tão exigente. Sinto muito por não ser mais receptiva. Sinto vergonha de não ser mais amorosa. Não quero rejeitar você.
5. **Amor:** Amo você. Eu compreendo que você estava cansado. Você trabalha muito. Eu sei que você está dando o melhor de si. Eu o perdoo por esquecer. Obrigada por marcar uma outra consulta. Obrigada por querer levar Hayley ao dentista. Eu sei que você realmente se importa. Eu sei que você me ama. Eu sinto que tenho

tanta sorte por ter você na minha vida. Eu quero ter uma noite de amor com você.

Amor, Samantha

P.S. Eu preciso que você me diga que se responsabilizará por levar Hayley semana que vem ao dentista.

Uma Carta de Amor sobre a indiferença

Jim estava de partida para uma viagem na manhã seguinte. Naquela noite sua esposa, Virginia, tentou criar alguma intimidade. Ela trouxe uma manga para o quarto e lhe ofereceu um pedaço. Jim estava preocupado lendo um livro na cama e comentou brevemente que não estava com fome. Virginia se sentiu rejeitada e saiu. Por dentro, ela estava magoada e com raiva. Em vez de voltar e reclamar da grosseria e insensibilidade dele, ela escreveu uma Carta de Amor.

Depois de escrever essa carta, Virginia, sentindo-se mais receptiva e capaz de perdoar, voltou para o quarto e disse, "Essa é nossa última noite antes de você viajar, vamos passar algum tempo especial juntos", Jim colocou seu livro de lado e eles tiveram uma deliciosa noite íntima. Escrever uma Carta de Amor deu a Virginia a força e o amor para resistir mais diretamente em conseguir a atenção do seu parceiro. Ela nem precisou compartilhar sua Carta de Amor com seu parceiro.

Eis sua carta:

Querido Jim,

1. **Raiva:** Estou frustrada com o fato de você querer ler um livro e essa ser a nossa última noite juntos antes da sua partida. Estou com raiva por você me ignorar. Estou com raiva por você não querer passar esse tempo comigo. Estou com raiva por não passarmos mais tempo juntos. Tem sempre alguma coisa mais importante do que eu. Eu quero sentir que você me ama.

2. **Tristeza:** Estou triste por você não querer ficar comigo. Estou triste por você trabalhar tanto. Eu sinto como se você nem fosse notar se eu não estivesse aqui. Estou triste por você estar sempre

ocupado. Estou triste por você não querer conversar comigo. Eu me sinto magoada por você não se importar. Eu não me sinto especial.

3. **Medo:** Tenho medo de que você nem saiba por que estou aborrecida. Tenho medo de que você não se importe. Tenho medo de compartilhar meus sentimentos com você. Tenho medo de que você vá me rejeitar. Tenho medo de estarmos nos afastando cada vez mais. Fico com medo de não poder fazer nada a respeito. Tenho medo de estar aborrecendo você. Tenho medo de que você não goste de mim.

4. **Arrependimento:** Eu fico tão constrangida querendo passar algum tempo com você quando você nem se importa. Fico constrangida de ficar tão aborrecida. Sinto muito se isso parece exigente. Sinto muito não ser mais amorosa e receptiva. Sinto muito por ter sido fria quando você não quis passar um tempo comigo. Sinto muito não lhe ter dado outra chance. Sinto muito por ter parado de confiar no seu amor.

5. **Amor:** Eu o amo mesmo. É por isso que eu trouxe a manga. Eu queria fazer alguma coisa para agradar. Eu queria passar algum tempo especial junto com você. Ainda quero ter uma noite especial. Eu o perdoo por ser tão indiferente comigo. Eu o perdoo por não responder na hora. Eu compreendo que você estava no meio da leitura de alguma coisa. Vamos ter uma noite amável e íntima.

Eu te amo, Virginia

P.S. A resposta que eu gostaria de escutar: "Eu te amo, Virginia, e também quero passar uma noite amável contigo. Vou sentir saudades de você."

Uma Carta de Amor sobre discussões

Michael e Vanessa discordaram sobre uma decisão financeira. Em poucos minutos eles estavam discutindo. Quando Michael notou que estava começando a gritar, ele parou de gritar, respirou fundo e então disse, "Eu preciso de algum tempo para pensar sobre isso e aí nós conversaremos".

Então ele dirigiu-se para outro cômodo e escreveu seus sentimentos numa Carta de Amor.

Depois de escrever a carta, ele foi capaz de voltar e debater o problema de uma maneira mais compreensiva. Como consequência, eles foram capazes de amavelmente resolver seu problema.

Eis a sua Carta de Amor:

Querida Vanessa,
1. **Raiva:** Estou com raiva por você ficar tão exaltada. Estou com raiva por você ficar me entendendo mal. Estou com raiva por você não poder ficar calma quando conversamos. Estou com raiva por você ser tão sensível e se magoar facilmente. Estou com raiva por você não confiar em mim e me rejeitar.
2. **Tristeza:** Estou triste por estarmos discutindo. Fico magoado ao sentir suas dúvidas e sua desconfiança. Dói em mim perder o seu amor. Estou triste por termos brigado. Estou triste por discordarmos.
3. **Medo:** Estou com medo de cometer um erro. Tenho medo de não poder fazer o que quero sem aborrecê-la. Tenho medo de compartilhar meus sentimentos. Tenho medo de que você faça com que eu me sinta errado. Tenho medo de parecer incompetente. Tenho medo de que você não me aprecie. Tenho medo de falar com você quando você está tão aborrecida. Não sei o que dizer.
4. **Arrependimento:** Sinto muito por tê-la magoado. Sinto muito por não concordar com você. Sinto muito por ter me tornado tão frio. Desculpe por ser tão resistente às suas ideias. Perdoe-me por viver em tal correria para fazer o que quero. Perdoe-me por ter feito com que seus sentimentos estivessem errados. Você não merece ser tratada dessa maneira. Sinto muito tê-la julgado.
5. **Amor:** Eu a amo e quero dar um jeito nas coisas. Acho que poderia ouvir seus sentimentos agora. Eu quero apoiá-la. Eu entendo que magoei seus sentimentos. Sinto muito por ter invalidado tanto seus sentimentos. Eu quero ser seu herói e não quero simplesmente concordar com tudo. Quero que você me admire. Eu preciso ser eu mesmo e apoiá-la para que você seja você mesma. Eu a amo.

Dessa vez, quando conversarmos, serei mais paciente e compreensivo. Você merece.

Eu te amo, Michael

P.S. A resposta que eu gostaria de escutar: "Amo você, Michael. Eu realmente aprecio esse homem carinhoso e compreensivo que você é. Eu creio que podemos dar um jeito nisso."

Uma Carta de Amor sobre frustração e desapontamento

Jean deixou um recado para seu marido, Bill, dizendo que queria que ele trouxesse uma correspondência importante para casa. De algum modo, Bill não recebeu o recado. Quando ele chegou em casa sem a correspondência, a reação de Jean foi forte frustração e desapontamento.

Apesar de Bill não ter feito nada de errado, quando Jean continuou a fazer comentários sobre o quanto ela precisava daquela correspondência e sobre o quanto estava frustrada, ele começou a se sentir acusado e agredido. Jean não se deu conta de que Bill estava tomando todos os seus sentimentos de frustração e desapontamento como uma coisa pessoal. Bill estava quase para explodir e fazer com que ela se sentisse errada por estar aborrecida.

Em vez de despejar seus sentimentos defensivos nela e arruinar a noite deles, ele sabiamente decidiu tirar dez minutos e escrever uma Carta de Amor. Quando terminou de escrever, ele voltou mais amável e deu um abraço em sua esposa dizendo, "Sinto muito que você não tenha recebido sua correspondência. Eu gostaria de ter recebido o recado. Você ainda me ama mesmo assim?". Jean reagiu com muito amor e apreço e eles tiveram uma noite maravilhosa em vez de uma guerra fria.

Eis a Carta de Amor de Bill:

Querida Jean,
1. **Raiva:** Eu detesto quando você fica muito aborrecida. Detesto quando você me culpa. Estou com raiva por você estar tão infeliz. Estou com raiva por você não ficar feliz em me ver. Sinto como se nada do que eu fizesse jamais fosse o bastante. Eu quero que você me aprecie e fique feliz em me ver.

2. **Tristeza:** Estou triste por você estar tão frustrada e desapontada. Estou triste por você não estar feliz comigo. Eu quero que você seja feliz. Estou triste porque o trabalho está sempre interferindo em nossa vida amorosa. Estou triste por você não apreciar todas as coisas maravilhosas que temos nas nossas vidas. Estou triste por não ter voltado para casa com a correspondência de que você precisava.
3. **Medo:** Tenho medo de não fazê-la feliz. Tenho medo de que você fique infeliz a noite toda. Tenho medo de me abrir com você ou de me aproximar de você. Tenho medo de precisar do seu amor. Tenho medo de não ser bom o bastante. Tenho medo de que você fique contra mim.
4. **Arrependimento:** Sinto muito por não ter trazido a correspondência para casa. Sinto muito que você esteja tão infeliz. Sinto muito não ter pensado em ligar para você. Eu não queria aborrecê-la. Eu queria que você ficasse feliz em me ver. Nós temos um feriado de quatro dias e eu quero que seja especial.
5. **Amor:** Eu a amo e quero que você seja feliz. Eu compreendo que você esteja aborrecida. Eu compreendo que você não esteja tentando me fazer sentir mal. Você só precisa de um abraço e de alguma empatia. Sinto muito. Às vezes eu não sei o que fazer e começo a achar que você esteja errada. Obrigado por ser minha esposa. Você não tem que ser perfeita e não tem que estar feliz. Eu compreendo que você esteja aborrecida por causa da correspondência.

Eu te amo, Bill

P.S. A resposta que eu gostaria de escutar: "Amo você, Bill. Eu aprecio o quanto você faz por mim. Obrigada por ser meu marido."

Passo nº 2: Escrever a Carta-Resposta

Escrever uma Carta-Resposta é o segundo passo da Técnica da Carta de Amor. Uma vez que você tenha expressado tanto seus sentimentos negativos quanto os positivos, tirar de três a cinco minutos adicionais para escrever uma Carta-Resposta pode ser um processo benéfico. Nessa carta você vai escrever o tipo de resposta que você gostaria de ter do seu(sua) parceiro(a).

Funciona assim. Imagine que seu(sua) parceiro(a) é capaz de reagir amorosamente aos seus sentimentos feridos – aqueles que você expressou na sua Carta de Amor. Escreva uma pequena carta para si mesmo(a) fingindo que é seu(sua) parceiro(a) escrevendo para você. Inclua todas as coisas que você gostaria de ouvir do seu(sua) parceiro(a) sobre as mágoas que você expressou. As frases de indicação a seguir podem ser um bom começo:

- Obrigado(a) por...
- Eu compreendo...
- Sinto muito...
- Você merece...
- Eu amo...

Às vezes escrever uma Carta-Resposta é ainda mais benéfico do que escrever uma Carta de Amor. Escrever o que nós verdadeiramente queremos e precisamos aumenta nossa abertura para receber o apoio que merecemos. Além disso, quando imaginamos nossos(as) parceiros(as) respondendo amavelmente, nós de fato fazemos com que fique mais fácil para eles(as) o fazerem.

Algumas pessoas são muito boas na descrição de seus sentimentos negativos, mas encontram dificuldades ao tentarem descrever os sentimentos de amor. É especialmente importante para essas pessoas escrever Cartas--Respostas e examinar o que elas gostariam de ouvir em retorno. Tente reconhecer a sua própria resistência quanto a deixar seu(sua) parceiro(a) apoiá-lo(a). Isso lhe proporcionará uma consciência adicional sobre como deve ser difícil para seu(sua) parceiro(a) lidar amorosamente com você nessas horas.

Como podemos aprender sobre as necessidades do(a) nosso(a) parceiro(a)

Às vezes as mulheres fazem objeção a escrever Cartas-Respostas. Elas têm um sentimento oculto que diz "Eu não quero dizer a ele do que preciso; se realmente me ama, ele vai saber". Nesse caso uma mulher deve se lembrar de que os homens são de Marte e não sabem o que uma mulher precisa; eles precisam que isso lhes seja dito.

A resposta de um homem é mais um reflexo do seu planeta do que um espelho do seu amor. Se ele fosse um venusiano, saberia o que dizer, mas ele não é. Os homens realmente não sabem como reagir aos sentimentos de uma mulher. Na maioria dos casos nossa cultura não ensina aos homens o que uma mulher precisa.

Se um homem viu e escutou seu pai responder com palavras amáveis aos sentimentos negativos de sua mãe, então ele terá uma ideia melhor do que fazer. Nestas circunstâncias ele não sabe porque nunca foi ensinado. Cartas-Respostas são a melhor maneira de ensinar um homem sobre as necessidades de uma mulher. Vagarosamente, mas com certeza, ele vai aprender.

Cartas-Respostas são a melhor maneira de ensinar um homem sobre as necessidades de uma mulher.

Algumas vezes as mulheres me perguntam "Se eu lhe disser o que quero escutar, e ele começar a dizer, como é que eu vou saber que ele não está dizendo da boca para fora? Tenho medo de que ele não queira dizer realmente aquilo".

Essa é uma questão importante. Se um homem não amar uma mulher ele não vai nem se importar em lhe dar o que ela precisa. Se ele pelo menos tentar dar uma resposta similar ao pedido dela, então o mais provável é que esteja realmente tentando responder.

Se ele não lhe parecer completamente sincero, é porque ele está aprendendo alguma coisa nova. Aprender uma nova maneira de responder é esquisito. Para ele pode parecer fraqueza. É um momento crítico. Ele precisa de muito apreço e encorajamento. Ele precisa de feedback que lhe diga que está na trilha certa.

Se sua tentativa de apoiá-la parecer de algum modo insincera, é geralmente porque ele tem medo de que suas tentativas não deem certo. Se uma mulher apreciar sua tentativa da próxima vez, ele se sentirá mais seguro e assim será capaz de ser mais sincero. O homem não é um bobo. Quando ele sente que uma mulher é receptiva e que ele pode responder de uma maneira que faça uma diferença positiva, ele o fará. Simplesmente leva tempo.

As mulheres também podem aprender muito sobre os homens e do que eles precisam ao lerem a Carta-Resposta de um homem. Uma mulher fica geralmente perplexa com a reação de um homem a ela. Ela não tem ideia do porquê ele rejeita suas tentativas de apoiá-lo. Ela entende mal o que ele precisa. Às vezes ela resiste porque pensa que ele quer que ela desista de si mesma. Na maioria dos casos, no entanto, ele realmente quer que ela confie nele, que o aprecie e o aceite.

Para receber apoio, nós não somente temos que ensinar aos(às) nossos(as) parceiros(as) o que precisamos mas também temos que estar dispostos a sermos apoiados. Cartas-Respostas asseguram que uma pessoa esteja aberta para ser apoiada. Do contrário a comunicação pode não funcionar. Compartilhar sentimentos magoados com uma atitude do tipo "Nada do que você disser poderá me fazer sentir melhor" não é somente contraproducente, mas também prejudicial ao(à) seu(sua) parceiro(a). É melhor não falar nessas horas.

Aqui está um exemplo de uma Carta de Amor e de sua Carta-Resposta. Observe que a resposta ainda está sob o P.S., mas é um pouco mais longa e mais detalhada do que os exemplos já previstos.

Uma Carta de Amor e uma Carta-Resposta sobre a resistência dele

Quando Theresa pede ao seu marido, Paul, que a ajude, ele resiste a ela e se sente sobrecarregado com o seu pedido.

Querido Paul,
1. **Raiva:** Estou com raiva por você resistir a mim. Estou com raiva por você não se oferecer para me ajudar. Estou com raiva por sempre ter que pedir. Eu faço muito por você. Preciso da sua ajuda.

2. **Tristeza:** Estou triste por você não querer me ajudar. Estou triste porque me sinto tão sozinha! Eu quero fazer mais coisas juntos. Eu tenho saudades do seu apoio.
3. **Medo:** Tenho medo de pedir seu apoio. Tenho medo da sua raiva. Tenho medo de que você vá dizer não e então eu fique magoada.
4. **Arrependimento:** Sinto muito por me ressentir tanto de você. Sinto muito por chateá-lo e criticá-lo tanto. Sinto muito não apreciá-lo mais. Sinto muito por me dedicar demais e então exigir que você faça o mesmo.
5. **Amor:** Amo você. Compreendo que você esteja dando o melhor de si. Sei que você se importa comigo. Quero pedir de uma forma mais amável. Você é um pai muito amoroso com as crianças.

Eu te amo, Theresa

P.S. A resposta que eu gostaria de escutar é:

Querida Theresa,
Obrigado por me amar tanto. Obrigado por compartilhar seus sentimentos. *Eu compreendo* que você se magoa quando ajo como se seus pedidos fossem exigentes demais; quando resisto a você. *Sinto muito* por não me oferecer para ajudá-la mais. *Eu amo você sim* e fico feliz por você ser minha esposa.

Eu te amo, Paul

Passo nº 3:
Compartilhar sua Carta de Amor e Carta-Resposta

Compartilhar suas cartas é importante pelas seguintes razões:

- Dá ao seu(sua) parceiro(a) uma oportunidade de apoiá-lo(a).
- Permite que você receba a compreensão de que precisa.
- Dá o feedback necessário ao(à) seu(sua) parceiro(a) de maneira amável e respeitosa.
- Motiva mudanças no relacionamento.
- Cria intimidade e paixão.

- Ensina ao(à) seu(sua) parceiro(a) o que é importante para você e como ele(ela) pode apoiá-lo(a) com sucesso.
- Ajuda os casais a começarem a conversar de novo quando a comunicação se rompe.
- Nos ensina como escutar sentimentos negativos de uma maneira segura.

Há cinco maneiras de compartilharmos nossas cartas delineadas abaixo. Nesse caso, admitimos que *ela* escreveu a carta, mas esses métodos funcionam da mesma forma se *ele* tivesse escrito a carta.

1. *Ele* lê a Carta de Amor e a Carta-Resposta dela em voz alta enquanto ela está presente. Então ele segura as mãos dela e dá sua própria resposta amorosa com uma maior consciência do que ela precisa ouvir.
2. *Ela* lê sua Carta de Amor e Carta-Resposta em voz alta enquanto ele está ouvindo. Então ele segura as mãos dela e dá sua própria resposta amorosa com uma maior consciência do que ela precisa ouvir.
3. *Primeiro ele lê a Carta-Resposta dela em voz alta para ela.* Depois lê a Carta de Amor dela em voz alta. É muito mais fácil para um homem ouvir sentimentos negativos quando ele já sabe como responder a esses sentimentos. Deixar um homem saber o que se exige dele faz com que ele não entre tanto em pânico quando estiver escutando sentimentos negativos. Após ele ler a Carta de Amor dela, ele então segura suas mãos e dá sua própria resposta amorosa com uma maior consciência do que ela precisa ouvir.
4. *Primeiro ela lê a Carta-Resposta para ele.* Então ela lê sua Carta de Amor em voz alta. Finalmente ele segura as mãos dela e lhe dá uma resposta amorosa com uma maior consciência do que ela precisa.
5. *Ela dá as cartas a ele e ele as lê reservadamente num prazo de vinte e quatro horas.* Depois de ter lido as cartas, ele agradece por tê-las escrito e segura as mãos dela, dando-lhe uma resposta amorosa com uma maior consciência do que ela precisa.

O que fazer se seu(sua) parceiro(a) não pode responder amorosamente

Baseados em suas experiências passadas, alguns homens e mulheres têm enorme dificuldade em escutar Cartas de Amor. Nessa caso não se deve esperar que eles leiam uma. Mas mesmo quando seu(sua) parceiro(a) resolve escutar uma carta, às vezes ele(ela) não é capaz de reagir imediatamente de uma maneira amorosa. Vamos pegar Paul e Theresa como exemplo.

Se Paul não está se sentindo mais amoroso depois de ter ouvido as cartas de sua parceira, então é porque ele não consegue responder naquele momento. Mas depois de algum tempo, seus sentimentos mudarão. Ao ler as cartas, ele poderá se sentir agredido e ficar na defensiva. Em tais momentos ele precisa dar um tempo e refletir sobre o que foi dito.

Às vezes, quando uma pessoa escuta uma Carta de Amor, ela só é capaz de ouvir a raiva e vai levar algum tempo até que possa ouvir o amor. Ajuda se, depois de algum tempo, ele reler a carta, especialmente as seções de arrependimento e amor. Às vezes, antes de ler uma Carta de Amor de minha esposa, eu leio a seção de Amor primeiro, e só depois leio a carta toda.

Se um homem estiver aborrecido depois de ler uma Carta de Amor, ele pode também responder com sua própria Carta de Amor, o que lhe permitiria processar os sentimentos negativos que vieram à tona no momento em que leu a Carta de Amor dela. Às vezes eu não sei o que está me incomodando até minha esposa compartilhar uma Carta de Amor comigo, e então de repente eu tenho algo sobre o que escrever. Ao escrever a carta, sou capaz de encontrar novamente meus sentimentos amorosos e reler a carta dela reconhecendo o amor por trás da sua mágoa.

Se um homem não consegue responder imediatamente com amor, ele precisa saber que está tudo bem, que não será punido por isso. Sua parceira precisa compreender e aceitar sua necessidade de pensar nas coisas por algum tempo. Talvez, para apoiar sua parceira, ele possa dizer alguma coisa como "Obrigado por escrever essa carta. Eu preciso de algum tempo para pensar a respeito e então poderemos conversar sobre o assunto". É importante que ele não expresse sentimentos críticos em relação à carta. Compartilhar cartas precisa ser um momento seguro.

Todas as sugestões acima para se compartilhar Cartas de Amor também se aplicam quando uma mulher tem dificuldade em responder de maneira amorosa a uma carta de um homem. É proveitoso ler a carta do seu parceiro em voz alta porque o ajudará a se sentir ouvido. Experimente ambas e veja a que se aplica melhor.

Fazendo com que seja seguro escrever Cartas de Amor

Compartilhar Cartas de Amor pode ser amedrontador. A pessoa que escreve seus verdadeiros sentimentos se sentirá vulnerável. Se seu(sua) parceiro(a) o(a) rejeitar pode ser muito doloroso. O propósito de compartilhar a carta é abrir sentimentos de modo a fazer com que os parceiros se aproximem. Funciona bem desde que o processo seja feito em segurança. O destinatário da Carta de Amor precisa ser particularmente respeitoso com as manifestações do autor da carta. Se não puder dar apoio verdadeiro e respeitoso, então não deveria concordar em ouvir até que possa.

Compartilhar cartas precisa ser feito no espírito das duas declarações de intenção seguintes:

Declaração de intenção para escrever e compartilhar uma Carta de Amor

> Eu escrevi essa carta a fim de reencontrar meus sentimentos positivos para poder lhe dar o amor que você merece. Como parte desse processo, estou compartilhando com você meus sentimentos negativos, os quais estão me contendo.
>
> Sua compreensão vai me ajudar a me abrir e liberar meus sentimentos negativos. Eu acredito que você se importe e que responderá aos meus sentimentos da melhor maneira que puder. Eu aprecio sua disposição de me ouvir e me apoiar.
>
> Além disso, espero que essa carta possa ajudá-la a compreender minhas vontades, necessidades e desejos.

O(a) parceiro(a) que está escutando a carta precisa ouvir no espírito da seguinte declaração de intenção.

Declaração de intenção
para escutar uma Carta de Amor

Eu prometo dar o melhor de mim para compreender a validade dos seus sentimentos, aceitar nossas diferenças, respeitar suas necessidades como faço com as minhas e apreciar que você esteja dando o melhor de si para comunicar seus sentimentos e o seu amor.

Eu prometo ouvir e não corrigir ou negar seus sentimentos. Prometo aceitá-lo(a) e não tentar mudá-lo(a).

Estou disposto(a) a ouvir seus sentimentos porque realmente me importo e confio que podemos dar um jeito nisso.

Nas primeiras vezes em que você praticar a Técnica da Carta de Amor, seria muito mais seguro se você de fato lesse estas declarações em voz alta. Essas declarações de intenção vão ajudá-lo(a) a se lembrar de respeitar os sentimentos de seu(sua) parceiro(a) e a responder de maneira amorosa e segura.

Minicartas de Amor

Se você está aborrecido(a) e não dispõe de 20 minutos para escrever uma Carta de Amor, pode tentar escrever uma Minicarta de Amor. Leva somente de três a cinco minutos e pode realmente ajudar. Aqui estão alguns exemplos:

Querido Max,
1. Estou com tanta raiva por você estar atrasado!
2. Estou triste por você ter se esquecido de mim.
3. Tenho medo de que você não se importe realmente comigo.
4. Sinto muito não perdoar tanto.

5. Amo você e perdoo por estar atrasado. Eu sei que você realmente me ama. Obrigada por tentar.

Amor, Sandie

Querido Henry,
1. Estou com raiva por você estar tão cansado. Estou com raiva por você só assistir televisão.
2. Estou triste por você não querer conversar comigo.
3. Tenho medo de que estejamos nos distanciando cada vez mais. Tenho medo de deixá-lo com raiva.
4. Sinto muito por tê-lo rejeitado no jantar. Sinto muito por culpá-lo por nossos problemas.
5. Sinto saudades do seu amor. Você arruma uma hora comigo hoje à noite, ou em breve, só para que eu compartilhe com você o que está acontecendo na minha vida?

Amor, Lesley

P.S. O que eu gostaria de escutar de você é:

Querida Lesley,
Obrigado por me escrever sobre os seus sentimentos. Eu compreendo que você sinta falta de mim. Vamos marcar uma hora especial hoje à noite entre oito e nove.

Amor, Henry

Quando escrever Cartas de Amor

A hora certa para escrever uma Carta de Amor é sempre que você estiver aborrecido(a) e quiser se sentir melhor. Aqui estão algumas maneiras comuns em que Cartas de Amor podem ser escritas:

1. Carta de Amor para um(a) parceiro(a) íntimo(a).
2. Carta de Amor para um amigo(a), filho(a), ou membro da família.
3. Carta de Amor para um sócio de negócios ou cliente. Em vez de dizer "Eu te amo", no final você pode escolher usar "Eu aprecio"

e "Eu respeito". Na maioria dos casos eu não recomendo compartilhá-la.

4. Carta de Amor para si mesmo(a).
5. Carta de Amor para Deus ou Poder Supremo. Compartilhe seus aborrecimentos com Deus e peça apoio.
6. Carta de Amor no papel oposto. Se é difícil perdoar alguém, finja ser essa pessoa por alguns minutos e escreva uma Carta de Amor dela para você. Você ficará surpreso com a rapidez com que você poderá perdoar.
7. Carta monstruosa de Amor. Se você está realmente aborrecido(a) e seus sentimentos são ruins e judiciosos, dê vazão a eles numa carta. Em seguida queime a carta. Não espere que seu(sua) parceiro(a) a leia a menos que ambos possam lidar com sentimentos negativos e estiverem dispostos a fazê-lo. Nesse caso até cartas monstruosas podem ser úteis.
8. Carta de Amor para o passado. Quando eventos do presente o(a) aborrecem e lembram-no(a) de sentimentos não resolvidos da infância, imagine que você possa voltar no tempo e escrever uma carta para um dos seus pais, compartilhando seus sentimentos e pedindo o apoio deles.

Por que precisamos escrever Cartas de Amor

Como temos visto ao longo desse livro, é imensamente importante que as mulheres compartilhem seus sentimentos e sintam que são compreendidas, respeitadas e que os homens se importam com elas. É igualmente importante para os homens se sentirem apreciados, aceitos e detentores da confiança de suas parceiras. O maior problema de um relacionamento ocorre quando uma mulher compartilha seus aborrecimentos e, como resultado, um homem se sente desamado.

Para ele, os sentimentos negativos dela podem soar como críticos, acusadores, exigentes e cheios de ressentimento. Quando ele rejeita os sentimentos dela, ela então se sente desamada. O sucesso de um relacionamento depende somente de dois fatores: a habilidade de um homem de ouvir amável e respeitosamente os sentimentos de uma mulher, e a habilidade de uma mulher de compartilhar seus sentimentos de uma forma amável e respeitosa.

Um relacionamento requer que os parceiros comuniquem suas mudanças de sentimentos e necessidades. Esperar uma comunicação perfeita é certamente idealista demais. Felizmente, entre nós e a perfeição há muito espaço para crescimento.

Expectativas realistas

Esperar que a comunicação seja sempre fácil é irreal. Alguns sentimentos são muito difíceis de comunicar sem magoar o ouvinte. Casais que têm relacionamentos maravilhosos e amorosos vão sofrer, algumas vezes, para poderem se comunicar de uma maneira que funcione para ambas as partes. É verdadeiramente difícil entender o ponto de vista do outro, especialmente quando ele ou ela não está dizendo o que você quer ouvir. É também difícil ser respeitoso com o outro quando seus próprios sentimentos foram magoados.

Muitos casais pensam erroneamente que sua incapacidade de se comunicar amorosamente significa que eles não se amam o bastante. Certamente o amor tem muito a ver com isso, mas *capacidade* de comunicação é um ingrediente muito mais importante. Felizmente trata-se de uma qualidade passível de ser aprendida.

Como podemos aprender a nos comunicar

Comunicação bem-sucedida estaria em segundo plano se nós tivéssemos crescido em famílias que já fossem capazes de comunicação sincera e amável. Mas nas gerações passadas a assim chamada comunicação amorosa geralmente significava evitar sentimentos negativos. Era como se os sentimentos negativos fossem uma doença vergonhosa e alguma coisa para ficar trancada no armário.

Em famílias menos "civilizadas", o que era considerado comunicação "amorosa" podia incluir a racionalização de sentimentos negativos através de punição física, gritos, espancamentos, açoites e todas as formas de agressão verbal – tudo em nome de tentar ajudar as crianças a aprenderem o certo e o errado.

Se nossos pais tivessem aprendido a se comunicar amorosamente, sem reprimir sentimentos negativos, nós, enquanto crianças, estaríamos seguros para descobrir e explorar nossas próprias reações e sentimentos negativos através da tentativa e erro. Através de modelos de funções positivos, nós teríamos aprendido com sucesso a nos comunicar – especialmente nossos sentimentos difíceis. Como consequência de dezoito anos de tentativas e erros para expressar nossos sentimentos, nós teríamos gradualmente aprendido a expressar nossos sentimentos respeitosa e apropriadamente. Se esse tivesse sido o caso, não precisaríamos da Técnica da Carta de Amor.

Se nosso passado tivesse sido diferente

Se nosso passado tivesse sido diferente, nós teríamos testemunhado nosso pai ouvir com atenção e amor nossa mãe se abrir e expressar suas frustrações e desapontamentos. Diariamente teríamos visto nosso pai dando a nossa mãe o amável carinho e a generosa compreensão de que ela precisava do marido.

Nós teríamos assistido a nossa mãe confiar no nosso pai e compartilhar seus sentimentos abertamente, sem desaprová-lo ou acusá-lo. Teríamos experimentado como uma pessoa pode estar aborrecida sem precisar afastar alguém com desconfiança, jogos de culpa, rejeição, desaprovação, condescendência ou frieza.

Ao longo dos nossos dezoito anos de crescimento nós seríamos gradualmente capazes de aprender a lidar com nossas próprias emoções assim como aprendemos a andar ou dominamos a matemática. Seria uma habilidade aprendida, como andar, pular, cantar, ler ou preencher um cheque.

Mas não aconteceu dessa forma para a maioria de nós. Em vez disso passamos dezoito anos aprendendo técnicas de comunicação fracassadas. Como não fomos ensinados a como comunicar sentimentos, é uma tarefa difícil e aparentemente intransponível nos comunicarmos amorosamente quando estamos sob a influência de sentimentos negativos.

Para vir a entender o quanto isso é difícil, considere suas respostas às seguintes perguntas:

1. Quando você está com raiva ou se sentindo ressentido(a), como você expressa amor se, durante a infância, seus pais ou discutiam ou se omitiam para evitar discussões?
2. Como é que você faz para que seus filhos o(a) ouçam sem precisar gritar ou puni-los, se seus pais gritavam e o puniam para manter o controle?
3. Como é que você pede mais apoio se, mesmo enquanto criança, você se sentia repetidamente negligenciado(a) e desapontado(a)?
4. Como é que você se abre e compartilha seus sentimentos, se você tem medo de ser rejeitado(a)?
5. Como é que você fala com seu(sua) parceiro(a) se seus sentimentos dizem "Eu odeio você"?
6. Como é que você diz "Sinto muito" se, enquanto criança, você era punido por cometer erros?
7. Como é que você pode admitir seus erros, se você tem medo de punição ou rejeição?
8. Como é que você consegue demonstrar seus sentimentos se, enquanto criança, você foi repetidamente rejeitado(a) ou julgado(a) por estar aborrecido(a) ou chorando?
9. Como é que você vai pedir o que quer se, enquanto criança, fizeram com que você repetidamente se sentisse errado(a) por querer mais?
10. Como é que você vai pelo menos saber o que está sentindo, se seus pais não tinham tempo, paciência ou consciência de lhe perguntar como você estava se sentindo ou o que o estava aborrecendo?
11. Como é que você pode aceitar as imperfeições do(a) seu(sua) parceiro(a), se, enquanto criança, você sentiu que deveria ser perfeito para ser merecedor de amor?
12. Como é que você pode ouvir os sentimentos dolorosos do(a) seu(sua) parceiro(a), se ninguém ouviu os seus?
13. Como é que você pode perdoar, se não foi perdoado?
14. Como é que você pode chorar e curar sua dor e aflição se, enquanto criança, diziam-lhe repetidamente "Não chore" ou "Quando é que você vai crescer?" ou "Só bebês choram"?

15. Como é que você pode ouvir os desapontamentos do(a) seu(sua) parceiro(a) se, enquanto criança, fizeram com que você se sentisse responsável pela dor da sua mãe muito antes de você poder entender que *não* era responsável?
16. Como é que você pode escutar a raiva do(a) seu(sua) parceiro(a) se, enquanto criança, seu pai, ou sua mãe, descarregou a própria frustração deles em você gritando e sendo exigente?
17. Como é que você pode se abrir e confiar no seu parceiro, se as primeiras pessoas em quem confiou, na sua inocência, traíram você de alguma forma?
18. Como é que você vai comunicar seus sentimentos amorosa e respeitosamente, se você não teve dezoito anos de prática sem a ameaça de ser rejeitado ou abandonado?

A resposta a todas essas dezoito perguntas é a mesma: é possível aprender a se comunicar amorosamente, mas nós precisamos trabalhar nisso. Temos que compensar estes dezoito anos de negligência. Não importa o quanto nossos pais eram perfeitos, ninguém é realmente perfeito. Se você tem problemas de se comunicar, nem tudo é culpa dos seus pais. É simplesmente a falta de treinamento correto e de segurança para praticar.

Lendo as perguntas acima, você deve ter tido alguns sentimentos vindo à tona. Não desperdice essa oportunidade especial para se curar. Tire vinte minutos agora mesmo e escreva uma Carta de Amor para um de seus pais. Simplesmente pegue uma caneta e algum papel e comece a expressar seus sentimentos, usando o formato da Carta de Amor. Tente agora e você ficará surpreso com o resultado.

Dizendo toda a verdade

Cartas de Amor funcionam porque o(a) ajudam a dizer toda a verdade. Meramente explorar uma parte dos seus sentimentos não traz a cura desejada. Por exemplo:

1. Sentir sua raiva pode não ajudá-lo em nada. Pode somente deixá-lo(a) com mais raiva. Quanto mais você se estender somente na sua raiva, mais aborrecido ficará.
2. Chorar por horas a fio pode deixá-lo(a) se sentindo vazio(a) e esgotado(a) se você nunca sair da sua tristeza.
3. Sentir somente seus medos pode deixá-lo(a) com mais medo ainda.
4. Sentir-se pesaroso(a), sem sair disso, pode somente fazer com que se sinta culpado(a) e envergonhado(a) e pode até mesmo ser prejudicial a sua autoestima.
5. Tentar se sentir amoroso(a) o tempo todo vai forçá-lo(a) a reprimir todas as suas emoções negativas e, depois de alguns anos, você vai se tornar entorpecido(a) e insensível.

Cartas de Amor funcionam porque levam você a escrever toda a verdade sobre *todos* os seus sentimentos. Para curar nossa dor interior, devemos sentir cada um dos quatro aspectos primários da dor emocional. Eles são raiva, tristeza, medo e arrependimento.

Por que Cartas de Amor funcionam

Ao expressarmos cada um dos quatro níveis de dor emocional, nossa dor é liberada. Escrever somente um ou dois sentimentos negativos não funciona tão bem. Isso acontece porque muitas das nossas reações emocionais não são sentimentos reais, mas mecanismos de defesa que usamos inconscientemente para evitar nossos verdadeiros sentimentos.

Por exemplo:

1. Pessoas que ficam com raiva facilmente geralmente estão tentando esconder-se da sua mágoa, tristeza, medo ou arrependimento. Quando sentem seus sentimentos mais vulneráveis, a raiva vai embora e elas se tornam mais amáveis.
2. Pessoas que choram facilmente em geral têm momentos difíceis quando ficam nervosas, mas quando são ajudadas a expressar raiva se sentem muito melhor e mais amáveis.
3. Pessoas medrosas geralmente precisam sentir e expressar sua raiva; o medo então vai embora.

4. Pessoas que frequentemente se sentem pesarosas ou culpadas em geral precisam sentir e expressar sua mágoa e raiva antes de poderem sentir o amor-próprio que elas merecem.
5. Pessoas que sempre se sentem amáveis, mas se perguntam por que estão deprimidas ou entorpecidas, geralmente precisam se fazer essa pergunta: "Se eu estivesse com raiva ou aborrecida com alguma coisa, o que aconteceria?" e escrever as respostas. Isso vai ajudá-las a entrar em contato com os sentimentos ocultos por trás da depressão e do entorpecimento. Cartas de Amor podem ser usadas dessa forma.

Como sentimentos podem esconder outros sentimentos

A seguir temos alguns exemplos de como homens e mulheres usam suas emoções negativas para evitar ou reprimir sua verdadeira dor. Tenha em mente que esse processo é automático. Quase sempre não temos consciência de que está acontecendo.

Considere por um momento essas perguntas:

- Você alguma vez sorri quando está realmente com raiva?
- Você já agiu com raiva quando no fundo estava com medo?
- Você dá gargalhadas e faz piadas quando está realmente triste e magoado(a)?
- Você já se apressou em culpar os outros quando se sentiu culpado(a) ou amedrontado(a)?

A tabela seguinte mostra como homens e mulheres comumente negam seus sentimentos verdadeiros. Certamente nem todos os homens vão se encaixar na descrição masculina, do mesmo modo que nem todas as mulheres vão se encaixar na descrição feminina. A tabela nos dá uma maneira de entender como podemos permanecer estranhos aos nossos sentimentos reais.

Maneiras de encobrir nossos sentimentos reais

Como os homens escondem sua dor (Esse processo é geralmente inconsciente)	Como as mulheres escondem sua dor (Esse processo é geralmente inconsciente)
1. Os homens podem usar a raiva como uma forma de evitar os sentimentos dolorosos de tristeza, mágoa, pesar, culpa e medo.	1. As mulheres podem usar a consideração e a preocupação como uma forma de evitar os sentimentos dolorosos de raiva, culpa, medo e desapontamento.
2. Os homens podem usar a indiferença e o desencorajamento como um meio de evitar os sentimentos dolorosos de raiva.	2. As mulheres podem cair em confusão como uma forma de evitar raiva, irritação e frustração.
3. Os homens podem se sentir ofendidos como uma forma de evitar se sentirem magoados.	3. As mulheres podem se sentir mal como uma forma de evitar constrangimento, tristeza e arrependimento.
4. Os homens podem usar a raiva e a noção de certo e errado como uma forma de evitar sentir medo ou dúvida.	4. As mulheres podem usar medo e dúvida como uma forma de evitar raiva, mágoa e tristeza.
5. Os homens podem se sentir envergonhados como uma forma de evitar raiva e aflição.	5. As mulheres podem usar a aflição como uma forma de evitar a raiva ou o medo.
6. Os homens podem usar a paz e a tranquilidade como uma forma de evitar raiva, medo, desapontamento e vergonha.	6. As mulheres podem usar a esperança como uma forma de evitar raiva, tristeza, aflição e pesar.
7. Os homens podem usar a confiança para evitar se sentirem inadequados.	7. As mulheres podem usar a felicidade e a gratidão para evitarem a tristeza e o desapontamento.
8. Os homens podem usar a agressão como uma forma de evitar o medo.	8. As mulheres podem usar o amor e o perdão como uma forma de evitar a mágoa e a raiva.

Curando sentimentos negativos

Compreender e aceitar os sentimentos negativos de uma outra pessoa é difícil se os seus próprios sentimentos negativos não foram ouvidos e apoiados. Quanto mais somos capazes de curar nossos próprios sentimentos não resolvidos da infância, mais fácil fica para responsavelmente compartilharmos nossos sentimentos e ouvir os sentimentos alheios sem ficarmos magoados, impacientes, frustrados ou ofendidos.

Quanto mais resistência você tiver a sentir sua dor interna, mais resistência terá de ouvir os sentimentos alheios. Se você se sente impaciente e intolerante quando outras pessoas expressam seus sentimentos infantis, então esse é um indicador de como você trata a si mesmo(a).

Para mudar, temos que tomar consciência de que há uma pessoa emocional dentro de nós que fica aborrecida mesmo quando nossa mente racional adulta diz que não há razão para ficar aborrecido(a). Temos que isolar essa nossa parte emocional e nos tornar um pai amoroso para ela. Precisamos nos perguntar "Qual o problema? Você se magoou? O que você está sentindo? O que aconteceu para te aborrecer? O que te deixa triste? Do que você tem medo? O que você quer?".

Quando ouvimos nossos sentimentos com compaixão, nossos sentimentos negativos são miraculosamente curados, e somos capazes de reagir a situações de uma maneira muito mais amável e respeitosa. Compreendendo nossos sentimentos infantis, nós automaticamente abrimos uma porta para que sentimentos amorosos permeiem o que dizemos.

Se enquanto crianças nossas emoções internas tivessem sido repetidamente ouvidas e validadas de uma maneira amável, então, como adultos, nós não ficaríamos presos a emoções negativas. Mas a maioria de nós não foi apoiada dessa maneira enquanto criança, assim temos que fazê-lo nós mesmos.

Como seu passado afeta seu presente

Certamente você já teve a experiência de se sentir preso a sentimentos negativos. Essas são algumas maneiras comuns com que nossas emoções não resolvidas da infância podem nos afetar no presente quando nos deparamos com o estresse de sermos adultos:

1. Quando alguma coisa foi frustrante, permanecemos empacados, sentindo raiva e aborrecidos, mesmo quando nosso eu adulto diz que devemos nos sentir calmos, amorosos e pacíficos.
2. Quando alguma coisa foi decepcionante, permanecemos empacados, nos sentindo tristes e magoados, mesmo quando nosso eu adulto diz que devemos nos sentir entusiasmados, felizes e esperançosos.
3. Quando alguma coisa nos aborreceu, permanecemos empacados, sentindo medo e preocupação, mesmo quando nosso eu adulto diz que deveríamos nos sentir seguros, confiantes e agradecidos.
4. Quando alguma coisa foi constrangedora, permanecemos empacados, sentindo pesar e vergonha, mesmo quando nosso eu adulto diz que devemos nos sentir seguros, bons e maravilhosos.

Calando os sentimentos através de vícios

Como adultos, geralmente tentamos controlar essas emoções negativas evitando-as. Nossos vícios podem ser usados para silenciar os gritos dolorosos dos nossos sentimentos e necessidades insatisfeitas. Depois de um copo de vinho, a dor se vai num instante. Mas vai voltar repetidamente.

Ironicamente, o mesmo ato que evita nossas emoções negativas lhes confere o poder de controlar nossas vidas. Aprendendo a ouvir e a acalentar nossas emoções internas, elas gradualmente perdem suas garras.

> **Ironicamente, o mesmo ato que evita nossas emoções negativas lhes confere o poder de controlar nossas vidas.**

Quando você está aborrecido(a), certamente não é possível se comunicar tão efetivamente quanto deseja. Em tais momentos, os sentimentos não resolvidos do passado voltam. É como se a criança que nunca teve permissão de ter um acesso de raiva agora tivesse um, somente para ser exilada mais uma vez dentro do armário.

Nossas emoções não resolvidas da infância têm o poder de nos controlar, dominando nossa consciência e evitando a comunicação amorosa. Até que sejamos capazes de ouvir esses sentimentos aparentemente irracionais do nosso passado (que parecem se introduzir nas nossas vidas quando mais precisamos da nossa sanidade), eles vão obstruir a comunicação amorosa.

O segredo de comunicar nossos sentimentos difíceis reside em termos a sabedoria e o compromisso de expressar nossos sentimentos negativos a fim de que possamos nos tornar conscientes dos nossos sentimentos mais positivos. Quanto mais conseguirmos nos comunicar com nossos parceiros com o amor que merecem, melhor será nosso relacionamento. Quando você é capaz de compartilhar seus aborrecimentos de forma amorosa, fica muito mais fácil para o(a) seu(sua) parceiro(a) apoiá-lo(a) de volta.

Segredos da autoajuda

Escrever Cartas de Amor é uma excelente ferramenta de autoajuda, mas se você não se habituar imediatamente a escrevê-las, acabará esquecendo de usá-la. Eu sugiro que pelo menos uma vez por semana, quando alguma coisa o(a) estiver incomodando, você se sente e escreva uma Carta de Amor.

Cartas de Amor são úteis não somente quando você está aborrecido(a) com seu(sua) parceiro(a) num relacionamento, mas também em qualquer momento que estiver aborrecido(a). Escrever Cartas de Amor ajuda quando você está se sentindo ressentido(a), infeliz, ansioso(a), deprimido(a), cansado(a), empacado(a) ou simplesmente estressado(a). Sempre que você quiser se sentir melhor, escreva uma Carta de Amor. Ela pode nem sempre melhorar seu humor completamente, mas vai ajudar a colocá-lo(a) na direção que você quer ir.

No meu primeiro livro *What You Feel You Can Heal*, a importância de explorar sentimentos e escrever Cartas de Amor é discutida mais completamente. Além disso, na minha série de fitas, *Healing the Heart*, eu compartilho visualizações e exercícios de cura baseados na Técnica da Carta de

Amor para superar ansiedade, liberar ressentimentos e encontrar perdão, através do amor pela criança que há dentro de você e da cura de feridas emocionais passadas.

Além disso, muitos outros livros de exercícios foram escritos sobre esse assunto por outros autores. Ler esses livros é importante para ajudá-lo(a) a entrar em contato com seus sentimentos mais íntimos e curá-los. Mas lembre-se, se você não deixar o seu emocional falar alto e ser ouvido, ele não poderá ser curado. Livros podem inspirá-lo(a) a se amar mais, porém ouvir, escrever ou expressar verbalmente seus sentimentos também irá ajudá-lo(a).

> **Livros podem inspirá-lo(a) a se amar mais, porém ouvir, escrever ou expressar verbalmente seus sentimentos também irão ajudá-lo(a).**

Com a prática da Técnica da Carta de Amor, você começará a experimentar a parte de você que mais precisa de amor. Ouvindo seus sentimentos e explorando suas emoções, você estará ajudando essa sua parte a crescer e se desenvolver.

Quando seu eu emocional receber o amor e a compreensão de que precisa, você vai automaticamente começar a se comunicar melhor. Você se tornará capaz de responder a situações de uma maneira mais amável. Apesar de todos termos sido programados para esconder nossos sentimentos e reagir defensivamente e não amavelmente, nós podemos nos retreinar. Há grande esperança.

Para se retreinar você precisa ouvir e entender os sentimentos não resolvidos que nunca tiveram uma chance de serem curados. Essa sua parte precisa ser sentida, escutada e compreendida e então estará curada.

Praticar a Técnica da Carta de Amor é uma maneira segura de expressar sentimentos não resolvidos, emoções negativas e desejos sem ser julgado(a) ou rejeitado(a). Ao escutarmos nossos sentimentos, nós estamos, de fato, sabiamente tratando o nosso lado emocional como uma criança que chora nos braços amorosos de um dos pais. Ao explorarmos toda a verdade de nossos sentimentos, estamos nos permitindo ter esses sentimentos.

Tratando esse nosso lado infantil com respeito e amor, as feridas emocionais não resolvidas do nosso passado podem ser gradualmente curadas.

Muitas pessoas crescem depressa demais porque rejeitam e reprimem os próprios sentimentos. Sua dor emocional não resolvida está esperando lá dentro para sair para ser amada e curada. Apesar de poderem tentar reprimir esses sentimentos, a dor e a infelicidade continuam a afetá-las.

A maioria das doenças físicas são agora amplamente aceitas como estando diretamente relacionadas à dor emocional não resolvida. Dor emocional reprimida geralmente se transforma em dor física ou doença e pode causar morte prematura. Além disso, *a maioria* das nossas compulsões destrutivas, obsessões e vícios são manifestações das nossas feridas emocionais internas.

A obsessão comum de um homem por sucesso é uma tentativa desesperada de ganhar amor na esperança de reduzir sua dor e perturbação emocionais internas. A obsessão comum de uma mulher por ser perfeita é uma tentativa desesperada de ser merecedora de amor e reduzir sua dor emocional. Qualquer coisa feita em excesso pode se tornar um meio de anestesiar a dor do nosso passado não resolvido.

Nossa sociedade está repleta de distrações que nos ajudam a evitar a dor. Cartas de Amor, no entanto, ajudam-nos a encarar a dor, sentindo-a para então curá-la. Toda vez que você escreve uma Carta de Amor, você está dando ao seu ferido eu interior o amor, a compreensão e a atenção de que precisa para se sentir melhor.

O poder da privacidade

Às vezes, ao escrever seus sentimentos em particular, você descobrirá níveis mais profundos de sentimentos que não poderia sentir com outra pessoa presente. A privacidade completa gera uma segurança para se sentir mais profundamente. Mesmo que você esteja num relacionamento e saiba que pode falar sobre qualquer coisa, eu ainda assim recomendo que escreva seus sentimentos reservadamente algumas vezes. Escrever Cartas de Amor reservadamente é saudável também porque permite que você tire um tempo para se dedicar a si mesmo(a) sem depender de ninguém.

Eu recomendo que você mantenha um arquivo das suas Cartas de Amor. Para fazer com que seja mais fácil escrever Cartas de Amor, você pode consultar os modelos de Carta de Amor dados anteriormente nesse capítulo. Esse formato de Carta de Amor pode ajudá-lo(a) a se lembrar dos diferentes estágios de uma Carta de Amor e oferecer algumas frases de indicação quando você estiver empacado(a).

Se você tem um computador pessoal, então escreva nele o formato da Carta de Amor e utilize-o repetidamente. Simplesmente chame aquele arquivo sempre que você quiser escrever uma Carta de Amor e, quando tiver terminado, salve-o pela data. Imprima-o se você quiser dividi-lo com alguém.

Além de escrever cartas, sugiro que você mantenha um arquivo pessoal das suas cartas. Ocasionalmente releia essas cartas quando não estiver aborrecido(a), porque esse é o momento em que você pode rever seus sentimentos com mais objetividade. Essa objetividade vai ajudá-lo(a) a expressar seus aborrecimentos num momento posterior de maneira mais respeitosa. Além disso, se você escrever uma Carta de Amor e ainda estiver aborrecido(a), ao relê-la, você pode começar a se sentir melhor.

Para ajudar as pessoas a escreverem Cartas de Amor e a explorarem e expressarem sentimentos de maneira reservada, eu desenvolvi um programa de computador chamado *Sessão Privada*. De forma pessoal, o computador usa figuras, gráficos, perguntas e variados formatos de Cartas de Amor para ajudar as pessoas a entrar em contato com seus sentimentos. Ele até sugere frases de indicação para ajudá-lo(a) a extrair e expressar emoções particulares. Além disso, ele reservadamente armazena suas cartas e as traz de volta nos momentos em que lê-las poderá ajudar-lhe a se sentir mais completo(a) para expressar seus sentimentos.

Usar o computador para expressar sentimentos pode ajudar a superar a resistência normal que as pessoas têm a escrever Cartas de Amor. Os homens, que são geralmente mais resistentes a esse processo, ficam mais motivados a fazê-lo se puderem se sentar reservadamente em frente ao computador.

O poder da intimidade

Escrever Cartas de Amor reservadamente é bastante benéfico por si só, mas não substitui nossa necessidade de sermos ouvidos e compreendidos por outras pessoas. Quando você escreve uma Carta de Amor, você está se amando, mas quando você compartilha uma carta você está recebendo amor. Para desenvolvermos nossa capacidade de amar a nós mesmos, também precisamos receber amor. Compartilhar a verdade abre as portas da intimidade através das quais o amor pode entrar.

Para desenvolvermos nossa capacidade de amar a nós mesmos, também precisamos receber amor.

Para receber mais amor, precisamos de pessoas em nossas vidas com quem possamos compartilhar nossos sentimentos abertamente e com segurança. É muito importante ter algumas, poucas, mas seletas, pessoas na sua vida com as quais possa dividir cada sentimento seu e confiar que elas ainda vão amá-lo e não magoá-lo(a) com críticas, julgamentos ou rejeição.

Quando você pode compartilhar quem você é e como se sente, então você poderá receber amor em totalidade. Se você tem esse amor, é mais fácil liberar sintomas emocionais negativos como ressentimento, raiva, medo e assim por diante. Isso não significa que você tenha que compartilhar tudo o que sentir e descobrir reservadamente. Mas se existem sentimentos que você tem medo de compartilhar, então gradualmente esses sentimentos precisam ser curados.

Um terapeuta amável ou um bom amigo pode ser uma tremenda fonte de amor e cura se você puder compartilhar seus sentimentos íntimos e mais profundos. Se você não tem um terapeuta, então um amigo(a) que leia suas cartas de vez em quando o(a) ajudará muito. Escrever reservadamente fará com que você se sinta melhor, mas compartilhar ocasionalmente Cartas de Amor com outra pessoa que se importe e que possa ser compreensiva é essencial.

O poder do grupo

O poder do apoio de grupo é algo que não pode ser descrito e tem que ser experimentado. Um grupo amável e apoiador pode fazer maravilhas para nos ajudar a entrar em contato mais facilmente com nossos sentimentos mais profundos. Compartilhar seus sentimentos com um grupo quer dizer que há mais pessoas disponíveis para lhe dar amor. O potencial para crescimento é aumentado na medida do tamanho do grupo. Mesmo que você não fale num grupo, ao ouvir os outros falarem aberta e sinceramente sobre seus sentimentos, sua consciência e insight se expandem.

Quando dou seminários de grupo ao redor do país, eu repetidamente experimento partes mais profundas de mim que precisam ser ouvidas e compreendidas. Quando alguém se levanta e compartilha seus sentimentos, de repente eu começo a me lembrar de alguma coisa ou a sentir eu mesmo alguma coisa. Eu ganho valiosos insights novos sobre mim mesmo e sobre os outros. No final de cada seminário eu geralmente me sinto muito mais leve e mais amoroso.

Em todo lugar pequenos grupos de apoio, reunidos em torno de quase todos os assuntos, se encontram a cada semana para dar e receber apoio. Apoio de grupo é especificamente útil se enquanto crianças não nos sentimos seguros para expressar nossos sentimentos em grupo ou em nossa família. Uma vez que qualquer atividade de grupo é extremamente energizante, falar ou ouvir num grupo amável e apoiador pode ser particularmente benéfico.

Eu me encontro regularmente com um pequeno grupo de apoio de homens, e minha mulher, Bonnie, se encontra regularmente com seu grupo de apoio de mulheres. Receber esse apoio de fora intensifica muito nosso relacionamento. Ele não permite que olhemos um para o outro como a única fonte de apoio. Além disso, ao ouvirmos outras pessoas compartilharem seus sucessos e fracassos, nossos próprios problemas tendem a diminuir.

Tirando um tempo para ouvir

Quer você esteja reservadamente escrevendo seus pensamentos e sentimentos no seu computador ou compartilhando-os em terapia, nos seus relacionamentos ou num grupo de apoio, você está dando um passo importante para si mesmo(a). Quando tira um tempo para ouvir seus sentimentos, você está de fato dizendo à pessoa sensível que há dentro de você "Você é importante. Você merece ser ouvido(a) e eu me importo o suficiente para ouvir".

> **Quando tira um tempo para ouvir seus sentimentos, você está de fato dizendo à pessoa sensível que há dentro de você "Você é importante. Você merece ser ouvido(a) e eu me importo o suficiente para ouvir".**

Espero que você utilize essa Técnica da Carta de Amor porque eu testemunhei a transformação da vida de milhares de pessoas, incluindo a minha própria. Quanto mais você escrever Cartas de Amor, mais fácil se tornará e tudo funcionará melhor. Requer prática, mas vale a pena.

12

COMO PEDIR APOIO E RECEBER

Se você não está recebendo o apoio que deseja nos seus relacionamentos, uma das razões pode ser que você não peça o bastante ou pode ser que peça de uma maneira que não funcione. Pedir amor e apoio é essencial para o sucesso de qualquer relacionamento. Se você quer R-E-C-E-B-E-R então você tem que P-E-D-I-R.

Tanto homens quanto mulheres têm dificuldade em pedir apoio. As mulheres, no entanto, mais do que os homens, tendem a achar mais frustrante e decepcionante ter de pedir apoio. Por essa razão estarei dedicando esse capítulo às mulheres. É claro que os homens irão aprofundar sua compreensão das mulheres se também lerem esse capítulo.

Por que as mulheres não pedem

As mulheres cometem o erro de julgar que não têm que pedir apoio. Como *elas* intuitivamente sentem as necessidades das outras e dão o que puderem, elas erroneamente esperam que os homens façam o mesmo. Quando uma mulher está apaixonada, ela instintivamente oferece seu amor. Com grande prazer e entusiasmo ela procura maneiras de oferecer seu apoio. Quanto mais ela ama alguém, mais motivada fica para dar o seu amor. Em

Vênus todo mundo dá apoio automaticamente, assim não haveria razão para pedir. De fato, não precisar pedir é uma das formas com que demonstram amor umas pelas outras. Em Vênus seu lema é "Amar é nunca ter que pedir!".

> **Em Vênus seu lema é
> "Amar é nunca ter que pedir!".**

Como esse é seu ponto de referência, ela admite que se seu parceiro a amar, ele lhe oferecerá seu apoio e ela não precisará pedir. Ela pode até mesmo *não pedir* de propósito como um teste para ver se ele realmente a ama. Para passar no teste, ela exige que ele preveja suas necessidades e ofereça seu apoio não solicitado!

Essa abordagem no relacionamento com homens não funciona. Os homens são de Marte e em Marte se você quer apoio, você simplesmente tem que pedir. Os homens não são instintivamente motivados a *oferecer* seu apoio: eles precisam que lhes seja pedido. Isso pode ser muito confuso porque se você pede apoio a um homem da maneira errada, ele pode ficar desmotivado, e se você não pedir de jeito nenhum, você vai receber pouco ou quase nada.

No começo de um relacionamento, se uma mulher não recebe o apoio que deseja, ela então admite que ele não está dando porque não tem nada mais para dar. Ela, paciente e amavelmente, continua a dar, admitindo que mais cedo ou mais tarde ele vai alcançá-la. Ele admite, no entanto, que está dando o bastante porque ela continua a lhe dar.

Ele não se dá conta de que ela espera que ele dê de volta. Ele julga que se ela precisasse ou quisesse mais, ela pararia de dar. Mas, já que ela é de Vênus, ela não somente quer mais, mas também espera que ele *ofereça* seu apoio sem que lhe seja pedido. Só que ele está esperando que ela comece a pedir apoio, se assim o desejar. Se ela não está pedindo apoio, ele supõe que está dando o bastante.

Eventualmente ela pode pedir seu apoio, mas a essa altura já terá dado tanto que se sente tão ressentida que seu pedido é realmente uma exigência. Algumas mulheres se ressentirão de um homem simplesmente porque têm que pedir o apoio dele. Aí, quando elas de fato pedem, mesmo que ele diga sim e lhe dê algum apoio, ela ainda vai se ressentir por ter tido que pedir. Ela sente que "Se eu tenho que pedir, não conta".

Os homens não reagem bem a exigências e ressentimentos. Mesmo que um homem esteja disposto a dar apoio, os ressentimentos ou as exigências dela vão levá-lo a dizer não. Exigências são completamente desestimulantes. Suas chances de receber o apoio dele são drasticamente reduzidas quando um pedido se torna uma exigência. Em alguns casos ele vai até mesmo dar menos por algum tempo se perceber que ela está pedindo de mais.

> **Se a mulher não está pedindo apoio,
> o homem supõe que está dando o bastante.**

Esse padrão faz com que o relacionamento com os homens seja muito difícil para as mulheres que não têm consciência disso. Apesar desse problema poder parecer insuperável, ele pode ser resolvido. Lembrando-se de que os homens são de Marte, você pode aprender novas maneiras de pedir o que você quer – maneiras que funcionem.

Nos meus seminários, eu tenho treinado milhares de mulheres na arte de pedir, e elas repetidamente têm tido sucesso imediato. Nesse capítulo examinaremos os três passos necessários para se pedir e receber o apoio que se deseja. São eles: (1) tente pedir corretamente o que você já está recebendo; (2) tente pedir mais, mesmo quando você souber que ele vai dizer não, e aceite o não dele; (3) tente pedir asseveradamente.

Passo nº 1:
Pedir corretamente o que você já está recebendo

O primeiro passo para aprender a receber mais num relacionamento é tentar pedir aquilo que você já está recebendo. Tome consciência do que seu parceiro já está fazendo por você. Especialmente as pequenas coisas como carregar caixas, consertar coisas, limpar, telefonar e outras pequenas tarefas.

A parte importante desse estágio é começar a pedir que ele faça as pequenas coisas que já faz e não contar com isso como uma coisa garantida. Então, quando ele fizer essas coisas, demonstre o seu apreço. Desista temporariamente de esperar que ele ofereça seu apoio sem ser solicitado.

No passo nº 1 é importante não pedir mais do que ele está acostumado a dar. Concentre-se em pedir que ele faça as pequenas coisas que normalmente faz. Permita-lhe que se acostume a ouvi-la pedir coisas num tom não exigente.

Quando ele escuta um tom exigente, não importa quão agradavelmente você exprima seu pedido, tudo o que ele entenderá é que não está dando o bastante. Isso faz com que se sinta desamado e desapreciado. Sua tendência então é dar menos até que você aprecie o que ele já está dando.

> **Quando um homem escuta um tom exigente, não importa quão agradavelmente você exprima seu pedido, tudo o que ele entenderá é que não está dando o bastante. Sua tendência então é dar menos até que você aprecie o que ele já está dando.**

Ele pode estar condicionado por você (ou pela mãe dele) a imediatamente dizer não aos seus pedidos. No passo nº 1 você o estará recondicionando a responder positivamente aos seus pedidos. Quando um homem gradualmente se dá conta de que é apreciado e não desvalorizado, sua tendência é de responder positivamente aos pedidos. Ele começa a oferecer seu apoio automaticamente. Mas esse estágio avançado não deve ser esperado no começo.

Porém há outra razão para começar a pedir aquilo que ele já está dando. Você precisa ter certeza de que está pedindo de uma forma que ele possa escutá-la e atender. É isso que quero dizer quando digo "pedir corretamente".

Dicas para motivar um homem

Há cinco segredos sobre como pedir apoio corretamente a um marciano. Se não forem observados, o homem pode ficar facilmente desestimulado.

São eles: escolha do momento apropriado, atitude não exigente, ser breve, ser direta e usar as palavras certas.

Vamos dar uma olhada em cada um deles mais de perto:

1. **Escolha do momento apropriado.** Tenha cuidado de não pedir algo que ele já esteja obviamente planejando fazer. Por exemplo, se ele está para esvaziar o lixo, não diga "Você poderia esvaziar o lixo?". Ele vai achar que você está lhe dizendo o que fazer. A escolha do momento é essencial. Além disso, se ele estiver totalmente concentrado em alguma coisa, não espere que imediatamente atenda ao seu pedido.
2. **Atitude não exigente.** Lembre-se, um pedido não é uma exigência. Se você tiver uma atitude ressentida ou exigente, não importa o quão cuidadosamente você escolha suas palavras, ele não se sentirá apreciado pelo que já fez por você e provavelmente dirá não.
3. **Seja breve.** Evite dar-lhe uma lista dos motivos pelos quais deveria ajudá-la. Admita que ele não tem que ser convencido. Quanto mais tempo você levar se explicando, mais ele vai resistir. Longas explicações para justificar o seu pedido fazem com que ele se sinta indigno de confiança para apoiá-la. Ele vai começar a se sentir manipulado ao invés de livre para oferecer seu apoio.

> **Quando pedir apoio a um homem, admita que ele não tem que ser convencido.**

Do mesmo modo que uma mulher aborrecida não quer escutar uma lista dos motivos pelos quais não deveria estar aborrecida, um homem não quer ouvir uma lista dos motivos pelos quais deveria atender ao pedido dela.

As mulheres erroneamente dão uma lista de razões para justificar suas necessidades. Elas acham que isso vai ajudá-lo a reconhecer que seu pedido é válido e, desse modo, motivá-lo. O que um homem escuta é "É por isso que você deve fazer". Quanto maior a lista, mais ele pode resistir a apoiá-la. Se ele perguntar "por quê?", então você poderá dar suas razões, mas aí, de novo, seja cautelosamente breve. Tente confiar que ele vai fazer, se puder. Seja o mais breve possível.

4. **Seja direta.** As mulheres frequentemente pensam que estão pedindo apoio quando na verdade não estão. Quando precisa de apoio, uma mulher pode apresentar o problema, mas não pedir diretamente o apoio dele. Ela espera que ele ofereça seu apoio e se esquece de pedi-lo diretamente.

Um pedido indireto *implica* um pedido, mas não o diz diretamente. Essas "indiretas" fazem com que o homem não se sinta valorizado ou apreciado. Usar indiretas ocasionalmente não causa grandes problemas, mas quando são usadas repetidamente, o homem se torna resistente a dar seu apoio. Ele pode nem saber por que está tão resistente. As afirmações seguintes são todas exemplos de pedidos indiretos e de como um homem pode responder a eles:

O que ele pode escutar quando ela é indireta

O que ela deveria deveria dizer (breve e direta)	O que ela não deveria dizer (indireta)	O que ele escuta quando ela é indireta
"Você pega as crianças?"	"Alguém precisa pegar as crianças e eu não posso."	"Se você puder pegá-las, você deve, do contrário me sentirei muito desamparada e ressentida com você." (exigência)
"Você traz as compras?"	"As compras estão no carro."	"É seu trabalho trazê-las para dentro, eu fiz as compras." (expectativa)
"Você esvazia o lixo?"	"Não consigo colocar mais nada na lata de lixo."	"Você não esvaziou o lixo. Está esperando o quê?" (crítica)
"Você limpa o quintal?"	"O quintal está realmente uma bagunça."	"Você não limpou o quintal de novo. Você deveria ser mais responsável, eu não deveria ter que lembrá-lo." (rejeição)

"Você pega a correspondência?"	"A correspondência ainda está lá fora."	"Você se esqueceu de pegar a correspondência. Você deveria se lembrar." (desaprovação)
"Você nos leva para jantar fora hoje à noite?"	"Eu não tenho tempo para fazer o jantar hoje à noite."	"Eu tenho feito tanto, o mínimo que você poderia fazer é nos levar para jantar fora hoje à noite." (insatisfação)
"Você me leva para sair essa semana?"	"Nós não saímos há semanas."	"Você está me negligenciando. Não estou recebendo o que preciso. Você deveria me levar para sair mais frequentemente." (ressentimento)
"Você arruma algum tempo para conversar comigo?"	"Nós precisamos conversar."	"É culpa sua se não conversamos o bastante. Você deveria conversar mais comigo." (culpa)

5. **Use as palavras certas.** Um dos erros mais comuns ao se pedir ajuda é o uso de *poderia* e *pode* no lugar de *faria* ou *faz*. "Você *poderia* esvaziar o lixo?" é meramente uma pergunta que reúne informação. "Você *esvazia* o lixo?" é um pedido.

As mulheres frequentemente usam "você poderia?" indiretamente para implicar "você faz?". Como mencionei anteriormente, pedidos indiretos são desestimulantes. Quando utilizados ocasionalmente, eles certamente podem passar despercebidos, mas usar persistentemente *pode* e *poderia* começa a irritar os homens.

Quando eu sugiro às mulheres que comecem a pedir ajuda, às vezes elas entram em pânico porque seus parceiros já fizeram comentários muitas vezes como:

- "Não me chateia."
- "Não me peça para fazer as coisas o tempo todo."

- "Pare de me dizer o que fazer."
- "Eu já sei o que fazer."
- "Você não precisa me dizer isso."

Apesar de como pareça para as mulheres, quando um homem faz esse tipo de comentário, o que ele realmente quer dizer é "Eu não gosto do jeito que você pede!". Se uma mulher não compreende como certa forma de falar pode afetar um homem, ela ficará ainda mais confusa. Ela fica com medo de pedir e começa a dizer "Você poderia?" porque pensa que está sendo mais educada. Apesar disso funcionar bem em Vênus, não funciona de jeito nenhum em Marte.

Em Marte seria um insulto perguntar a um homem "Você *pode* esvaziar o lixo?". É claro que ele pode esvaziar o lixo! A questão não é se ele *pode* esvaziar o lixo, mas se ele *vai* esvaziar o lixo. Depois que foi insultado, ele pode dizer não só porque você o irritou.

O que os homens querem que lhes peçam

Quando eu explico essa distinção entre as palavras com *p* e as palavras com *f* em meus seminários, as mulheres tendem a pensar que estou fazendo muito barulho por nada. Para as mulheres não existe tal diferença – de fato "Você poderia?" pode até parecer mais educado do que "Você faz?". Mas para muitos homens é uma grande diferença. Para deixar clara essa distinção, estou incluindo comentários de dezessete homens diferentes que compareceram aos meus seminários.

1. Quando me perguntam "Você *poderia* limpar o quintal?", eu realmente interpreto literalmente. Eu digo, "Eu poderia fazê-lo, claro, é possível". Mas não estou dizendo "Eu farei", e certamente não me sinto como se estivesse fazendo uma promessa. Por outro lado, quando me perguntam "Você limpa o quintal?", eu começo a tomar uma decisão e estou disposto a ajudar. Se eu disser sim, as chances de me lembrar de fazê-lo são muito maiores porque eu fiz uma promessa.

2. Quando ela diz "Preciso da sua ajuda. Você *poderia* me ajudar?", isso me soa como uma crítica, como se de alguma forma eu já tivesse falhado com ela. Não sinto como se fosse um convite para ser o mocinho que quero ser e ajudá-la. Por outro lado, "Preciso da sua ajuda. Você *carrega* isso por favor?" parece um pedido e uma oportunidade de ser o mocinho. Eu quero dizer sim.
3. Quando minha mulher diz "Você *pode* trocar a fralda do Christopher?", eu penso por dentro, é claro que posso trocá-la. Eu sou capaz e uma fralda é uma coisa simples de trocar. Mas aí, se eu não tenho vontade de fazê-lo, posso inventar uma desculpa. Agora, se ela perguntasse "Você *troca* a fralda do Christopher?", eu diria "Sim, claro", e o faria. Eu sentiria por dentro, eu gosto de participar e gosto de ajudar a cuidar de nossos filhos. Eu quero ajudar!
4. Quando me perguntam "Você me *ajuda*, por favor?", isso me dá uma oportunidade de ajudar, e fico mais do que disposto a apoiá-la, mas quando eu ouço "Você *poderia* me ajudar, por favor?", eu me sinto colocado contra a parede, como se não tivesse chance nenhuma. Se tenho a capacidade de ajudar, então espera-se que eu ajude! Eu não me sinto apreciado.
5. Eu me ressinto se me perguntam "você *poderia*". Sinto como se não tivesse nenhuma escolha a não ser dizer sim. Se eu disser não, ela vai ficar aborrecida comigo. Não é um pedido, mas uma exigência.
6. Eu me mantenho ocupado, ou pelo menos finjo que estou ocupado, de modo que a mulher com quem trabalho não me faça a pergunta "você poderia". Com "você faria", sinto que tenho uma escolha, e eu quero ajudar.
7. Na semana passada mesmo minha esposa me perguntou, "Você poderia plantar as flores hoje?" e sem hesitação eu disse sim. Aí, quando ela voltou para casa perguntou, "Você plantou as flores?". Eu disse não. Ela disse, "Você poderia fazer isso amanhã?" e novamente, sem hesitação, eu disse sim. Isso aconteceu todos os dias essa semana, e as flores ainda não foram plantadas. Eu acho que se ela tivesse me perguntado "Você planta as flores amanhã?", eu teria pensado a respeito, e se tivesse dito sim, teria feito.

8. Quando digo "Sim, eu *poderia* fazer isso", não estou assumindo um compromisso para fazer aquilo. Só estou dizendo que *poderia* fazer. Se ela fica aborrecida comigo, eu sinto como se ela não tivesse o direito. Se eu digo que *vou fazer*, então posso entender por que ela fica aborrecida se eu não faço.

9. Eu cresci com cinco irmãs e agora estou casado e tenho três filhas. Quando minha esposa diz "Você pode levar o lixo para fora?", eu simplesmente não respondo. Então ela pergunta "por quê?", e eu nem sei. Agora percebo por quê. Eu me sinto controlado. Eu seria capaz de responder a "você faria?".

10. Quando escuto um "Você poderia", imediatamente digo sim, e então, pelos próximos dez minutos, eu vou me dar conta de por que não vou fazê-lo e então ignorar a questão. Mas quando escuto um "você faz", uma parte de mim vem à tona dizendo "Sim, eu quero ser útil", e então, mesmo que surjam objeções mais tarde na minha cabeça, eu ainda atenderei seu pedido porque dei minha palavra.

11. Eu direi sim a um "você pode", mas por dentro me ressinto dela. Eu sinto que se disser não, ela vai ter um ataque. Me sinto manipulado. Quando ela pergunta "você faria", me sinto livre para dizer sim ou não. Aí é escolha minha, e então fico querendo dizer sim.

12. Quando uma mulher me pergunta "Você faria isso?", me sinto assegurado por dentro de que vou ganhar um ponto por isso. Me sinto apreciado e feliz em ajudar.

13. Quando ouço um "você faria", sinto que ela confia em mim para prestar o serviço. Mas quando ouço "você pode" ou "você poderia", eu escuto uma pergunta por trás da pergunta. Ela está me perguntando se eu posso esvaziar o lixo quando é óbvio que poderia. Mas por trás da sua pergunta está o pedido, que ela não me faz diretamente porque não confia o bastante em mim.

14. Quando uma mulher pergunta "você faria" ou "você faz", eu sinto sua vulnerabilidade. Fico muito mais sensível a ela e às suas necessidades; eu definitivamente não quero magoá-la. Quando ela diz "você poderia", fico muito mais inclinado a dizer não porque sei que não é uma rejeição para ela. É simplesmente uma afirmação impessoal dizendo que posso fazer aquilo. Ela não vai to-

mar a coisa a nível pessoal se eu disser não a um "Você poderia fazer isso?"

15. Para mim "você faria" faz com que seja uma coisa pessoal, e eu quero ajudar, mas "você poderia" faz com que seja impessoal, e eu ajudarei se for conveniente ou se não tiver mais nada para fazer.
16. Quando uma mulher diz "Você poderia me ajudar, por favor?", sinto seu ressentimento e resisto a ela, *mas* se ela diz "Você me ajuda, por favor", não posso ouvir ressentimento algum, mesmo que haja algum. Me sinto disposto a dizer sim.
17. Quando uma mulher diz "Você poderia fazer isso para mim?", eu fico mais sincero e digo "Prefiro não fazer". A parte preguiçosa de mim aparece. Mas quando eu escuto um "Você faria, por favor?", me torno criativo e começo a pensar em maneiras de ajudar.

Uma maneira de as mulheres entenderem a significativa diferença entre *faria* e *poderia* é refletir por um momento nessa cena romântica. Imagine que um homem está propondo casamento a uma mulher. Seu coração está cheio, como a lua brilhando acima deles. Ajoelhando-se em frente a ela, ele alcança e segura as suas mãos. Então ele olha fixamente dentro dos olhos dela e gentilmente diz, "Você *poderia* se casar comigo?".

Imediatamente o romance já era. Usando a palavra com *p*, ele parece fraco e indigno. Nesse momento ele exala insegurança e baixa autoestima. Se em vez disso dissesse "Você se casaria comigo?", então tanto sua força quanto sua vulnerabilidade estão presentes. Essa é a maneira correta de fazer o pedido.

Da mesma forma, um homem requer que uma mulher faça seu pedido dessa maneira. Use as palavras com *f*. As palavras com *p* soam incrédulas, indiretas, fracas e manipuladoras demais.

Quando ela diz "Você *poderia* limpar o lixo?", a mensagem que ele recebe é "Se você *pode* limpá-lo então deveria fazê-lo. Eu faria isso para você!". Do seu ponto de vista ele sente que ela o está manipulando ou que não lhe está dando valor. Ele não sente que tem a confiança dela para contar com ele se ele puder.

Eu me lembro de uma mulher num seminário que explicava a diferença em termos venusianos. Ela disse, "A princípio eu não conseguia sentir a diferença entre essas duas maneiras de perguntar. Mas então virou o contrário. Sinto como sendo muito diferente para mim quando ele diz 'Não, eu não *posso*' em vez de 'Não, eu não faço'. O 'eu não faço' é uma rejeição pessoal. Se ele diz 'Não posso fazer isso', então não tem nenhum reflexo em mim, é simplesmente que ele não pode fazer aquilo".

Erros comuns ao se pedir

A parte mais difícil de aprender a pedir é lembrar-se de como fazer. Tente usar palavras com *f* sempre que possível. Isso vai exigir muita prática. Para pedir ajuda a um homem:

1. Seja direta.
2. Seja breve.
3. Use frases com "você faria" ou "você faz".

É melhor não ser indireta demais, se estender demais ou utilizar frases com "você poderia" ou "você pode". Vejamos alguns exemplos.

Diga	Não diga
"Você esvazia o lixo?"	"Essa cozinha está uma bagunça; está realmente fedendo. Não consigo colocar mais nada no saco de lixo. Precisa ser esvaziado. Você pode fazer isso?" (Longo demais e emprega o *poderia*.)
"Você me ajuda a mudar essa mesa de lugar?"	"Não consigo mudar essa mesa. Preciso arrumá-la antes da festa hoje à noite. Você poderia ajudar?" (Longo demais e emprega o *poderia*.)
"Você guarda isso para mim?"	"Eu não consigo guardar tudo isso." (Mensagem indireta.)
"Você traz as compras do carro para dentro?"	"Tenho quatro sacos de compras no carro. E preciso daquela comida para fazer o jantar. Você poderia trazê-las para dentro?" (Longo demais, indireto e emprega o *poderia*.)

"Você compra leite ao voltar para casa?"	"Você vai passar pelo mercado. Lauren precisa de leite. Eu simplesmente não posso sair de novo. Estou muito cansada. Hoje foi um dia ruim. Você poderia comprar?" (Longo demais, indireto e emprega o *poderia*.)
"Você pega Julie na escola?"	"Julie precisa de uma carona para casa e eu não posso pegá-la. Você tem tempo? Você acha que poderia pegá-la?" (Longo demais, indireto e emprega o *poderia*.)
"Você leva Zoey ao veterinário hoje?"	"Está na hora de Zoey tomar suas vacinas. Você gostaria de levá-la ao veterinário?" (Indireto demais.)
"Você nos leva para jantar fora?"	"Estou cansada demais para fazer o jantar. Nós não saímos há muito tempo. Você quer sair?" (Muito extenso e indireto.)
"Você fecha meu zíper?"	"Preciso da sua ajuda. Você poderia fechar meu zíper?" (Indireto e emprega o *poderia*.)
"Você acende a lareira para nós hoje à noite?"	"Está realmente frio. Você vai acender a lareira?" (Indireto demais.)
"Você me leva ao cinema essa semana?"	"Você quer ir ao cinema essa semana?" (Indireto demais.)
"Você ajuda Lauren a calçar seus sapatos?"	"Lauren ainda não calçou seus sapatos! Nós estamos atrasados. Não posso fazer tudo sozinha! Você poderia ajudar?" (Longo demais, indireto e emprega o *poderia*.)
"Você se senta comigo agora ou alguma hora hoje à noite para falarmos sobre nossos horários?"	"Não tenho a menor ideia do que está acontecendo. Nós não conversamos e eu preciso saber o que você está fazendo." (Longo demais e indireto.)

Como você já deve provavelmente ter percebido, o que você acha que esteve perguntando não é pergunta para os marcianos – eles escutam alguma outra coisa. Para fazer essas pequenas mas significativas mudanças na forma de pedir apoio é necessário um esforço consciente. Eu sugiro que você pratique por pelo menos três meses para corrigir a maneira com que você pede as coisas antes que passe para o passo nº 2. Outras enunciações que funcionam são "Você faria, por favor...?" e "Você se importaria...?".

Comece pelo passo nº 1 prestando atenção em quantas vezes você não pede apoio. Tome consciência de *como* você pede na hora em que pede. Com essa consciência ampliada, tente pedir aquilo que ele já está lhe dando. Lembre-se de ser breve e direta. Então demonstre seu apreço e agradecimento.

Perguntas comuns para se pedir ajuda

Esse primeiro passo pode ser difícil. Aqui estão algumas perguntas comuns que oferecem uma pista tanto das objeções quanto das resistências que as mulheres podem ter.

1. **Pergunta.** Uma mulher pode sentir, "Por que eu deveria pedir a ele quando não exijo que ele me peça?".
   Resposta: Lembre-se, os homens são de Marte; eles são diferentes. Aceitando e trabalhando com as diferenças dele, você conseguirá o que quer. Se, ao invés disso, você tentar mudá-lo, ele vai resistir teimosamente. Apesar de que pedir o que se quer não seja algo de natureza secundária para as venusianas, você pode fazê-lo sem deixar de ser quem é. Quando se sentir amado e apreciado, ele gradativamente ficará mais disposto a oferecer seu apoio sem que lhe seja pedido. Esse é um estágio posterior.
2. **Pergunta.** Uma mulher pode sentir, "Por que devo apreciar o que ele faz quando eu é que estou fazendo mais?".
   Resposta: Os marcianos dão menos quando não se sentem apreciados. Os homens são movidos a apreço. Se você está fazendo mais, pode, é claro, ser difícil apreciá-lo. Passe a fazer menos de

modo a poder apreciá-lo mais. Fazendo essa mudança, você não só o estará apoiando em se sentir amado, mas também receberá o apoio de que precisa e o qual merece.

3. **Pergunta.** Uma mulher pode sentir, "Se eu tiver que pedir ajuda ele pode pensar que está me fazendo um favor".

    Resposta: É assim que ele deve sentir. Um presente de amor é um favor. Quando um homem sentir que está lhe fazendo um favor, então ele estará dando de coração. Lembre-se, ele é um marciano e não mantém contagem de pontos da forma que você o faz. Se ele sentir que você está lhe dizendo que ele é obrigado a dar, seu coração se fecha e ele dá menos.

4. **Pergunta.** Uma mulher pode sentir, "Se ele me ama, ele deveria simplesmente oferecer-se para ajudar, eu não deveria ter que pedir".

    Resposta: Lembre-se de que os homens são de Marte; eles são diferentes. Os homens esperam até que haja um pedido. Em vez de pensar, "Se ele me ama, vai oferecer-se para ajudar", considere esse pensamento, "Se ele fosse uma venusiana, ele se ofereceria para ajudar, mas ele não é, é um marciano". Aceitando essa diferença, ele ficará muito mais disposto a apoiá-la e vai começar gradativamente a oferecer-lhe ajuda.

5. **Pergunta.** Uma mulher pode sentir, "Se eu tiver que pedir pelas coisas, ele vai pensar que não estou contribuindo tanto quanto ele. Eu tenho medo – ele pode sentir como se não tivesse que dar mais!"

    Resposta: Um homem é mais generoso quando se sente desobrigado a dar. Além disso, quando um homem ouve uma mulher pedindo apoio (de forma respeitosa), o que ele escuta é que ela sente que tem direito a esse apoio. Ele não supõe que ela tem contribuído menos. Muito pelo contrário, ele supõe que ela deva estar se dedicando mais, ou pelo menos tanto quanto ele, e é por isso que ela se sente bem em pedir.

6. **Pergunta.** Uma mulher pode sentir, "Quando peço apoio, tenho medo de ser breve. Quero explicar por que preciso da sua ajuda. Não quero parecer exigente".

Resposta: Quando um homem ouve um pedido de sua parceira, ele acredita que ela tenha boas razões para pedir. Se ela lhe dá muitas razões pelas quais ele deveria satisfazer seu pedido, ele sente como se não pudesse dizer não, e se ele não puder dizer não, se sentirá manipulado ou desvalorizado. Deixe que ele lhe dê um presente em vez de supor que seu apoio seja uma coisa garantida.

Se ele precisar entender mais, ele perguntará por quê. Então tudo bem em dar razões. Mesmo quando ele perguntar, tenha cuidado de não ser prolixa. Dê uma ou, no máximo, duas razões. Se ainda precisar de mais informações, ele fará com que você saiba.

Passo nº 2:
Tente pedir mais
(Mesmo quando você sabe
que ele pode dizer não)

Antes de tentar pedir mais a um homem, certifique-se de que ele se sente apreciado pelo que já está fazendo. Continuando a pedir seu apoio sem esperar que ele faça mais do que tem feito, ele se sentirá não somente apreciado mas também aceito.

Quando ele se acostuma a ouvi-la pedindo ajuda sem exigir, ele se sente amado na sua presença. Ele sente que não tem que mudar para ter o seu amor. A essa altura estará disposto a mudar e a ampliar sua capacidade de colaboração. A essa altura você pode arriscar pedir mais sem lhe passar a mensagem de que ele não é bom o bastante.

O segundo passo desse processo é fazer com que ele se dê conta de que pode dizer não e ainda assim receber o seu amor. Quando ele sentir que pode dizer não, mesmo que você peça mais, ele se sentirá livre para dizer sim ou não. Tenha em mente que os homens ficam muito mais dispostos a dizer sim se têm a liberdade de dizer não.

> **Os homens ficam muito mais dispostos
> a dizer sim se têm a liberdade de dizer não.**

É importante que as mulheres aprendam tanto como perguntar quanto como aceitar um não por resposta. As mulheres em geral intuitivamente sentem qual será a resposta dos seus parceiros mesmo antes de perguntarem. Se sentem que ele vai resistir ao seu pedido, elas nem se incomodam de perguntar. Em consequência, se sentirão rejeitadas. Ele, é claro, não terá a menor ideia do que aconteceu – tudo isso aconteceu na cabeça dela.

No passo nº 2, tente pedir ajuda em todas as situações em que você gostaria de pedir mas não o faz porque sente a resistência dele. Vá em frente e peça apoio mesmo que você perceba a resistência dele; mesmo que você saiba que ele pode dizer não.

Por exemplo, uma mulher pode dizer ao seu marido, que está concentrado em assistir televisão, "Você vai até o supermercado e compra salmão para o jantar?". Ao fazer a pergunta, ela já está preparada para que ele diga não. Ele fica, provavelmente, completamente surpreso porque ela nunca o interrompeu com um pedido como esse antes. Ele provavelmente dará alguma desculpa como "Eu estou bem no meio do noticiário. Você não pode ir?".

Ela pode ter vontade de dizer "É claro que poderia. Mas estou sempre fazendo tudo por aqui. Não gosto de ser sua criada. Quero alguma ajuda!".

Quando você pedir e sentir que vai receber um não, prepare-se para a negativa e tenha uma resposta pronta como "tudo bem". Se você quisesse parecer realmente marciana na sua resposta, você poderia dizer "não tem problema" – isso soaria como música aos ouvidos dele. Um simples "tudo bem" já está bom, no entanto.

É importante pedir e então agir como se fosse normal ele dizer não. Lembre-se de que você está fazendo com que seja seguro para ele recusar. Utilize essa abordagem somente para situações em que realmente não importa se ele disser não. Escolha situações em que você apreciaria seu apoio mas raramente pede. Certifique-se de que você não vai se aborrecer se ele disser não.

Eis alguns exemplos do que quero dizer:

Quando perguntar	O que dizer
Ele está trabalhando em alguma coisa e você quer que ele pegue as crianças na escola. Normalmente você não o incomodaria e, portanto, você mesma vai.	Você diz "Você pega a Julie? Ela acabou de ligar". Se ele disser não, diga, simplesmente, "tudo bem".
Ele normalmente vem para casa e espera que você faça o jantar. Você quer que ele faça o jantar, mas não pede nunca. Você sente que ele é resistente a cozinhar.	Você diz "Você me ajuda a cortar as batatas?" ou "Você faz o jantar essa noite?". Se ele disser não, diga, simplesmente, "tudo bem".
Ele normalmente assiste televisão depois do jantar enquanto você lava a louça. Você quer que ele a lave ou, pelo menos, ajude, mas não pede nunca. Você sente que ele odeia lavar a louça. Talvez você não se importe tanto quanto ele, aí você vai em frente e lava.	Você diz "Você me ajuda com a louça essa noite?" ou "Você traz os pratos?" ou espera por uma noite calma e diz "Você lava a louça hoje?". Se ele disser não, diga, simplesmente, "tudo bem".
Ele quer ir ao cinema e você quer ir dançar. Normalmente você percebe o desejo dele de ver o filme e nem se incomoda em pedir para ir dançar.	Você diz "Você me leva para dançar hoje à noite? Eu adoro dançar com você". Se ele disser não, diga, simplesmente, "tudo bem".
Vocês estão ambos cansados e prontos para ir para a cama. O lixo é coletado na manhã seguinte. Você sente o quanto ele está cansado, assim não pede a ele que leve o lixo para fora.	Você diz "Você leva o lixo para fora?". Se ele disser não, diga, simplesmente, "tudo bem".
Ele está muito cansado e preocupado com um projeto importante. Você não quer distraí-lo porque sente o quanto ele está concentrado, mas você também quer	Você diz "Você passa algum tempo comigo?". Se ele disser não, diga, simplesmente, "tudo bem".

conversar com ele. Normalmente você sentiria sua resistência e não lhe pediria algum tempo.	
Ele está concentrado e ocupado, mas você precisa pegar seu carro que está na oficina. Normalmente você prevê o quanto será difícil para ele rearrumar seu horário e não lhe pede uma carona.	Você diz "Você me dá uma carona hoje para pegar meu carro? Ele está no conserto". Se ele disser não, diga, simplesmente, "tudo bem".

Em cada um dos exemplos acima esteja preparada para que ele diga não e tente ser receptiva e confiante. Aceite o não dele e acredite que ele ofereceria ajuda se pudesse. Cada vez que você pede ajuda a um homem e ele não se sente errado por dizer não, ele lhe dá de cinco a dez pontos. Da próxima vez que você pedir, ele será mais receptivo ao seu pedido. De certo modo, ao pedir ajuda de maneira amável, você o estará ajudando a ampliar sua capacidade de colaboração.

Eu aprendi isso pela primeira vez de uma funcionária anos atrás. Estávamos trabalhando num projeto sem fins lucrativos e precisávamos de voluntários. Ela estava para ligar para Tom, que era um amigo meu. Eu lhe disse para não se incomodar porque eu já sabia que ele não poderia ajudar dessa vez. Ela disse que ligaria de qualquer jeito. Eu perguntei por que e ela disse, "Quando eu ligar, vou pedir seu apoio e quando ele disser não, vou ser bastante compreensiva. Da próxima vez, quando eu ligar para um projeto futuro, ele estará mais disposto a dizer sim. Ele terá uma lembrança positiva de mim". Ela estava certa.

Quando você pede apoio a um homem e não o rejeita por dizer não, ele não esquecerá disso, e da próxima vez estará muito mais disposto a colaborar. Por outro lado, se você silenciosamente sacrificar suas necessidades e não pedir, ele não terá qualquer ideia de quantas vezes é necessário. Como é que ele poderia saber se você não pede?

Quando você pede apoio a um homem e não o rejeita por dizer não, ele não esquecerá disso, e da próxima vez estará muito mais disposto a colaborar.

Quando você gentilmente continua a pedir mais, ocasionalmente seu parceiro será capaz de entender sua zona de conforto e dizer sim. A essa altura se tornou seguro pedir mais. Essa é uma maneira pela qual os relacionamentos saudáveis são construídos.

Relacionamentos saudáveis

Um relacionamento é saudável quando ambos os parceiros se permitem pedir o que querem e precisam e ambos se permitem dizer não se assim escolherem.

Por exemplo, eu me lembro um dia de estar na cozinha com um amigo da família, quando nossa filha Lauren tinha cinco anos. Ela me pediu para pegá-la nos braços e brincar e eu disse, "Não, hoje não posso. Estou realmente cansado".

Ela insistiu, perguntando em tom de brincadeira, "Por favor, papai, por favor, papai, só um pouquinho".

O amigo disse, "Agora, Lauren, seu pai está cansado. Ele trabalhou duro hoje. Você não deveria pedir".

Lauren imediatamente retrucou dizendo, "Só estou pedindo!".

"Mas você sabe que seu pai ama você", disse meu amigo. "Ele não consegue dizer não".

(A verdade é que se ele não consegue dizer não, esse problema é dele, não dela.)

Imediatamente minha esposa e minhas três filhas disseram, "Ah, sim, ele consegue!".

Eu fiquei orgulhoso da minha família. Foi preciso muito trabalho, mas aos poucos nós aprendemos a pedir apoio e também a aceitar um não.

Passo nº 3:
Tente pedir asseveradamente

Uma vez que tenha praticado o passo nº 2 e tenha conseguido aceitar um não, você está pronta para o passo nº 3. Nesse passo você assevera todo o seu poder para conseguir o que quer. Você pede seu apoio, e se ele começar a dar desculpas, você não diz "tudo bem" como no passo nº 2. Em vez disso, você tenta fazer com que esteja "tudo bem" mesmo se ele resistir, mas continua esperando que ele diga sim.

Digamos que ele esteja a caminho da cama e você lhe peça, "Você vai até o mercado e compra leite?". Como resposta ele diz "Oh, estou realmente cansado, quero ir para a cama".

Em lugar de imediatamente livrá-lo daquilo dizendo "tudo bem", não diga nada. Fique lá e aceite que ele esteja resistindo ao seu pedido. Ao não resistir à resistência dele, há uma chance muito maior de que ele vá dizer sim.

A arte de pedir asseveradamente é permanecer em silêncio depois de ter feito o pedido. Depois de ter perguntado, espere que ele se lamente, gema, feche a cara, rosne, murmure e resmungue. Eu chamo a resistência que os homens têm a pedidos de resmungos. Quanto mais concentrado um homem estiver naquele momento, mais ele vai resmungar. Seus resmungos não têm nada a ver com sua disposição de ajudar; eles são um sintoma do quanto ele estava concentrado no momento do pedido.

Uma mulher geralmente interpreta mal os resmungos de um homem. Ela erroneamente supõe que ele não esteja disposto a atender seu pedido. Não é o caso. Seus resmungos são um sinal de que ele está no processo de consideração do pedido dela. Se não estivesse considerando o pedido, então ele iria calmamente dizer não. Quando um homem resmunga, é um bom sinal – ele está tentando considerar o seu pedido a despeito das necessidades dele.

**Quando um homem resmunga, é um bom sinal
– ele está tentando considerar o seu pedido
a despeito das necessidades dele.**

Para atender o pedido, ele terá de passar por resistências internas para poder mudar o foco da sua concentração. Como abrir uma porta com dobradiças enferrujadas, o homem fará barulhos fora do comum. Ignorando seus resmungos, eles rapidamente desaparecerão.

Quase sempre, quando o homem resmunga, é porque está em vias de dizer sim ao seu pedido. Como a maioria das mulheres entende mal essa reação, elas ou evitam pedir apoio a ele ou tomam a coisa como algo pessoal, rejeitando-o em contrapartida.

No nosso exemplo, ele está indo para a cama e você pede que ele saia para comprar leite, é provável que ele resmungue.

"Estou cansado", diz, com um olhar irritado. "Quero ir para à cama."

Se você entende mal a resposta e a interpreta como rejeição, você pode replicar "Eu fiz seu jantar, eu lavei a louça, eu preparei as crianças para dormir e tudo o que você fez foi se plantar nesse sofá! Eu não peço muito, mas pelo menos você poderia ajudar agora. Estou exausta. Eu sinto como se fizesse tudo por aqui".

A discussão começa. Por outro lado, se você souber que resmungos são só resmungos e são geralmente a maneira dele de começar a dizer sim, sua resposta será o silêncio. Seu silêncio é um sinal de que você acredita que ele esteja se exercitando para dizer sim.

Alongamento é outra maneira de entender a resistência de um homem ao seu pedido. Toda vez que você pede mais, é como se ele precisasse se alongar. Se ele não estiver em forma, não poderá fazê-lo. É por isso que você deve preparar um homem para o passo nº 3 passando pelos passos 1 e 2.

Além disso, você sabe que é mais difícil alongar pela manhã. Com o decorrer do dia, você pode se alongar com muito mais facilidade. Quando um homem resmunga, simplesmente imagine que ele está alongando de manhã. Uma vez que tenha terminado de se alongar, ele se sentirá extraordinário. Ele simplesmente precisa resmungar primeiro.

Programando um homem para dizer sim

A primeira vez que tomei consciência desse processo foi quando minha mulher me pediu para comprar leite quando eu estava indo para a cama. Eu me lembro de resmungar em voz alta. Em vez de discutir comigo, ela simplesmente ouviu, admitindo que eu acabaria indo comprar. Por fim, eu fiz alguns barulhos estrondosos ao sair, entrei no carro e fui até o mercado.

Então alguma coisa aconteceu, alguma coisa que acontece com todos os homens, alguma coisa sobre a qual as mulheres não sabem. À medida que me aproximava do meu propósito, o leite, meus resmungos foram sumindo. Comecei a sentir amor por minha esposa e uma disposição para ajudá-la. Acredite em mim, gostei daquele sentimento.

Quando cheguei ao mercado, eu estava feliz de estar comprando o leite. Quando minha mão alcançou a garrafa, eu tinha realizado meu novo propósito. Realização sempre faz os homens se sentirem bem. Eu alegremente peguei a garrafa na minha mão direita e me virei com um olhar de orgulho e disse "Ei, olha para mim. Estou comprando o leite para minha esposa. Sou um desses caras enormemente generosos. Que cara".

Quando voltei com o leite, ela ficou feliz em me ver. Me deu um grande abraço e disse, "Muito obrigada. Estou tão feliz por não ter tido que me vestir".

Se ela tivesse me ignorado, eu provavelmente teria me ressentido. Da próxima vez em que me pedisse para comprar leite, eu teria provavelmente resmungado ainda mais. Mas ela não me ignorou, ela me deu muito amor.

Eu assisti a minha reação e me escutei pensando, "Que esposa maravilhosa eu tenho. Mesmo depois de ter sido tão resistente e resmungão ela ainda está me apreciando".

Na segunda vez em que me pediu para comprar leite, eu resmunguei menos. Quando voltei, ela estava, de novo, apreciadora. Na terceira vez eu automaticamente disse "Claro".

Então, uma semana mais tarde, eu notei que o leite estava no final. Me ofereci para comprar. Ela disse que já estava de saída para comprar. Para minha surpresa uma parte de mim ficou desapontada! Eu queria comprar o leite. O amor dela tinha me programado para dizer sim. Até hoje, toda vez que ela me pede que vá comprar leite, uma parte de mim alegremente diz sim.

Eu pessoalmente experimentei essa transformação interna. Sua aceitação dos meus resmungos e seu apreço quando eu voltava curaram minha resistência. Daquele dia em diante, toda vez que ela pedia asseveradamente era muito mais fácil para mim dizer sim aos seus pedidos.

O recurso da pausa

Um dos elementos-chave de se pedir asseveradamente é permanecer em silêncio depois de ter solicitado ajuda. Permita que seu parceiro trabalhe sua resistência. Tenha cuidado para não desaprovar seus resmungos. Se fizer uma pausa e ficar em silêncio, você tem grandes possibilidades de receber o apoio dele. Se quebrar o silêncio, você poderá perder seu poder.

As mulheres inadvertidamente quebram o silêncio e perdem seu poder ao fazerem comentários como:

- "Ah, esquece."
- "Não acredito que você esteja dizendo não. Eu faço tanto por você!"
- "Não te peço muito."
- "Só vai te tomar quinze minutos."
- "Me sinto desapontada. Isso realmente magoa meus sentimentos."
- "Você quer dizer que não vai fazer isso para mim?"
- "Por que você não pode fazer isso?"

Etc. etc. etc. Você entende a ideia. Quando ele resmunga, ela sente o impulso de defender seu pedido e erroneamente quebra seu silêncio. Ela discute com seu parceiro numa tentativa de convencê-lo de que ele deve fazer aquilo. Não importa se ele faz ou não, ele vai estar mais resistente da próxima vez em que ela pedir ajuda.

> **Um dos elementos-chave de se pedir asseveradamente é permanecer em silêncio depois de ter solicitado ajuda.**

Para lhe dar uma chance de atender ao seu pedido, peça e faça uma pausa. Deixe-o resmungar. Simplesmente ouça. Ele vai acabar dizendo sim. Não acredite erroneamente que ele vai usar isso contra você. Ele não pode e não vai usar isso contra você contanto que você não insista nem discuta com ele. Mesmo que ele saia resmungando, ele vai se desfazer disso, se vocês dois sentirem que é uma escolha dele fazer ou não fazer aquilo.

Às vezes, no entanto, ele pode não dizer sim. Ou ele pode tentar discutir para tentar se livrar fazendo algumas perguntas. Tenha cuidado. Durante a sua pausa ele pode fazer perguntas como:

- "Por que você não pode fazer isso?"
- "Realmente não tenho tempo. Você faz isso?"
- "Estou ocupado, não tenho tempo. O que você está fazendo?"

Às vezes essas são somente perguntas retóricas. Portanto você pode permanecer em silêncio. Não fale a menos que esteja claro que ele está realmente procurando uma resposta. Se ele quiser uma resposta, dê-lhe uma, mas bastante breve e então peça de novo. Pedir asseveradamente significa pedir com um sentido de confiança e crença de que ele vai ajudá-la se puder.

Se ele questioná-la ou disser não, então responda com uma resposta breve passando a mensagem de que sua necessidade é simplesmente tão grande quanto a dele. Aí peça de novo.

Eis alguns exemplos:

O que ele diz para resistir ao pedido dela	Como ela pode responder
"Não tenho tempo. Você não pode fazer isso?"	"Estou com tanta pressa. Você faz, por favor?" Aí permaneça em silêncio de novo.
"Não, eu não quero fazer isso."	"Eu realmente apreciaria. Você faz isso para mim, por favor?" Aí permaneça em silêncio de novo.
"Estou ocupado, o que você está fazendo?"	"Estou ocupada também. Você faz isso, por favor?" Aí permaneça em silêncio de novo.
"Não, não estou com vontade."	"Eu também não estou com vontade. Você faz isso, por favor?" Aí permaneça em silêncio de novo.

Observe que ela não está tentando convencê-lo, mas está simplesmente igualando a resistência dele. Se ele estiver cansado, não tente provar que você está mais cansada e que por isso ele deveria ajudá-la. Ou se ele pensa que está ocupado demais, não tente convencê-lo de que você está mais ocupada. Evite dar lhe razões do porquê ele deveria fazer aquilo. Lembre-se, você está somente pedindo, e não exigindo.

Se ele continuar a resistir, então tente o passo nº 2 e graciosamente aceite sua rejeição. Esse não é o momento para compartilhar o quanto você está desapontada. Tenha certeza de que se você deixar passar dessa vez, ele se lembrará do quanto você foi amorosa e estará mais disposto a ajudá-la da próxima vez.

Enquanto você progride, vai experimentar um sucesso cada vez maior em pedir e conseguir o apoio dele. Mesmo que você esteja tentando o recurso da pausa do passo nº 3, ainda é necessário continuar a praticar os passos 1 e 2. É sempre importante que você continue a pedir corretamente pelas pequenas coisas, bem como aceitar graciosamente as negativas dele.

Por que os homens são tão sensíveis

Você pode estar se perguntando por que os homens são tão sensíveis quando são solicitados a ajudar. Não é porque sejam preguiçosos, mas porque têm muita necessidade de se sentirem aceitos. Qualquer pedido para ser mais ou colaborar mais pode passar a mensagem de que ele não é aceito simplesmente do jeito que é.

Do mesmo modo que uma mulher é mais sensível no que diz respeito a ser escutada e se sentir compreendida quando está compartilhando seus sentimentos, um homem é mais sensível no que diz respeito a ser aceito simplesmente do jeito que é. Qualquer tentativa para melhorá-lo faz com que ele se sinta como se você estivesse tentando mudá-lo porque ele não é bom o bastante.

Em Marte o lema é "Não conserte a menos que esteja enguiçado". Quando um homem sente uma mulher querendo mais, e que ela está tentando mudá-lo, ele recebe a mensagem de que ela sente que ele está enguiçado; naturalmente ele não se sente amado do jeito que é.

Aprendendo a arte de pedir apoio, seu relacionamento irá pouco a pouco enriquecer-se. Quando você é capaz de receber mais amor e apoio de que precisa, seu parceiro também ficará naturalmente muito feliz. Os homens são mais felizes quando sentem que têm sucesso em satisfazer às pessoas com quem se importam. Aprendendo a pedir apoio corretamente, você não somente ajuda seu homem a se sentir mais amado mas também assegura-se de receber o amor de que você precisa e o qual merece.

No próximo capítulo vamos examinar os segredos de manter viva a mágica do amor.

13

MANTENDO VIVA A MAGIA DO AMOR

Um dos paradoxos dos relacionamentos amorosos é que quando as coisas estão indo bem e estamos nos sentindo amados, podemos repentinamente nos encontrar distantes de nossos(as) parceiros(as), ou reagindo a eles(as) de uma maneira não amorosa. Talvez fique mais claro com alguns desses exemplos:

1. Você pode estar sentindo muito amor por seu(sua) parceiro(a), mas então, na manhã seguinte, você acorda irritado e ressentido com ele ou ela.
2. Você está amável, paciente e receptivo e então, no dia seguinte, você se torna exigente e insatisfeito(a).
3. Você não consegue se imaginar não amando seu(sua) parceiro(a) e então, no dia seguinte, vocês têm uma discussão e, de repente, começam a pensar em se divorciar.
4. Seu(sua) parceiro(a) faz alguma coisa amável para você e você se sente ressentido(a) pelas vezes, no passado, quando ele ou ela o(a) ignorou.
5. Você sente atração pelo(a) seu(sua) parceiro(a) e então, de repente, você se sente insensível na presença dele(a).

6. Você está feliz com seu(sua) parceiro(a) e então, de repente, se sente inseguro(a) com o relacionamento ou impotente para conseguir o que precisa.
7. Você se sente confiante e seguro de que seu(sua) parceiro(a) o(a) ama e, de repente, se sente desesperado(a) e carente.
8. Você é generoso(a) com seu amor e então, de repente, se torna contido(a), judicioso(a), crítico(a), nervoso(a) e controlador(a).
9. Você sente atração pelo(a) seu(sua) parceiro(a) e então, quando ele ou ela marca um compromisso, você perde o interesse e acaba achando outras pessoas mais atraentes.
10. Você quer fazer sexo com seu(sua) parceiro(a), mas quando ele ou ela quer, você não quer.
11. Você se sente bem consigo mesmo(a) e com a sua vida e então, de repente, você começa a se sentir desmerecedor(a), abandonado(a) e inadaptado(a).
12. Você tem um dia maravilhoso e está ansioso(a) por ver seu(sua) parceiro(a), mas quando você o(a) vê alguma coisa que seu(sua) parceiro(a) diz faz com que você fique desapontado(a), deprimido(a), desmotivado(a), cansado(a) e emocionalmente distante.

Talvez você tenha assistido ao(à) seu(sua) parceiro(a) passando por essas mudanças durante a semana toda. Tire algum tempo para reler a lista acima, pensando em como seu(sua) parceiro(a) pode repentinamente perder sua capacidade de lhe dar o amor que você merece. Provavelmente você já experimentou essas bruscas mudanças de comportamento que acontecem às vezes. É muito comum que duas pessoas, loucamente apaixonadas num dia, odeiem-se ou briguem no dia seguinte.

Essas mudanças repentinas são confusas. Ainda assim são comuns. Se não entendermos por que ocorrem, podemos pensar que estamos ficando loucos, ou podemos erroneamente concluir que nosso amor acabou. Felizmente há uma explicação.

O amor traz à tona nossos sentimentos não resolvidos. Num dia estamos nos sentindo amados e, no dia seguinte, estamos repentinamente com medo de confiar no amor. As memórias dolorosas de rejeições passadas começam a vir à superfície quando ficamos frente a frente para confiar e aceitar o amor do(a) nosso(a) parceiro(a).

Sempre que estamos nos amando mais ou sendo amados por outras pessoas, sentimentos reprimidos tendem a vir à tona e temporariamente obscurecer nossa consciência amorosa. Eles vêm à tona para serem cicatrizados e liberados. Podemos repentinamente ficar irritadiços(as), defensivos(as), críticos(as), ressentidos(as), exigentes, insensíveis e nervosos(as).

Sentimentos que não conseguíamos expressar no passado de repente inundam nossa consciência quando estamos seguros para sentir. O amor descongela os sentimentos reprimidos, e gradativamente esses sentimentos não resolvidos começam a vir para a superfície durante um relacionamento.

É como se seus sentimentos não resolvidos esperassem até que você estivesse se sentindo amado(a) e então viessem à tona para serem cicatrizados. Todos nós estamos andando por aí com uma carga de sentimentos não resolvidos, as feridas do nosso passado que repousam adormecidas dentro de nós até que chegue o momento em que nos sintamos amados. Aí, quando nos sentimos seguros para sermos nós mesmos, antigas mágoas vêm à tona.

Se soubermos lidar com esses sentimentos com sucesso, então nos sentiremos muito melhor e reavivaremos o nosso potencial amoroso e criativo. Se, no entanto, nos metemos em uma briga e culpamos nosso(a) parceiro(a) em vez de nos curarmos do passado, somente restará aborrecimento e a tendência será reprimir novamente os sentimentos.

Como sentimentos reprimidos vêm à tona

O problema é que os sentimentos reprimidos não vêm à tona dizendo "Oi, somos seus sentimentos não resolvidos do passado". Se seus sentimentos de abandono e rejeição da infância começarem a vir à tona, então você sentirá que está sendo abandonado(a) e rejeitado(a) por seu(sua) parceiro(a). A dor do passado é projetada no presente. Coisas que normalmente não teriam muita importância são superdimensionadas e passam a magoar muito.

Estivemos reprimindo nossos sentimentos dolorosos por anos a fio. Então um dia nos apaixonamos, e o amor nos faz sentir seguros o bastante para nos abrirmos e ficarmos mais conscientes em relação aos nossos sentimentos. O amor nos abre e começamos a sentir nossa dor.

Por que casais podem brigar durante bons momentos

Nossos sentimentos do passado repentinamente vêm à tona não somente quando nos apaixonamos, mas em outros momentos em que estamos nos sentindo realmente bem, felizes ou amáveis. Nesses momentos positivos, os casais podem inexplicavelmente brigar quando parece que deveriam estar felizes.

Por exemplo, casais podem brigar quando mudam para uma casa nova, a redecoram, vão a uma formatura, a uma comemoração religiosa, ou a um casamento, recebem presentes, saem de férias ou num passeio de carro, terminam um projeto, comemoram o Natal, durante o Ano-Novo, decidem mudar um hábito negativo, compram um carro novo, fazem uma mudança positiva na carreira, ganham na loteria, ganham muito dinheiro, decidem gastar muito dinheiro ou têm uma grande prática amorosa.

Em todas essas ocasiões especiais um ou ambos os parceiros podem repentinamente experimentar estados de humor e reações inexplicáveis; o aborrecimento tende a acontecer antes, durante, ou logo depois da ocasião. Pode ser uma boa oportunidade para muitos insights rever a lista acima de ocasiões especiais e refletir sobre como nossos pais podem ter experimentado essas ocasiões, bem como refletir sobre como você experimentou essas ocasiões nos seus relacionamentos.

O princípio do 90/10

Compreendendo como sentimentos não resolvidos do passado periodicamente podem vir à superfície, é fácil entender por que podemos ficar magoados(as) com nossos parceiros(as) tão facilmente. Quando estamos aborrecidos(as), cerca de 90% do aborrecimento estão relacionados com nosso passado e não têm nada a ver com o que pensamos que está nos aborrecendo. Em geral somente cerca de 10% do nosso aborrecimento se aplicam à experiência presente.

Vamos dar uma olhada num exemplo. Se nosso(a) parceiro(a) parece um pouco crítico(a) no que se refere a nós, isso pode magoar nossos sentimentos um pouco. Mas como somos adultos, somos capazes de entender que eles(as) não querem ser críticos(as) ou talvez vejamos que eles(as) tiveram um dia ruim. A compreensão disso evita que sua crítica seja prejudicial demais. Nós não a interpretamos como algo pessoal.

Mas num outro dia sua crítica é muito dolorosa. Nesse outro dia nossos sentimentos feridos do passado estão a caminho da superfície. Como resultado ficamos mais vulneráveis às críticas do nosso(a) parceiro(a). Machuca muito porque, enquanto crianças, fomos duramente criticados. A crítica de nosso(a) parceiro(a) magoa mais porque aciona nossas mágoas do passado também.

Enquanto crianças não éramos capazes de entender que éramos inocentes e que a negatividade dos nossos pais era problema deles. Na infância assumimos toda a crítica, rejeição e culpa pessoalmente.

Quando esses sentimentos não resolvidos da infância estão vindo à tona, nós facilmente interpretamos mal as críticas e comentários de nossos(as) parceiros(as). Ter discussões adultas nesses momentos é difícil. Tudo é um grande mal-entendido. Quando nosso(a) parceiro(a) parece crítico, 10% da nossa reação se relacionam com seu efeito em nós e 90% dizem respeito ao nosso passado.

Imagine alguém cutucando seu braço um pouco ou gentilmente. Não machuca muito. Agora imagine que você tem um machucado ou uma ferida aberta e alguém começa a cutucá-lo(a). Dói muito mais. Da mesma forma, se sentimentos não resolvidos estiverem vindo à tona, ficaremos excessivamente sensíveis aos cutucões normais das relações.

No começo de um relacionamento podemos não estar tão sensíveis. Leva tempo para que nossos sentimentos do passado venham à tona. Mas quando eles realmente vêm, reagimos diferentemente aos(às) nossos(as) parceiros(as). Na maioria dos relacionamentos, 90% do que nos aborrece não aborreceriam se nossos sentimentos não resolvidos do passado não tivessem vindo à tona.

Como podemos apoiar um ao outro

Quando o passado de um homem vem à tona, ele geralmente se dirige para sua caverna. Ele fica demasiadamente sensível nesses momentos e precisará de muita aceitação. Quando o passado de uma mulher vem à tona, é quando sua autoestima entra em baixa. Ela mergulha fundo no poço dos seus sentimentos e precisará de muito carinho.

Esse insight o(a) ajudará a controlar seus sentimentos quando eles vierem à tona. Se você estiver aborrecido(a) com seu(sua) parceiro(a), antes de se confrontar com ele ou com ela, primeiro escreva seus sentimentos num papel. Através do processo de escrever Cartas de Amor sua negatividade será automaticamente liberada e suas mágoas do passado serão curadas. Cartas de Amor ajudam você a se centrar no momento presente de modo que possa responder ao(à) seu(sua) parceiro(a) de uma maneira mais confiante, receptiva, compreensiva e compassiva.

Compreender o princípio do 90/10 também ajuda quando seu(sua) parceiro(a) está reagindo muito a você. Saber que ele ou ela está sendo influenciado pelo passado pode ajudá-lo(a) a ser mais compreensivo(a) e compassivo(a).

Nunca conte a seu(sua) parceiro(a), quando parecer que suas "coisas" estão vindo à tona, que ele(a) está reagindo exageradamente. Isso somente machuca mais. Se você cutucasse alguém bem no meio de uma ferida, você não diria que ele estava reagindo exageradamente.

Compreender como os sentimentos do passado vêm à tona nos dá uma compreensão maior do porquê nosso(a) parceiro(a) reage da maneira que o faz. É parte do seu processo de cura. Dê-lhe algum tempo para se acalmar e se equilibrar de novo. Se for difícil demais ouvir seus sentimentos, encoraje-o(a) a escrever uma Carta de Amor antes de vocês conversarem sobre o que era tão aborrecedor.

Uma carta restauradora

Compreender como o seu passado afeta suas reações no presente o(a) ajudará a curar seus sentimentos. Se seu(sua) parceiro(a) o(a) aborreceu de alguma maneira, escreva-lhe uma Carta de Amor, e enquanto estiver escrevendo, pergunte-se como isso se relaciona com seu passado. Ao escrever, você pode encontrar memórias do seu passado vindo à tona e descobrir que você está realmente aborrecido(a) com sua própria mãe ou seu próprio pai. Nessa altura, continue a escrever, mas agora enderece sua carta ao seu pai ou sua mãe. Depois escreva uma amável Carta-Resposta. Compartilhe essa carta com seu(sua) parceiro(a).

Ele(a) gostará de ouvir sua carta. É ótimo quando seu(sua) parceiro(a) reconhece que 90% da sua dor vêm do passado. Sem essa compreensão do nosso passado, tendemos a culpar nossos(as) parceiros(as), ou pelo menos eles se sentem acusados.

Se você quiser que seu(sua) parceiro(a) seja mais sensível aos seus sentimentos, deixe-o(a) experimentar os sentimentos dolorosos do seu passado. Então ele(a) poderá entender sua sensibilidade. As Cartas de Amor são uma oportunidade excelente para fazer isso.

Você nunca está aborrecido(a) pela razão que você pensa

À medida que vai tentando escrever Cartas de Amor e explorando seus sentimentos, você começa a descobrir que em geral está aborrecido por razões diferentes das que pensava a princípio. Ao expressar e sentir as razões mais profundas, a negatividade tende a desaparecer. Do mesmo modo que podemos ser repentinamente agarrados pelas emoções negativas podemos repentinamente liberá-las. Eis alguns exemplos:

1. Certa manhã Jim acordou se sentindo irritado com sua parceira. Qualquer coisa que ela fazia o perturbava. Ao escrever-lhe uma Carta de Amor, ele descobriu que estava realmente aborrecido com sua mãe por ela ser tão controladora. Esses sentimentos estavam simplesmente vindo à tona, assim ele escreveu uma curta Carta de Amor para sua mãe. Para escrever essa carta, ele imaginou-se voltando à época em que se sentia controlado. Após escrever a carta, de repente, descobriu que já não estava mais aborrecido com sua parceira.

2. Depois de meses apaixonada, Lisa de repente se tornou crítica com relação a seu parceiro. Quando escreveu uma Carta de Amor, descobriu que estava realmente com medo de que não fosse boa o bastante para ele e com medo de que ele não estivesse mais interessado nela. Ao tomar consciência dos seus sentimentos mais profundos, ela começou a se sentir amorosa de novo.
3. Depois de passar uma noite romântica juntos, Bill e Jean tiveram uma briga terrível no dia seguinte. Começou quando Jean ficou um pouco nervosa com o fato de ele ter esquecido de fazer alguma coisa. Ao invés de ser compreensivo, de repente Bill se sentiu como se quisesse o divórcio. Mais tarde, enquanto escrevia a Carta de Amor, ele se deu conta de que estava realmente com medo de ser abandonado. Ele se lembrou de como se sentia quando criança quando seus pais brigavam. Ele escreveu uma carta a seus pais, e de repente se sentiu amoroso com relação a sua esposa de novo.
4. O marido de Susan, Tom, estava ocupado para cumprir um prazo de entrega no escritório. Quando ele veio para casa, Susan se sentiu extremamente ressentida e com raiva. Uma parte dela entendia o estresse, mas emocionalmente ela ainda estava com raiva. Enquanto escrevia uma Carta de Amor para ele, ela descobriu que estava com raiva do seu pai por deixá-la sozinha com sua mãe abusiva. Enquanto criança, ela tinha se sentido abandonada, e esses sentimentos estavam vindo à tona de novo para serem curados. Ela escreveu uma Carta de Amor para seu pai e de repente não estava mais com raiva de Tom.
5. Rachel sentia atração por Phil até o dia em que ele disse que a amava e que queria assumir um compromisso. No dia seguinte seu humor de repente mudou. Ela começou a ter um monte de dúvidas e sua paixão desapareceu. Quando ela lhe escreveu uma Carta de Amor, descobriu que estava com raiva do seu pai por ele ser tão passivo e magoar sua mãe. Depois que escreveu a Carta de Amor para seu pai e conseguiu extravasar seus sentimentos negativos, ela de repente se sentiu atraída de novo por Phil.

Quando você dá início à prática da Carta de Amor, você pode nem sempre experimentar memórias e sentimentos passados. Mas na medida em que vai se abrindo para os seus sentimentos, você vai percebendo com mais clareza que está realmente aborrecido é com alguma coisa do seu passado também.

A resposta reativa retardada

Do mesmo modo que o amor pode trazer à tona nossos sentimentos não resolvidos do passado, também o faz conseguir o que você quer. Eu me lembro da primeira vez que ouvi falar disso. Há muitos anos, um dia eu quis fazer sexo com minha parceira, mas ela não estava a fim. Na minha cabeça eu aceitei aquilo. No dia seguinte eu me insinuei, e ela ainda não estava interessada. Esse padrão continuou todo dia.

Ao final de duas semanas eu estava começando a me sentir ressentido. Mas naquela época da minha vida eu não sabia comunicar sentimentos. Em vez de conversar sobre meus sentimentos e minha frustração, eu simplesmente continuava fingindo como se tudo estivesse bem. Eu estava reprimindo meus sentimentos negativos e tentando ser amável. Por duas semanas meu ressentimento continuou a aumentar.

Fiz tudo o que sabia para ajudá-la e fazê-la feliz, enquanto por dentro eu estava ressentido com sua rejeição com relação a mim. Ao final de duas semanas eu saí e comprei-lhe uma linda camisola. Eu a trouxe para casa e naquela noite dei a ela. Ela abriu a caixa e ficou alegremente surpresa. Eu pedi que ela experimentasse. Ela disse que não estava a fim.

Nesse ponto eu desisti. Simplesmente me esqueci de sexo. Eu me enterrei no trabalho e desisti do meu desejo por sexo. Na minha cabeça fiz com que tudo estivesse bem e reprimi meus ressentimentos. Cerca de duas semanas mais tarde, no entanto, quando cheguei em casa do trabalho, ela tinha preparado um jantar romântico e estava usando a camisola que eu tinha comprado para ela duas semanas antes. As luzes estavam meio apagadas e havia música suave de fundo.

Você pode imaginar minha reação. De repente senti um surto de ressentimento. Por dentro eu sentia "Agora sofra você por quatro semanas".

Todo o ressentimento que eu havia reprimido nas últimas quatro semanas de repente estava vindo à tona. Depois de falar sobre esses sentimentos, me dei conta de que sua disposição a me dar o que eu queria liberou meus ressentimentos antigos.

Quando casais de repente sentem seu ressentimento

Eu comecei a ver esse padrão em muitas outras situações. Na minha prática de aconselhamento, eu também observei esse fenômeno. Quando um parceiro estava finalmente disposto a fazer uma mudança para melhor, o outro se tornava repentinamente indiferente e não apreciador.

No momento em que Bill demonstrava disposição para dar a Mary o que ela vinha pedindo, ela tinha uma reação ressentida como "Bem, agora é tarde demais" ou "E daí?".

Repetidamente tenho aconselhado casais que estão casados há mais de vinte anos. Seus filhos cresceram e saíram de casa. De repente a mulher quer o divórcio. O homem desperta e se dá conta de que quer mudar e receber ajuda. Quando ele começa a fazer mudanças e dá a ela o amor que sempre quis por vinte anos, ela reage com frio ressentimento.

É como se quisesse que ele sofresse por vinte anos como ela sofreu. Felizmente não é esse o caso. Na medida em que eles continuem a compartilhar sentimentos e ele ouça e compreenda como ela tem sido negligenciada, ela gradativamente se tornará mais receptiva às mudanças dele. Isso também pode acontecer da maneira oposta; um homem querer partir e a mulher ficar disposta a mudar, mas ele resistir.

A crise do aumento de expectativas

Outro exemplo de reação retardada ocorre a nível social. Em sociologia isso é chamado de crise do aumento de expectativas. Ocorreu nos anos 1960 durante a administração Johnson. Pela primeira vez foi dado às minorias mais direitos do que nunca. Como resultado, houve explosões de raiva, tumulto e violência. Todos os sentimentos raciais enclausurados foram repentinamente liberados.

Esse é um outro exemplo de sentimentos reprimidos vindo à superfície. Quando as minorias sentiram-se mais apoiadas, elas sentiram uma onda de sentimentos de raiva e ressentimento. Os sentimentos não resolvidos do passado começaram a vir à tona. Uma reação similar está acontecendo agora em países onde as pessoas estão finalmente ganhando sua liberdade dos seus líderes governamentais abusivos.

Por que pessoas sadias podem precisar de aconselhamento

Quando você se torna mais íntimo no seu relacionamento, o amor aumenta. Como resultado, sentimentos mais dolorosos, profundos, que precisarão ser curados, virão à tona – sentimentos profundos como vergonha e medo. Como geralmente não sabemos como lidar com esses sentimentos dolorosos ficamos empacados.

Para curá-los precisamos compartilhá-los, mas estamos com medo ou vergonha demais para revelar o que estamos sentindo. Em tais momentos, podemos nos tornar deprimidos, ansiosos, entediados, ressentidos ou simplesmente desgastados por nenhuma razão aparente. Todos esses são sintomas dos sentimentos que vieram à tona e foram bloqueados.

Instintivamente você vai querer ou fugir do amor ou aumentar seus vícios. Esse é um momento para trabalhar os seus sentimentos e não para fugir. Quando sentimentos profundos vierem à tona, seria muito sábio procurar um terapeuta.

Quando sentimentos profundos vêm à tona, nós projetamos nossos sentimentos no(a) nosso(a) parceiro(a). Se não nos sentimos seguros(as) para expressar nossos sentimentos para nossos pais ou ex-parceiro(a), de repente não podemos entrar em contato com nossos sentimentos na presença do nosso parceiro(a) *atual*. A essa altura, não importa o quanto seu(sua) parceiro(a) seja apoiador(a), quando você estiver com seu(sua) parceiro(a), não se sentirá seguro(a). Os sentimentos serão bloqueados.

É um paradoxo: como você se sente seguro(a) com seu(sua) parceiro(a), seus temores mais profundos têm uma chance de virem à superfície. Quando eles vêm à superfície, você fica com medo e é incapaz de compartilhar o que sente. Seu medo pode até mesmo torná-lo(a) insensível. Quando isso acontece, os sentimentos que estão vindo à tona ficam embotados.

> **É um paradoxo: como você se sente seguro(a)
> com seu(sua) parceiro(a), seus sentimentos mais profundos
> têm uma chance de virem à superfície. Quando eles
> vêm à superfície, você fica com medo e é incapaz
> de compartilhar o que sente.**

É nesse momento que ter um conselheiro ou terapeuta é tremendamente útil. Quando você está com alguém em quem não esteja projetando seus medos, você pode processar os sentimentos que estão vindo à tona. Mas se só tiver o seu(sua) parceiro(a) para compartilhar, você pode se sentir insensível.

É por isso que pessoas mesmo com relacionamentos muito amorosos podem inevitavelmente precisar da ajuda de um terapeuta. Compartilhar em grupos de apoio também tem esse efeito liberador. Estar com outras pessoas que não conhecemos intimamente mas que são apoiadoras cria uma abertura para que nossos sentimentos feridos sejam compartilhados.

Quando nossos sentimentos não resolvidos estão sendo projetados no(a) nosso(a) parceiro(a) íntimo, ele ou ela fica impotente para nos ajudar. Tudo o que pode fazer é nos encorajar a conseguir apoio. Compreender como nosso passado continua a afetar nossos relacionamentos nos liberta para aceitar o fluxo e refluxo do amor. Começamos a confiar no amor e no seu poder de cura. Para manter vivas a magia do amor devemos ser flexíveis e nos adaptar às contínuas mudanças de estação do amor.

As estações do amor

Um relacionamento é como um jardim. Se é para florescer deve ser aguado regularmente. Cuidado especial deve ser dado, levando em conta as estações bem como qualquer mudança de tempo. Novas sementes devem ser plantadas e as ervas daninhas arrancadas. Similarmente, para manter viva a magia do amor, temos que entender suas estações e acalentar as necessidades especiais do amor.

A primavera do amor

Apaixonar-se é como a primavera. Nós nos sentimos como se fôssemos ser felizes para sempre. Não conseguimos nos imaginar não amando nosso(a) parceiro(a). É um momento de inocência. O amor parece eterno. É uma época mágica quando tudo parece perfeito e funciona sem esforço. Nosso(a) parceiro(a) parece ser o par perfeito. Dançamos juntos sem esforço, em harmonia, regozijando-nos de nossa boa sorte.

O verão do amor

Durante o verão do amor, nos damos conta de que nosso(a) parceiro(a) não é tão perfeito(a) quanto pensamos, e que temos que trabalhar o relacionamento. Nosso(a) parceiro(a) não é somente de outro planeta, mas é também um ser humano que comete erros e tem defeitos como todo o mundo.

Frustração e desapontamento aumentam, ervas daninhas precisam ser arrancadas e as plantas precisam de água extra sob o sol escaldante. Não é mais tão fácil dar e receber o amor de que precisamos. Descobrimos que não estamos sempre felizes, e que nem sempre nos sentimos amorosos. Não fazemos mais uma imagem do amor.

Muitos casais se tornam desiludidos a essa altura. Eles não querem trabalhar o relacionamento. Eles esperam, de maneira irreal, que seja primavera o tempo todo. Culpam seus parceiros e desistem. Não se dão conta de que o amor nem sempre é fácil; às vezes requer trabalho duro sob o sol escaldante. No verão do amor, precisamos acalentar as necessidades do(a) nosso(a) parceiro(a) bem como pedir e receber o amor de que precisamos. Isso não acontece automaticamente.

O outono do amor

Como resultado dos cuidados com o jardim durante o verão, nós colhemos os resultados do trabalho duro. O outono chegou. É um momento dourado – rico e satisfatório. Experimentamos um amor mais maduro que aceita e compreende as imperfeições do(a) nosso(a) parceiro(a) bem como as nossas. É um momento de agradecer e de compartilhar. Tendo trabalhado duro durante o verão, podemos relaxar e aproveitar o amor que criamos.

O inverno do amor

Aí o tempo muda de novo, e vem o inverno. Durante os meses frios e estéreis do inverno, toda a natureza se recolhe para dentro de si mesma. É um momento de descanso, reflexão e renovação. Esse é o momento, num relacionamento, em que experimentamos nossa própria dor não resolvida ou nosso eu obscuro. É quando nossa tampa sai e nossos sentimentos dolorosos emergem. É um momento para crescimento solitário quando precisamos cuidar mais de nós mesmos do que dos(as) nossos(as) parceiros(as) por amor e satisfação. É o momento para cura. Esse é o momento em que os homens hibernam nas suas cavernas e as mulheres mergulham no fundo dos seus poços.

Depois de nos amarmos e curarmos ao longo do inverno escuro do amor, então a primavera inevitavelmente retorna. De novo somos abençoados com os sentimentos de esperança, amor e uma abundância de possibilidades. Baseados numa cura interna e numa investigação da alma na nossa jornada invernal, nós somos então capazes de abrir nossos corações e de sentir a primavera do amor.

Relacionamentos bem-sucedidos

Depois de estudar esse guia para melhorar a comunicação e conseguir o que se quer nos seus relacionamentos, você estará bem preparado para obter sucesso nos seus relacionamentos. Você tem uma boa razão para ter esperança em si mesmo. Você vai passar bem pelas estações do amor.

Tenho testemunhado milhares de casais transformarem seus relacionamentos – alguns literalmente da noite para o dia. Eles vêm no sábado ao meu seminário de final de semana e na hora do jantar de domingo já estão apaixonados de novo. Aplicando os insights adquiridos através da leitura desse livro e lembrando-se de que os homens são de Marte e as mulheres são de Vênus, você vai experimentar o mesmo sucesso.

Mas advirto para que não se esqueçam de que o amor é sazonal. Na primavera é fácil, mas no verão é um trabalho árduo. No outono você pode se sentir muito generoso(a) e satisfeito(a), mas no inverno pode se sentir vazio(a). A informação de que precisa para resistir ao verão e trabalhar o seu relacionamento é facilmente esquecida. O amor que você sente no outono se perde facilmente no inverno.

No verão do amor, quando as coisas ficam difíceis e você não está recebendo o amor de que precisa, meio que de repente você pode se esquecer de tudo o que aprendeu nesse livro. Num instante some tudo. Você pode começar a culpar seu(sua) parceiro(a) e se esquecer de como acalentar os sentimentos dele(a).

Quando o vazio do inverno se estabelece, você pode se sentir desesperançado(a). Pode se culpar e esquecer como amar e acalentar a si mesmo. Pode duvidar de si mesmo(a) e do(a) seu(sua) parceiro(a). Pode se tornar cínico(a) e ter vontade de desistir. Isso tudo é parte do ciclo. É sempre mais escuro antes da aurora.

Para sermos bem-sucedidos em nossos relacionamentos, temos que aceitar e compreender as diferentes estações do amor. Às vezes o amor flui fácil e automaticamente; outras vezes, requer algum esforço. Às vezes nossos corações ficam plenos e outras vezes ficamos vazios. Não devemos esperar que nossos(as) parceiros(as) sejam sempre amáveis ou mesmo que se lembrem de como serem amáveis. Também devemos nos dar esse presente de compreensão e não esperar que nos lembremos de tudo que aprendemos sobre sermos amáveis.

O processo de aprendizagem requer não somente escutar e aplicar mas também esquecer e então se lembrar de novo. Ao longo desse livro, você aprendeu coisas que seus pais não podiam lhe ensinar. Eles não sabiam. Mas agora que você sabe, por favor, seja realista. Permita a si mesmo(a) continuar a cometer erros. Muitos dos novos insights que você adquiriu serão esquecidos por algum tempo.

As teorias da educação afirmam que para aprender alguma coisa nova precisamos ouvi-la duzentas vezes. Não podemos esperar de nós (ou de nossos parceiros) que nos lembremos (ou se lembrem) de todos os insights desse livro. Temos que ser pacientes e apreciativos com cada um dos seus passos. Leva tempo para trabalhar com essas ideias e integrá-las na sua vida.

Nós não somente precisamos ouvir isso duzentas vezes como também precisamos desaprender o que aprendemos no passado. Não somos crianças inocentes aprendendo a ter relacionamentos de sucesso. Fomos programados por nossos pais, pela cultura em que crescemos e pelas nossas próprias experiências dolorosas do passado. Integrar essa nova sabedoria aos nossos relacionamentos amorosos é um novo desafio. Você é um pioneiro. Está viajando por um território novo. Pode esperar que se perca algumas vezes. Use esse guia como um mapa para levá-lo repetidamente através de terras não cartografadas.

Da próxima vez que estiver frustrado com o sexo oposto, lembre-se de que os homens são de Marte e as mulheres são de Vênus. Mesmo que você não se lembre de mais nada desse livro, lembrar que espera-se que sejamos diferentes vai ajudá-lo(a) a ser mais amoroso(a). Ao deixar de julgar e acusar, você pode criar a relação amorosa que quer, precisa e merece.

Você tem muito o que esperar disso. Que você continue a crescer em amor e luz. Obrigado por me deixar fazer uma diferença na sua vida.

LEIA TAMBÉM:

Homens são de Marte, mulheres são de Vênus – Livro dos Dias

Muito além de Marte e Vênus

A dieta de Marte & Vênus

Milagres práticos para Marte e Vênus

Homens, mulheres e relacionamentos

Marte e Vênus apaixonados

Marte e Vênus juntos para sempre

Marte e Vênus no quarto

Marte e Vênus recomeçando

Por que Marte e Vênus colidem

Como obter o que você quer e apreciar o que tem

Vênus é de fogo, Marte é de gelo

Os filhos vêm do céu

Impressão e Acabamento:
EDITORA JPA LTDA.